D0241633

NIETS BLIJFT ONDER ONS

ALICIA ERIAN

Niets blijft onder ons

Vertaald door Ankie Klootwijk

SIRENE

Oorspronkelijke titel *Towelhead*
Oorspronkelijke uitgave Simon & Schuster, New York

Omslagontwerp Random House Mondadori / Studio Jan de Boer
Foto voorzijde omslag © Leslie Lyons/Getty Images
Foto achterzijde omslag © Jerry Bauer
Uitgave in Sirene februari 2008

www.sirene.nl

ISBN 978 90 5831 474 1
NUR 302

Voor David Franklin

In de toekomst zullen we het allemaal beter doen.

– Raymond Carver,
'On an old photograph of my son'

EEN

De vriend van mijn moeder had een oogje op me, dus moest ik van haar bij papa gaan wonen. Ik wilde niet bij papa wonen. Hij sprak met een raar accent en kwam uit Libanon. Mijn moeder had hem op de universiteit leren kennen, daarna waren ze getrouwd en hadden ze mij gekregen, en toen ik vijf was zijn ze weer gescheiden. Mijn moeder zei dat dat kwam omdat mijn vader gierig en bazig was. Toen mijn ouders gingen scheiden, was ik niet verdrietig. Ik weet alleen nog dat papa mijn moeder een klap gaf en dat mijn moeder toen zijn bril afpakte en die onder haar schoen verbrijzelde. Ik weet niet waarover ze ruzie hadden, maar ik was blij dat hij niets meer kon zien.

Toch moest ik iedere zomer een maand lang bij hem op bezoek en daar werd ik altijd depressief van. En als het dan tijd werd om naar huis te gaan, voelde ik me weer blij. Het gaf gewoon te veel stress om in de buurt van papa te zijn. Hij wilde dat alles op een bepaalde manier werd gedaan die alleen hij kende. De helft van de tijd durfde ik me amper te verroeren. Op een keer morste ik wat sap op een van zijn oosterse tapijten en toen zei hij dat ik nooit een man zou krijgen.

Mijn moeder wist hoe ik over hem dacht, maar toch moest ik van haar bij hem gaan wonen. Ze was gewoon zo ontzettend kwaad omdat haar vriend mij leuk vond. Ik zei dat ze zich niet ongerust hoefde te maken, dat ik Barry niet leuk vond, maar zij zei dat het daar niet om ging. Ze zei dat ik altijd met mijn tieten liep te pronken en dat het lastig voor Barry was om te doen alsof hij het niet zag. Dat vond ik echt erg want ik kon het toch niet helpen dat mijn tieten er zo uitzagen. Ik had er niet om gevraagd dat Barry mij zou zien staan. Ik was pas dertien.

Op de luchthaven vroeg ik me af waar mijn moeder zich nou zoveel zorgen over maakte. Ik had Barry nooit van haar af kunnen pakken, zelfs als ik het geprobeerd had. Ze was een echte Ierse. Ze had hoge jukbeenderen en een schattig bolletje op het topje van haar neus. Als ze camouflagecrème onder haar ogen aanbracht, zagen ze er heel helder en stralend uit. Ik had urenlang haar glanzende bruine haren willen borstelen als het van haar had gemogen.

Toen ze mijn vlucht omriepen, begon ik te huilen. Mijn moeder zei dat het allemaal niet zo erg was en gaf me toen een duwtje in mijn rug zodat ik naar het vliegtuig zou lopen. Een stewardess hielp me mijn stoel te vinden omdat ik nog steeds huilde, en een man die naast me zat hield tijdens het opstijgen mijn hand vast. Hij dacht zeker dat ik het eng vond om te vliegen, maar dat was het niet. Ik hoopte echt dat we zouden neerstorten.

Op het vliegveld van Houston werd ik door papa opgehaald. Hij was lang en gladgeschoren, en hij had zijn golvende, dunner wordende haar naar één kant gekamd. Nadat mijn moeder zijn bril kapot had getrapt was hij contactlenzen gaan dragen. Hij gaf me een hand, wat hij nog nooit had gedaan. Ik zei: 'Krijg ik geen knuffel van je?' en hij antwoordde: 'Zo doen we het in het land waar ik vandaan kom.' Toen begon hij heel snel door de luchthaven te lopen zodat ik hem nauwelijks kon bijbenen.

Terwijl ik met papa bij de bagageband stond te wachten had ik het gevoel dat ik geen familie meer had. Hij keek niet naar me en zei niets tegen me. We stonden daar allebei alleen maar te kijken of mijn koffer er al aan kwam. Toen hij kwam, tilde papa hem van de lopende band en zette hem op de grond zodat ik hem kon voorttrekken. Er zaten wieltjes onder en hij had een handvat, maar als je te snel liep, viel hij om. Maar toen ik wat langzamer ging lopen, kwam papa veel te ver voor te liggen. Uiteindelijk pakte hij hem op en droeg hem zelf.

Het was een heel eind rijden naar papa's appartement en onderweg probeerde ik niet naar de reclameborden voor herenclubs te kijken. Het was gênant, die vrouwen die hun borsten er zo uit lieten hangen. Ik vroeg me af of ik er in Barry's ogen ook zo uit had gezien. Papa zei niets over de reclameborden, waardoor het allemaal nog gênanter werd. Ik begon het gevoel te krijgen dat die borden mijn schuld waren. Dat alles wat afschuwelijk en smerig was, mijn schuld was. Mijn moeder had papa niets verteld over Barry en mij, maar ze had hem wel verteld dat ze vond dat ik te snel groot werd en dat het goed voor me zou zijn als ik wat strenger aangepakt zou worden.

Die nacht sliep ik op een stretcher in mijn vaders studeerkamer. Er lag een laken op, maar dat gleed er steeds vanaf en de vinyl bekleding plakte aan mijn huid. De volgende ochtend verscheen mijn vader in de deuropening en floot als een vogel zodat ik wakker werd. Ik liep in mijn T-shirt en onderbroek naar de ontbijttafel en toen gaf hij me een klap en zei dat ik me behoorlijk moest aankleden. Het was de eerste keer dat iemand me sloeg en ik begon te huilen. 'Waarom deed je dat?' vroeg ik hem, en hij antwoordde dat van nu af aan alles anders zou worden.

Ik kroop weer in bed en bleef nog wat liggen huilen. Ik wilde naar huis, en het was pas de tweede dag. Vlak daarna verscheen mijn vader weer in de deuropening en zei: 'Goed, ik vergeef het je, en nu opstaan.' Ik keek hem aan en vroeg me af wat hij me vergaf. Ik wilde het hem vragen, maar op een of andere manier leek me dat niet zo slim.

Die dag gingen we op zoek naar een nieuw huis. Papa vertelde dat hij goed verdiende bij de NASA, en in de buitenwijken had je trouwens ook betere scholen. Ik wilde niet meer terug naar de snelweg vanwege al die reclameborden, maar ik durfde geen nee te zeggen. Op weg naar de buitenwijken bleken de reclameborden daar gelukkig voor nieuwe huizen en woningbouwprojecten te zijn. De prijzen begonnen bij honderdvijftigduizend dollar – bijna drie keer zoveel als mijn moeder voor ons rijtjeshuis in Syracuse had betaald. Ze gaf les op een middelbare school, dus ze had niet zoveel geld.

Papa luisterde naar de publieke zender NPR terwijl ik uit het raam keek. Houston was in mijn ogen het eind van de wereld. De laatste plek waar je ooit zou willen wonen. Het was er heet en klam en het water uit de kraan smaakte zanderig. Het enige wat ik fijn vond aan papa was dat hij de airco op vierentwintig graden had gezet. Hij zei dat iedereen die hij kende hem voor gek verklaarde, maar dat kon hem niets schelen. Hij genoot ervan in zijn appartement rond te lopen en dan 'Ahhh!' te zeggen.

Er was nieuws over Irak en papa zette de radio wat harder. Ze waren net Koeweit binnengevallen. 'Die klootzak van een Saddam,' zei papa, en ik ontspande me een beetje omdat hij zomaar vloekte.

We gingen naar een nieuwbouwproject kijken dat Charming Gates werd genoemd en bezochten een modelwoning. Een makelaar die mevrouw Van Dyke heette gaf ons een rondleiding die eindigde in de keuken, waar ze papa een kop koffie aanbood. Ze had het er voortdurend over hoe mooi het huis was, over de schappelijke prijs, de goeie scholen in de buurt en hoe veilig het hier was. Papa probeerde op de prijs af te dingen en toen zei ze dat dat niet gebruikelijk was. Ze zei dat het wel kon als hij een oud huis kocht, maar dat nieuwbouwhuizen een vaste prijs hadden. Op de terugweg in de auto maakte hij grapjes over haar zuidelijke accent, dat nog grappiger klonk omdat zijn eigen accent erin doorklonk.

's Avonds gingen we een flinterdunne pizza eten in een restaurant dat Panjo's heette. Papa zei dat dat zijn lievelingsrestaurant was en dat hij daar vaak at. Hij vertelde dat de laatste keer dat hij daar had gegeten, hij met een vrouw van zijn werk was met wie hij een afspraakje had. Hij had haar heel leuk gevonden tot ze een sigaret opstak. Toen besefte hij pas hoe stom ze was. Ik vond haar ook stom, niet omdat ze rookte maar omdat ze met papa uit was geweest.

Die avond op de vinyl stretcher dacht ik na over mijn toekomst. Ik stelde me die voor als één grote ellende, dag in, dag uit. Ik kwam tot de conclusie dat mij nooit iets goeds zou overkomen en begon over Barry te fantaseren. Ik fantaseerde dat hij me zou komen redden van mijn vader en dat we dan teruggingen naar Syracuse, maar zonder het tegen mijn moeder te zeggen. We zouden in een huis aan de andere kant van de stad gaan wonen en ik kon dragen wat ik wilde als ik ging ontbijten.

De volgende ochtend was Barry nog niet gekomen. Het was gewoon mijn vader die weer in de deuropening stond en floot als een vogel. 'Dat vind ik eigenlijk niet zo leuk,' zei ik, maar hij lachte en deed het nog een keer.

Die dag gingen we nog meer modelwoningen bekijken. En in het weekend weer een paar. Op zondagavond vroeg mijn vader welk huis ik het mooist vond en ik koos het goedkoopste, dat in Charming Gates. Hij zei dat hij het ermee eens was en een paar weken later verhuisden we. Het was een mooi huis met vier slaapkamers – een voor papa, een voor mij, een als studeerkamer en een als logeerkamer. Papa en ik hadden ieder een eigen badkamer. Mijn behang heette 'Adobe' omdat het net zo'n kleur had als die aardekleurige huisjes, en mijn wastafel en het blad eromheen waren crèmekleurig met gouden glittertjes erin. Het was mijn eigen verantwoordelijkheid om mijn badkamer schoon te houden en papa kocht een fles Comet voor me om onder de wastafel op te bergen.

Papa's badkamer was twee keer zo groot als de mijne. Hij stond in verbinding met zijn kamer en had twee wastafels, plus een inloopkast met twee kledingrekken boven elkaar, net als bij de stomerij. Sommige van zijn pakken zaten zelfs in een zak van de stomerij. Zijn toilet was in een kamertje met een aparte eigen deur en vlak nadat we verhuisd waren, begon het daar naar pis te ruiken. Hij had geen bad zoals ik, maar een douchecabine met een deur die een hard klikgeluid maakte als je hem dichtdeed.

Het huis had een zondagse en een doordeweekse zitkamer, en

een echte eetkamer en een ontbijthoekje. We begonnen alle kamers te gebruiken zoals ze waren bedoeld. We ontbeten in de ontbijthoek, aten 's avonds in de eetkamer, keken tv in de doordeweekse zitkamer (waar ook de open haard stond), en we ontvingen gasten in de zondagse zitkamer die aan de voorkant van het huis lag.

Onze eerste gasten waren de buren naast ons, meneer en mevrouw Vuoso en hun tienjarige zoon Zack. Ze brachten een taart mee die mevrouw Vuoso had gebakken. Papa liet hen plaatsnemen op zijn bruine fluwelen bank en serveerde hete thee, hoewel ze daar niet om gevraagd hadden. 'O jee,' zei mevrouw Vuoso, 'thee in een glas.'

'Zo serveren wij thee in mijn land,' zei papa.

Mevrouw Vuoso vroeg hem welk land dat was en papa vertelde het haar. 'Stel je voor,' reageerde ze en papa knikte.

'U zult wel een interessante visie hebben op de situatie daar,' zei meneer Vuoso. Hij zag er heel netjes uit met zijn korte bruine glanzende haar en zijn zwarte T-shirt. Hij droeg een spijkerbroek die eruitzag alsof hij gestreken was en hij had enorme armspieren. De grootste die ik ooit had gezien. Ze zaten hem in de weg als hij zijn armen tegen zijn zij hield.

'Dat heb ik zeker,' zei papa.

'Misschien kunnen we het daar een keer over hebben,' zei meneer Vuoso, maar hij klonk alsof hij daar helemaal geen trek in had.

'Vandaag niet,' waarschuwde mevrouw Vuoso hem. 'Vandaag doen we niet aan politiek.' Ze droeg een geelbruine rok en platte schoenen. Ze had een jong gezicht maar haar korte haar was helemaal grijs. Ik moest mezelf er steeds aan herinneren dat ze de vrouw van meneer Vuoso was, en niet zijn moeder.

'Kun jij badmintonnen?' vroeg Zack me. Hij zat tussen zijn ouders in op de bank, met zijn benen recht voor zich. Hij leek een beetje op zijn vader, met zijn korte bruine haar en keurige spijkerbroek.

'Een beetje,' zei ik.

'Heb je zin om nu een spelletje te doen?' vroeg hij.

'Oké,' zei ik, hoewel ik eigenlijk geen zin had. Ik wilde veel liever bij de volwassenen blijven zitten. Ik vroeg me steeds maar af of meneer Vuoso papa nou in elkaar ging slaan.

De familie Vuoso had een badmintonnet in de achtertuin, en Zack sloeg het pluimpje de hele tijd tegen mijn tieten en moest dan lachen. 'Schei uit,' zei ik uiteindelijk.

'Ik sla gewoon,' zei hij. 'Ik kan niet helpen waar-ie terechtkomt.'

Ik liet het hem nog een paar keer doen, toen hield ik ermee op.

'Heb je zin om iets anders te doen?' vroeg hij.

'Nee, bedankt,' zei ik, en ik liep naar zijn kant van het net en gaf hem het racket.

We gingen terug naar mijn huis, waar meneer en mevrouw Vuoso op het punt stonden om te vertrekken. 'Wie heeft er gewonnen?'

'Ik,' zei Zack. 'Zij hield ermee op.'

'We zeggen niet "zij" als die persoon vlak naast ons staat,' zei mevrouw Vuoso.

'Ik weet niet meer hoe ze heet,' zei Zack.

'Jasira,' zei meneer Vuoso. 'Ze heet Jasira.' Hij glimlachte tegen me, en ik wist niet hoe ik moest kijken.

Toen ze weg waren vertelde papa dat meneer Vuoso een reservist was, en dat betekende dat hij in het weekend in het leger zat. 'Die kerel is me er een,' zei papa hoofdschuddend. 'Hij denkt dat ik dol ben op Saddam. Wat een belediging.'

'Heb je hem verteld dat dat niet zo is?' vroeg ik.

'Ik heb hem niks verteld,' zei papa. 'Wat kan mij die man nou schelen?'

Er was een zwembad in Charming Gates en papa vond dat we daar absoluut gebruik van moesten maken. Hij zei dat hij niet al dat geld betaalde zodat ik alleen maar in de airco kon gaan zitten niksen. Ik zei dat ik niet wilde zwemmen, maar toen hij vroeg waarom niet, schaamde ik me te erg om het te zeggen. Het kwam door mijn schaamhaar. Daar kreeg ik steeds meer van, en het kwam al onder de rand van mijn zwempak uit. Ik had mijn moeder gesmeekt me te leren hoe ik me moest scheren maar ze had nee gezegd, en dat je als je er eenmaal mee begon ermee door moest blijven gaan. Ik had er de hele tijd om moeten huilen en mijn moeder zei dat ik moest kappen. Ik zei dat de meisjes me tijdens de gymles Chewbacca noemden, en toen antwoordde ze dat ze niet wist wie dat was. Barry zei dat hij het wel wist en dat het niet erg aardig was, maar toen zei mijn moeder dat hij moest opzouten omdat hij zelf geen kinderen had.

Maar op een avond, toen mijn moeder een ouderavond had, riep Barry me naar de badkamer. Hij stond daar in zijn joggingbroek en een T-shirt en hield een scheermes en een bus scheercrème in zijn hand. 'Trek je badpak maar aan,' zei hij. 'Dan gaan we eens kijken hoe we dat zullen doen.' Dus ik trok mijn badpak aan en ging in bad staan, en hij begon mijn schaamhaar te scheren. 'Hoe ziet dat eruit?' vroeg hij toen hij klaar was, en ik zei dat ik het mooi vond.

Toen het tijd werd om me opnieuw te scheren vroeg Barry of ik nog wist hoe het moest, of dat hij het nog een keer voor moest doen. Ik zei dat hij het nog een keer voor moest doen, hoewel ik het me best herinnerde. Het gaf me gewoon een fijn gevoel om daar te staan en hem zo'n gevaarlijk en precies karweitje bij mij te laten doen.

Mijn moeder zou er nooit achter zijn gekomen als het bad na een tijdje niet verstopt was geraakt. Ze belde de loodgieter en toen die met de ontstoppingsveer aan de slag ging, kwamen alleen mijn zwarte krulhaartjes tevoorschijn. 'Dat gebeurt wel eens,' zei hij. 'Het zijn niet altijd de haren op je hoofd.' Toen liet hij mijn moeder honderd dollar betalen om wat Liquid-Plumr in de afvoer te gieten.

'Trek je broek uit,' zei ze toen hij weg was, en dat deed ik. Het had geen zin tegen haar in te gaan.

'Heb ik gezegd dat je je mocht scheren?' vroeg ze. 'Nou? Heb ik dat gezegd?'

'Nee,' zei ik.

'Geef me dat scheermes eens,' zei ze, en toen zei ik dat ik er geen had maar dat ik het scheermes van Barry had gejat en gebruikt. Toen hij thuiskwam, moest ik van haar mijn excuses maken omdat ik zonder het te vragen iets van hem had gepakt. 'Dat geeft niet,' zei hij en mijn moeder gaf me een maand huisarrest.

Maar een week later kon Barry het niet langer voor zich houden en vertelde haar de waarheid. Dat hij me zelf geschoren had. Dat hij me al weken geschoren had. Dat hij er niet mee kon ophouden. Hij zei dat het allemaal zijn schuld was, maar mijn moeder zei dat het door mij kwam. Ze zei dat als ik niet voortdurend over mijn schaamhaar had lopen praten, dit nooit gebeurd zou zijn. Ze zei dat ik nee had moeten zeggen toen Barry voor het eerst aanbood om me te scheren. Ze zei dat er goede en slechte manieren zijn om met mannen om te gaan en om mij te leren wat goed en wat slecht was, moest ik maar bij een man gaan wonen.

Uiteindelijk dwong papa me om te gaan zwemmen. Ik dacht dat hij al dat schaamhaar wel prima zou vinden omdat het me lelijk maakte. Maar toen we bij het zwembad waren en ik mijn korte broek uittrok, zei hij: 'Dat badpak bedekt je niet eens.'

'Jawel,' zei ik, en ik keek naar beneden naar de laag uitgesneden pijpen.

'Niet waar,' zei hij. 'Alles puilt eruit. Trek onmiddellijk je broek aan.'

Ik trok mijn broek weer aan en ging op mijn handdoek zitten kijken hoe papa baantjes trok in het gedeelte van het zwembad dat voor volwassenen was afgezet. Op een gegeven moment vergiste een jongetje zich even en ging onder de drijflijn door, en papa moest halverwege een slag stoppen. Ik dacht dat hij wel tegen het kind tekeer zou gaan, maar hij glimlachte alleen maar en wachtte tot hij weer uit de weg was. Ik begreep dat alles tussen mij en papa goed zou kunnen gaan als we maar vreemden voor elkaar waren.

De school begon en veel van de conciërges, die allemaal Mexicanen waren, praatten Spaans tegen me. Ik kon ze echt niet verstaan, maar ik schreef me in voor Spaanse les zodat ik het kon leren. Toen moest ik van papa in plaats daarvan Frans nemen omdat dat de enige andere taal was die zijn familie in Libanon sprak, en misschien zou ik ze ooit nog eens ontmoeten. Ik zei niet veel tijdens de lessen, behalve als de docent me aansprak. Toen de andere kinderen mijn accent hoorden, vroegen ze waar ik vandaan kwam, en ik zei uit New York. Ze vroegen: 'New York City?' en omdat ze dat wel spannend leken te vinden zei ik maar ja.

Na schooltijd kreeg ik een baantje als oppas van Zack. Mevrouw Vuoso werkte op de factureerafdeling van een dokterspraktijk, en meneer Vuoso had zijn eigen kopieerwinkel in het winkelcentrum bij ons in de buurt. Hij kwam iets na zessen thuis en zij kwam later thuis, om een uur of zeven. Ze noemden de paar uur die ik iedere middag met Zack doorbracht 'hem gezelschap houden'.

Zack vond het vreselijk om een oppas te hebben. Hij zei altijd dat ik maar drie jaar ouder was dan hij, en als we in het weekend samen speelden, betaalden zijn ouders me per slot van rekening ook niets. 'Dat komt omdat ze in het weekend thuis zijn,' zei ik, maar hij was nog steeds diep beledigd.

Om de indruk te wekken dat er niet op hem gepast werd, kwam hij op een dag met het idee om zijn vader op zijn werk te gaan bezoeken. Ik wilde niet, maar Zack begon gewoon te lopen, dus liep ik maar achter hem aan. Ik was er zeker van dat meneer Vuoso me ter plekke zou ontslaan omdat ik mijn werk niet goed deed, maar hij leek het wel leuk te vinden ons te zien. 'Jullie komen net op tijd,' zei hij, en hij zette ons in het achterkamertje aan het werk waar we blaadjes moesten samenvoegen over hoe je een kerstkous kon breien.

Na een tijdje begon Zack zich te vervelen en begon hij fotokopieën van verschillende delen van zijn lichaam te maken. Hij stak eerst zijn gezicht onder de klep, toen zijn hand en daarna zijn hand met opgestoken middelvinger. 'Dat moet je niet doen,' zei ik toen ik dat zag, maar vervolgens trok hij zijn broek uit en maakte een fotokopie van zijn kont. Daarna pakte hij alle kopieën en begon ze bij de breipakketten te voegen. Toen meneer Vuoso naar achteren kwam om te kijken hoe het ging, vroeg hij wat dat allemaal te betekenen had. Ik zei sorry, en meneer Vuoso vroeg: 'Heb jij die kopieën gemaakt?' Ik schudde mijn hoofd en toen zei hij: 'Dan hoef je ook geen sorry te zeggen.' Hij zei tegen Zack dat hij alle pakketten helemaal opnieuw kon doen en dat wij voor in de winkel op hem zouden wachten tot hij klaar was.

In de winkel wist ik niet wat ik tegen meneer Vuoso moest zeggen. Soms kwam er een klant binnen en hoefde ik niets te zeggen; verder zat ik daar gewoon op de kruk die hij me had gegeven en probeerde niet al te stil te zijn. Ik wist van papa dat het niet goed was als je zweeg. Maar op andere momenten, als ik wel praatte, vond hij dat ook niet prettig. Het ergste aan hem was dat hij de regels voortdurend veranderde.

Na een tijdje zei ik tegen meneer Vuoso: 'Sorry dat ik niet zoveel zeg.'

Hij begon te lachen. Hij had net een bestelling voor duizend visitekaartjes binnengekregen en was de administratie daarvan aan het regelen. 'Ik zal je eens wat zeggen,' zei hij. 'Er is niets erger dan praten om het praten.'

Ik knikte en voelde me wat rustiger worden. Het was leuk om meneer Vuoso aan het werk te zien. Hij leek niet te merken dat ik er was en daar was ik blij om. Ik had er genoeg van om op te vallen.

Toen Zack eindelijk klaar was met zijn pakketten sloten we de winkel af en reden we in het minibusje van de familie Vuoso naar huis. Meneer Vuoso zei dat ik voorin mocht zitten hoewel Zack als eerste 'Ik mag voorin!' had geroepen, en toen hij tegen de rugleuning van mijn stoel begon te schoppen zei meneer Vuoso dat hij moest ophouden met klieren. Voor de grap reed meneer Vuoso onze oprit in en zette me daar af, hoewel we naast elkaar woonden. Hij zei: 'Zack en ik gaan het vanavond eens over gezag hebben. Morgen gaat het vast veel beter.' Toen leunde hij voor me langs en deed het portier voor me open.

Maar de volgende dag leek Zack alleen maar bozer te zijn geworden. We gingen badmintonnen en hij sloeg het pluimpje de hele tijd tegen mijn tieten. Toen ik zei dat ik niet meer wilde spelen, schold hij me uit voor stomme theedoek en rende naar binnen. Ik liep ook naar binnen om hem te zoeken maar hij was niet in de zitkamer. 'Zack!' riep ik, maar hij gaf geen antwoord. Ik ging naar boven en vond hem in de logeerkamer, waar hij op de rand van het bed in een *Playboy* zat te kijken.

'Wat ben je aan het doen?' vroeg ik.

'Hoepel op,' zei hij zonder op te kijken.

De deur van de kast stond open en ik zag er een hele stapel *Playboys* in liggen. Een paar legeruniformen van meneer Vuoso hingen aan de stang daarboven. 'Kom op, Zack,' zei ik. 'Leg dat weg.'

'Waarom?' zei hij. 'Ik wil ze bekijken.'

'Daar ben je nog veel te jong voor.'

'Wil jij er dan niet naar kijken?' vroeg hij.

'Nee.'

'Ga jij dan maar naar beneden,' zei hij. 'Ga maar tv-kijken.'

Ik liep naar beneden en zette de tv aan, maar ik vond geen programma dat ik leuk vond, dus liep ik weer naar boven naar de logeerkamer. 'Oké,' zei ik tegen Zack, 'nu wegleggen.'

'Moet je zien,' zei hij, en hij hield een foto van een vrouw omhoog die naakt op een paard reed.

'Wat stom,' zei ik.

Hij haalde zijn schouders op en bladerde verder. Na een paar minuten liep ik naar de kast en pakte zelf ook een tijdschrift. Ik ging ermee in een schommelstoel zitten en sloeg het op de eerste bladzijde open. Bij de inhoudsopgave stond al een vrouw zonder shirt. Ik deed het blad weer dicht en sloeg het toen in het midden open waar de grote foto zat. Ik vouwde hem niet open maar keek naar de foto's op de pagina's ervoor en erna. De vrouw was tussen haar benen op een grappige manier geschoren. Een dun streepje dat door het midden omhoog liep, net als een Mohawk-indiaan. Ze droeg wel kleren maar die waren opzij geschoven zodat je haar schaamstreek kon zien. Naast de foto's stond van alles geschreven, hoe de vrouw over mannen en vrijen dacht en welk eten ze lekker vond. De naam van de man die de foto's had gemaakt stond er ook bij. Toen ik dat had gezien, sloeg ik het tijdschrift dicht en legde het terug in de kast. Ik liep naar beneden en ging in de zitkamer zitten. Vlak daarna kwam Zack ook naar beneden.

'Heb je alles precies teruggelegd zoals het was?' vroeg ik hem.

Hij knikte en ging toen op de bank liggen.

'Je mag niet meer in die tijdschriften kijken,' zei ik.

'Ik bepaal zelf wel wat ik doe, achterlijke theedoek.'

'Ik wil niet hebben dat je dat zegt,' zei ik.

'Waarom niet?' zei hij. 'Je bent toch een theedoek, of niet soms?'

'Nee,' zei ik, hoewel ik niet eens wist wat een theedoek was.

'Je vader is een theedoek,' zei hij. 'En als je vader een theedoek is, ben jij er ook een.'

Toen snapte ik het pas, maar het was belachelijk want papa droeg geen doek op zijn hoofd. Hij was christen, net als alle andere mensen in Texas. Een keer in de zomer, toen ik zeven was, had hij me meegenomen naar de Arabische kerk en me in een badkuip laten dopen. Van tevoren had ik dagenlang lopen huilen omdat ik als de dood was dat ik naakt voor een groep onbekende mensen zou moeten staan, maar de priester trok me een gewaad aan. In de auto op de terugweg had papa grapjes gemaakt omdat ik voor niets zo bezorgd was geweest, en toen begreep ik pas dat hij al die tijd had geweten dat ik een gewaad aan zou krijgen.

Zack viel op de bank in slaap en ik ging nog een keer naar boven om te controleren of er geen *Playboys* rondslingerden. Ik was teleurgesteld toen ik er geen zag liggen, dus ik liep naar de kast en pakte er een. Ik ging op de rand van het bed zitten en sloeg het blad in het midden open, en deze keer vouwde ik de grote foto wel open. Ik begon al een beetje gewend te raken aan de foto's. Ik schrok er niet meer zo van als in het begin. Ik vond vooral de foto's leuk waarop de vrouwen bijna geen schaamhaar hadden. Als ik mijn dijbenen tegen elkaar aan drukte terwijl ik ernaar keek, gaf dat een lekker gevoel.

Meneer Vuoso kwam thuis en vroeg of ik nog problemen had gehad met Zack, en ik zei van niet. 'Zo hoor ik het graag,' zei hij, en hij pakte zijn portefeuille. Ik had gedacht dat ik me wat zenuwachtiger zou voelen bij hem omdat ik nu wist wat voor tijdschriften hij las, maar dat was niet zo. Ik voelde me juist meer op mijn gemak. Ik had het gevoel dat hij vond dat er niets mis was aan borsten en lichamen en zo.

Toen ik thuiskwam zat er bloed in mijn onderbroekje. Tenminste, ik dacht dat het bloed was. Het was een beetje oranjeachtig en bruinig. Ik belde mijn moeder en beschreef het haar, en ze zei: 'Dat is bloed, zeker weten.'

'Wat moet ik nou doen?' vroeg ik. Dit was het enige moment waar ik het meest bang voor was geweest, dat ik bij papa voor het eerst ongesteld zou worden. De avond voordat ik uit Syracuse vertrok, had mijn moeder me een paar maandverbandjes van haarzelf gegeven, maar die zouden snel op zijn.

'Wat bedoel je, wat moet ik nou doen? Neem een maandverbandje en zeg het tegen papa als hij thuiskomt. Hij weet wat ongesteld zijn is.'

'Kan jij het hem niet vertellen?'

'Waarom zou ík het hem vertellen?'

'Ik wil er niet met hem over praten.'

'Waarom niet? Je zult het er toch een keer over moeten hebben.'

'Je snapt het niet,' zei ik. 'Papa vindt mijn lichaam niet mooi.'

'Wat bedoel je daar nou weer mee?'

'Weet ik niet.'

'Je maakt een hoop heisa om niks,' zei ze. 'Wees nou maar een grote meid.'

We hingen op en ik ging naar de badkamer om een maandverbandje te pakken. Door het huis lopend dacht ik steeds maar dat ik het verbandje ritselende geluidjes in mijn onderbroek hoorde maken. Op school hadden we een film gezien waarin werd gezegd dat dit een heel bijzondere dag was, maar ik voelde me vooral een baby met een luier aan.

Toen papa om zeven uur met de auto de oprit op kwam rijden stond ik bij de achterdeur op hem te wachten. 'Hoi,' zei ik.

'Hallo, Jasira,' mompelde hij. Papa was bijna nooit opgewekt aan het eind van de dag. Hij ergerde zich aan de mensen bij de NASA omdat ze niet zo hard werkten als hij. Ik kon maar het best bij hem uit de buurt blijven en hem het avondeten laten klaarmaken, maar ik maakte me zorgen over mijn voorraad maandverbandjes.

'Papa,' zei ik terwijl hij zijn aktetas neerzette. 'Ik moet je iets vertellen.'

'Niet nu,' zei hij, en hij maakte de veters van zijn schoenen los. Toen liep hij naar de keuken en pakte een biertje uit de koelkast.

Ik ging naar de badkamer om mijn maandverbandje te controleren, dat al behoorlijk vol raakte. Bovendien had ik pijn in mijn buik, niet echt in mijn buik zelf maar in het gedeelte eronder. Het voelde alsof iemand een hand in mij had gestoken en ergens in kneep waarin hij niet mocht knijpen. Ik liep weer naar de keuken en zei: 'Papa?'

Hij haalde net een biefstuk uit de verpakking en stond naar een radiootje op het aanrecht te luisteren. Waarschijnlijk had hij me wel gehoord, ook al zei hij niets. Ik stond daar een tijdje te wachten tot hij de nieuwsberichten had gehoord en zei toen weer: 'Papa?'

Hij zuchtte. 'Wat is er, Jasira?'

'Ik moet je iets zeggen.'

'Zeg het dan gewoon,' zei hij. 'Ik heb geen behoefte aan een hele inleiding.'

'Goed dan,' zei ik, en ik haalde diep adem. 'Ik ben ongesteld geworden.'

'Ongesteld?' zei hij. Eindelijk keek hij me aan. 'Je bent veel te jong om al ongesteld te worden.'

'Ik ben dertien,' zei ik.

Hij schudde zijn hoofd. 'Mijn god.'

'Ik heb mam gebeld. Ze zei dat ik het tegen jou moest zeggen.'

'Nou,' zei hij, 'wat heb je nodig? Moet je naar de winkel?'

'Ja.'

'Nu meteen?'

'Ik denk het wel.'

Hij deed zijn schort af en trok zijn schoenen weer aan. In de auto zei hij: 'Je mag geen tampons gebruiken tot je getrouwd bent. Begrijp je goed wat ik zeg?'

Ik knikte hoewel ik er niet zeker van was of ik het wel begreep.

'Tampons zijn voor getrouwde vrouwen,' zei hij.

We reden langs het zwembad dat 's avonds onder water verlicht bleef. Ik vond het altijd jammer dat het gesloten was als het er op zijn mooist uitzag.

Ik had gehoopt dat hij me bij de drogist geld zou geven en niet met me mee naar binnen zou gaan, maar hij parkeerde de auto en stapte uit. In het gangpad voor damesverband zei hij: 'Eens even kijken,' en hij begon allerlei verschillende soorten maandverband van de plank te pakken. Uiteindelijk draaide hij zich naar me om en vroeg: 'Zou je je toestand als licht, medium of zwaar omschrijven?'

'Ik weet het niet,' zei ik.

'Hoe bedoel je, je weet het niet?'

'Mag ik ze niet zelf uitkiezen, papa?'

'Waarom?' zei hij. 'Wat is het probleem nou?'

'Niks.'

'Je gaat geen tampons dragen, als je daar soms aan zit te denken.'

'Ik wil ook geen tampons.'

'Als je getrouwd bent, mag je zoveel tampons gebruiken als je wilt. Maar nu gebruik je maandverband.'

Een magere, al wat oudere verkoopster kwam kijken of we hulp nodig hadden. 'We vinden het wel, dank u,' zei papa.

Ik keek haar aan en ze glimlachte tegen me. 'Zijn ze voor jou?' vroeg ze.

Ik knikte.

Ze pakte een groene doos. 'Nou, deze gebruikt mijn dochter graag.'

Ik nam de doos van haar aan en begon de tekst op de zijkant te lezen.

'Wat er is mis met deze?' vroeg papa en liet haar zijn doos zien.

'Die zijn wat dikker. Ze zitten wat minder comfortabel.'

Hij keek alsof hij haar niet geloofde.

'Mag ik deze?' vroeg ik, en ik hield hem mijn doos voor.

Papa nam hem van me aan en zei: 'Hoe komt het dat ze zo duur zijn?'

De verkoopster zette een bril op die aan een ketting om haar hals hing. 'Nou,' zei ze terwijl ze naar het prijsje keek, 'dat heeft waarschijnlijk te maken met het feit dat ze comfortabeler zijn, wat ik net al zei.'

'Wat een afzetterij,' zei papa.

'Heb je last van krampen?' vroeg de verkoopster me, en ik knikte weer.

'Hier,' zei ze, en ze gaf papa een doosje Motrin. 'Geef haar deze maar.'

'We hebben thuis genoeg aspirines,' zei papa, en hij zette het doosje terug op de plank, maar de vrouw pakte het weer en duwde het in zijn hand.

'Echt waar,' zei ze, 'ze heeft deze nodig. Aspirines helpen niet.' Toen pakte ze de doos met het dikke maandverband uit papa's arm en zette die terug op de plank.

Ik zag dat hij kwaad op haar was, alleen kon hij er weinig tegen doen. Maar op de terugweg zei hij dat ik van nu af aan mijn eigen maandverband moest betalen. Hij zei dat hij zich niet gerealiseerd had hoe duur die rommel was en omdat ik nu toch voor het leger werkte, kon ik het zelf wel betalen. Zo noemde hij mijn werk bij de familie Vuoso. Het zat hem nog steeds dwars dat meneer Vuoso dacht dat hij dol was op Saddam. Als er iets was waar hij een hekel aan had, zei papa, dan was het wel aan mensen die allerlei veronderstellingen over hem maakten.

Die avond in bed fantaseerde ik weer dat Barry me zou komen redden. Ik verwachtte eigenlijk niet dat hij zou komen, maar ik voelde me altijd prettiger als ik aan hem dacht. Hij was iemand van wie ik zeker wist dat hij me aardig vond. Zelfs nog aardiger dan hij mijn moeder vond. Hij vond me zo aardig dat ze mij had moeten wegsturen omdat ze jaloers was. Dat was mijn favoriete gedeelte. Het gedeelte waarin ik leuker was dan mijn moeder, wat er ook gebeurde. Jongens vonden mij leuker dan haar.

De volgende dag tijdens de tekenles, toen ik mijn schetsblok uit mijn rugzak pakte, viel er een maxi-maandverband uit. Ik probeerde het te verbergen maar het was al te laat. De drie jongens die aan mijn tafel zaten, hadden het al gezien. Ze grepen het en begonnen het naar elkaar over te gooien terwijl ik het probeerde af te pakken. Toen maakte een van hen het pakje open, trok het papieren strookje van de hechtstrip en plakte het verband op zijn voorhoofd. Mevrouw Ridgeway zei dat-ie het van zijn voorhoofd moest halen en dat deed hij ook, maar toen smeerde hij er rode waterverf op. Vervolgens ging het praatje rond dat het echt bloed was en dat ik zo'n goorlap was dat ik met gebruikte maandverbandjes rondliep.

Ik had geen maandverband meer, dus ik ging naar het toilet en propte een hoop toiletpapier in mijn onderbroek. Ik moest een beetje huilen en een van de conciërges hoorde me en vroeg: 'Gaat het wel goed daarbinnen?' Ik vertelde haar wat het probleem was en ze zei dat ik even moest wachten. Een paar minuten later kwam ze terug en schoof een tampon onder de deur door. 'Ik geloof niet dat ik die in kan krijgen,' zei ik.

'Natuurlijk wel,' zei ze. 'Hij is heel klein.'

Toen bleef ze voor de deur staan en vroeg wel honderd keer of ik hem er al in had. 'Ontspan je nou maar,' zei ze, en uiteindelijk gleed hij naar binnen.

Toen ik naar buiten kwam en ze zag dat ik het was, begon ze in het Spaans te praten en moest ik haar zeggen dat ik het niet verstond. 'Spreken je ouders thuis dan geen Spaans?' vroeg ze, en toen ik nee zei, schudde ze haar hoofd alsof dat het droevigste was wat er bestond in de wereld.

De rest van de dag moest ik vaak denken aan wat papa had gezegd – dat je getrouwd moest zijn om tampons te kunnen dragen. Ik dacht dat hij bedoelde dat je seks hebt als je getrouwd bent en als je seks hebt ontstaat er meer ruimte voor een tampon. Alleen was er nú ook al een beetje ruimte. Dat had de conciërge gezegd en ze had gelijk gehad. Ik begon me af te vragen of papa me nog meer verkeerde dingen had verteld.

Na school vroeg Zack of ik weer in de tijdschriften wilde kijken en ik zei dat het goed was. Hij ging met zijn rug naar me toe op de rand van het bed zitten en ik ging in de schommelstoel zitten. Ik las de interviews met de vrouwen allemaal heel grondig in de hoop dat ze over iets belangrijks zouden praten, zoals ongesteld worden. Maar er stond heel veel van hetzelfde in – beschrijvingen van hoe ze het liefst met hun vriendje vreeën, hoeveel keer per week ze het graag deden of wat voor kleur haar hun vriendje moest hebben. Ik besefte niet dat ik mijn dijen tegen elkaar aan duwde, tot Zack zich omdraaide en zei: 'Hou nou eens op met dat kraken in die stoel.'

De vrouwen hadden het ook over orgasmen, wat ik niet begreep. Ik nam aan dat ze het gevoel bedoelden dat ik kreeg als ik mijn dijen tegen elkaar duwde, alleen stelde dat niet zoveel voor. Ik vond het gewoon een lekker gevoel, net als toen Barry me schoor. Niet echt een belevenis of zo.

'Moet je kijken!' zei Zack op een gegeven moment, en hij kwam naar me toe en liet me een foto zien van een vrouw met een lichtbruine huid en donkerbruine tepels. In de kop boven de foto stond ARABISCHE SCHONE.

'Nou en?' zei ik.

'Ze is een theedoek, net als jij.'

'Kap daar nou mee,' zei ik. 'Dat is niet aardig om te zeggen.'

Hij pakte het tijdschrift terug. 'Misschien kom jij ook wel een keer in de *Playboy* te staan. Je hebt grote tieten.'

Ik schudde mijn hoofd en herinnerde me de namen van al die mannelijke fotografen.

'Zelfs mijn vader vindt jou wel knap,' zei hij, en hij ging weer op zijn plek op het bed zitten.

'Echt waar?'

Zack knikte. 'Hij zegt dat jij later een heleboel vriendjes gaat krijgen en dat je vader je zal opsluiten.'

'Dat doet hij heus niet,' zei ik, maar ik schrok wel.

'Wacht maar af,' waarschuwde Zack.

Toen meneer Vuoso die middag thuiskwam was ik zenuwachtiger dan anders. 'Hoi, Jasira,' zei hij en ik zei: 'Goed, dank u.' Zack vond dat ongelooflijk komisch en kon niet ophouden met lachen. Zelfs meneer Vuoso moest lachen, maar niet op een gemene manier. Hij zei alleen: 'Nou, je bent me voor, maar fijn. Ik ben blij dat het goed met je gaat.' Toen liep hij naar de keuken.

'Je mag nu weg,' zei Zack.

'Ik weet heus wel wanneer ik weg mag,' zei ik tegen hem.

Thuis controleerde ik mijn onderbroek. Er zaten een paar bloedvlekjes in, dus deed ik er voor alle zekerheid een maandverbandje in. Ik wilde de tampon er nog niet uithalen. Niet voordat papa thuiskwam; eerst wilde ik voor hem heen en weer lopen terwijl ik hem nog in had.

'Hou eens op met dat heen-en-weergeloop,' zei hij later op de avond.

'Sorry,' zei ik, en ik ging op een stoel in de ontbijthoek zitten.

'Heb je geen huiswerk?' vroeg hij. Hij stond aan het aanrecht ons avondeten klaar te maken. Vanavond aten we een raar gerecht uit het Midden-Oosten.

'Dat heb ik al af,' zei ik.

'O,' zei hij, 'maar ik ben nu naar de radio aan het luisteren.'
'Ik zal stil zijn.'
Na een paar seconden zei hij: 'Hoe is het met je ongesteldheid?'
'Goed.'
'Is de kramp al weg?'
'Hmm-hmm.'
'Je moeder had ook altijd kramp,' zei hij. 'Dan was het net alsof ze doodging of zo.'
'Bij mij is het niet zo erg,' zei ik.
'Ik dacht altijd dat ze erover loog,' zei hij. 'Om aandacht te krijgen.'
Ik knikte. Ik had haar een keer zo gezien en toen had ik hetzelfde gedacht.
'Ik negeerde haar altijd en dan werd ze razend op me en zei dat ik een harteloos mens was. Ik ben niet harteloos. Ik zie 't gewoon wanneer iemand liegt.'
Toen dacht ik aan mijn tampon en dat hij dus helemaal niet kon zien wanneer iemand loog.
'Kom me eens helpen groenten snijden,' zei hij, en ik zei oké.
Na het eten ging ik de tampon uitdoen. Hij was helemaal doorweekt en er vielen een heleboel klodders bloed in het toilet. Ik moest extra veel toiletpapier gebruiken en toen ik doortrok wilde het water niet weg. Ik wist niet wat ik moest doen en riep dus: 'Papa! Kom gauw helpen!' Hij kwam binnenrennen, zag wat er gebeurde en rende toen weer weg. Tegen de tijd dat hij terug was met de ontstopper, stroomde er roze water over de pot op het beige tapijt.
'Jezus christus,' zei hij, en hij begon de boel te ontstoppen. Daardoor stroomde er nog meer water met vlokken toiletpapier erin over het vloerkleed. Maar al gauw begon de pot leeg te lopen. Op het eind maakte hij een gorgelend geluidje en toen kwam er een heel klein beetje helder water naar boven. 'Haal eens een plastic zak voor me,' zei papa, en ik ging er een halen en hij stopte de vuile ontstopper erin. Toen wees hij naar de vloer en zei: 'Wat is dat?'

Ik keek naar beneden en zag mijn tampon liggen. Hij was niet meer zo bloederig als toen ik hem eruit haalde, maar je kon heel goed zien dat hij gebruikt was.

'Raap dat op,' commandeerde papa.

Ik bukte me en pakte het katoenen staafje op. Ik wilde het eigenlijk niet met mijn blote handen aanraken, maar papa stond voor de toiletrol.

'Waar heb je dat vandaan?' wilde hij weten.

'Van school,' zei ik. 'Een paar jongens...'

'Wat heb ik je gezegd over het gebruiken van tampons?'

'Dat ze voor getrouwde vrouwen zijn.'

'Ben jij getrouwd?' vroeg hij.

'Nee,' zei ik.

Hij keek me even aan en zei toen: 'Kom mee.' In de keuken deed hij het kastje onder de gootsteen open zodat ik de tampon kon weggooien. 'Breng de vuilnis naar buiten,' zei hij en dat deed ik, maar toen ik terugliep naar het huis zat de deur op slot. Ik liep om naar de voorkant, maar daar was de deur ook dicht. Ik belde aan, maar niemand deed open.

Ik wist niet goed wat ik moest doen. Ik keek of de portieren van de auto open waren, maar ook die zaten op slot. Ik overwoog even om bij de familie Vuoso aan te bellen, maar ik was bang dat ze me zouden ontslaan als ze hoorden dat mijn vader me had buitengesloten.

Uiteindelijk besloot ik naar het zwembad te lopen. Ik herinnerde me dat er naast de kleedhokjes een telefooncel stond, en daar belde ik mijn moeder op haar kosten. Ze accepteerde de collect call en vroeg toen wat er verdomme allemaal aan de hand was.

'Ik ben buitengesloten,' zei ik en ik begon te huilen.

'Nou,' zei ze, 'je vader belde anders daarnet en die zei dat je was weggelopen.'

'Ik ben niet weggelopen,' zei ik tegen haar. 'Hij heeft me buitengesloten en toen ben ik naar een telefooncel gelopen om jou te bellen.'

‘Waar staat die telefooncel?’ vroeg ze.

‘Bij het zwembad.’

‘Je moet mij niet bellen,’ zei ze. ‘Je hoort je vader te bellen. Hij heeft geen idee waar je zit.’

‘Maar hij heeft me buitengesloten!’

‘Luister eens even, Jasira. Jij en ik weten allebei dat je vader problemen heeft. Hij reageert soms wat overdreven. Dat betekent dat jij daar rekening mee moet houden en je gedrag moet aanpassen. Als hij je buitensluit, moet je gewoon maar een tijdje wachten tot hij je weer binnenlaat. Begrijp je me goed? Ik heb geen zin in dit soort telefoontjes de hele tijd. Wat heeft het voor zin dat jij daar woont als ik alles moet regelen?’

‘Ik wil hier niet wonen. Ik wil naar huis.’

‘Je moet het een kans geven en dat heb je nog niet genoeg gedaan.’

‘Wel waar,’ zei ik. ‘Ik heb het een hele grote kans gegeven.’

‘De vraag die jij jezelf in zo’n situatie moet stellen,’ zei ze, ‘is: waarom heeft papa me buitengesloten? Heb jij je dat afgevraagd?’

‘Ja,’ loog ik.

‘Echt waar? Heb je je dat echt afgevraagd?’

‘Nee,’ zei ik.

‘Want als papa zegt dat je geen tampons mag dragen en je draagt toch tampons, wat denk je dan dat er gaat gebeuren?’

‘Wat is er mis aan tampons dragen?’ vroeg ik.

‘Nou,’ zei ze, ‘dat is eigenlijk de vraag niet, hè? De vraag is: wat is er mis aan tampons dragen als papa je dat nadrukkelijk heeft verboden? Want daar is absoluut iets mis mee. Net zoals er iets mis is met het feit dat jij je scheert terwijl je moeder je dat verboden heeft.’

Ik zei niets.

‘Of iemand anders vraagt of hij je wil scheren,’ zei ze.

‘Sorry,’ zei ik.

‘Ik wil het er niet meer over hebben,’ zei ze.

‘Oké.’

'Nu moet je ophangen en papa bellen. Dan komt hij je ophalen.'

Ik hing op maar ik belde papa niet. Ik bleef daar in de gang tussen de dames- en herenkleedhokjes staan en deed net of dat mijn huis was. De frisdrankautomaat naast de telefooncel zoemde zachtjes als een koelkast. De geur van chloor deed me denken aan de Comet die ik thuis gebruikte om de wastafel schoon te maken.

Op weg naar huis fantaseerde ik dat me iets vreselijks zou overkomen. Dat mijn lichaam na een lange zoektocht gevonden zou worden en dat mijn ouders zich de rest van hun leven afschuwelijk zouden voelen. Maar er gebeurde niets. Ik kwam veilig thuis. En hoewel de voordeur nog steeds op slot zat stond de achterdeur nu open.

TWEE

Ik begon de tampons van mevrouw Vuoso te pikken. Ze bewaarde ze in een glazen pot achter het toilet, net zo'n pot als waarin de dokter tongspatels bewaart. Ik was voorzichtig en pakte er maar een of twee per week zodat ze het niet zou merken. Ik stopte ze in mijn spijkerbroek en als ik thuiskwam verstopte ik ze achter de fles Comet onder de wastafel. De enige keer dat papa daar had gekeken was toen hij de badkamer voor mij had moeten schoonmaken op de avond dat hij me had buitengesloten. Toen ik thuiskwam rook de wc lekker fris en ook het vochtige tapijt eromheen. Al het papperige toiletpapier was opgeraapt en de ontstopper was weg. Papa zat in zijn kamer met de deur dicht, maar ik zag dat zijn licht nog brandde. Hij kwam niet naar buiten om tegen me tekeer te gaan en hij kwam ook niet naar buiten om me welkom thuis te heten. De volgende ochtend aan het ontbijt zei hij alleen maar: 'Mag ik de suiker alsjeblieft?' en die gaf ik.

Toen ik in oktober voor de tweede keer ongesteld werd, had ik genoeg tampons om er de hele week mee te doen. Ze waren groter dan de tampon die de conciërge me gegeven had, en in het begin kreeg ik ze moeilijk in, maar ik bleef gewoon doorduwen en toen ging het wel. Ik kocht nog wat maandverband van mijn oppasgeld, maar omdat ik het nauwelijks gebruikte koos ik het goedkoopste merk. 'Zie je nou wel?' zei papa toen we bij de drogist in het gangpad voor damesverband stonden. 'Het wordt een heel ander verhaal als je het zelf moet betalen.' Ik was het met hem eens en dat gaf me een prettig gevoel. Steeds als papa dacht dat hij iets wist terwijl hij het eigenlijk niet wist, gaf dat me een prettig gevoel.

Ik gooide de tampons nooit meer in het toilet. Zelfs niet op school, waar de toiletten beter doorspoelden. Ik verpakte ze in een papieren zakdoekje en gooide ze in het afvalbakje alsof het grote maandverbanden waren. Op school waren er naast de toiletpot kleine metalen bakjes gemonteerd die je hiervoor moest gebruiken, en ik vond het altijd heel leuk om daarin te kijken. Soms waren ze leeg, maar andere keren lag er van alles in dat ik er niet in had gedaan. Ik begon naar de andere meisjes op school te kijken en probeerde te raden wie er behalve ik ook ongesteld was.

Aan het eind van mijn ongesteldheid verloor ik nog nauwelijks bloed, maar ik deed toch een tampon in. Maar toen ik hem eruit wilde trekken, brak het touwtje. Ik voelde me echt vreselijk terwijl ik daar in het meisjestoilet stond en naar de beide uiteinden van het touwtje keek. Ik wist absoluut niet wat ik moest doen. Ik kon maar met één vinger naar binnen, dat wist ik. Er was gewoon niet genoeg ruimte. Ik ging op het toilet zitten en begon te persen alsof ik moest poepen. Maar er kwam niets naar buiten.

De rest van de dag zat ik ontzettend in de rats. Ik was bang dat de tampon zonder het touwtje in mijn lichaam zou verdwijnen. En ik wist ook dat je een ziekte kon krijgen als je een tampon te lang in had. Thuis probeerde ik mijn eigen temperatuur te meten, maar ik kon de thermometer niet aflezen. Bij de familie Vuoso vroeg ik of Zack mijn voorhoofd wilde voelen, maar hij zei: 'Ik raak jou niet aan.' Ik probeerde mijn voorhoofd zelf te voelen, maar dat was hetzelfde als proberen of je je eigen adem kunt ruiken. Alles leek in orde.

Mijn enige hoop was de *Playboy* lezen, want als ik dat deed werd mijn onderbroek een beetje nat. Ik dacht dat als de tampon nou maar vochtig genoeg werd, hij er uiteindelijk wel uit zou glijden. Die middag perste ik mijn dijbenen nog steviger tegen elkaar aan dan anders. Ik keek keer op keer naar mijn favoriete foto's, vooral die waarop de vrouwen glimlachten. Ik vond het een prettige gedachte dat ze niet bang waren, ook al waren ze bloot en werden ze door een man gefotografeerd.

Er was één foto bij waar ik het liefst naar keek, van een vrouw in een golfwagentje met haar bloes open. Ze lachte en keek blij, en ze leek niet door te hebben dat ze op een golfbaan was waar iedereen haar borsten kon zien. Ik probeerde me voor te stellen hoe het zou voelen om haar te zijn. Om in het openbaar met mijn bloes open te zitten en me door een man te laten fotograferen. Te kunnen glimlachen terwijl dat allemaal gebeurde. Hoe meer ik me dat voorstelde hoe harder ik mijn dijbenen tegen elkaar perste. Ik wist dat ik een hoop lawaai maakte in de schommelstoel, maar ik kon niet stoppen. Ik had het gevoel alsof ik iets achternazat. Dat ik, als ik nou maar bleef persen, een gevoel zou krijgen dat nog veel lekkerder was dan het persen op zich. Ik wist niet hoe ik dat wist, ik wist het gewoon. En toen gebeurde het. Een orgasme.

Het deed me denken aan lachgas bij de tandarts omdat alles opeens geweldig voelde. Ik haatte papa of mijn moeder niet meer, ik vond het niet erg om in Houston te wonen. Het kon me zelfs niets schelen dat die tampon er nog steeds in zat. Heel even was ik weer gelukkig. Maar het werkte niet als lachgas, want het ging weer weg. Zomaar. En toen het weg was voelde ik me nog rotter dan daarvoor omdat ik dat gevoel weer terug wilde, de hele dag, iedere dag.

Ik had niet in de gaten dat Zack naar me had zitten kijken tot het voorbij was. 'Wat ben je aan het doen?' vroeg hij.

'Niks,' zei ik.

'Waarom zat je zo in de stoel heen en weer te schokken?'

'Dat deed ik helemaal niet,' zei ik. 'Ik zat gewoon niet lekker.'

Hij keek alsof hij me niet geloofde.

'Ik ben zo terug,' zei ik, en ik stond op en liep naar de badkamer. Ik ging op het toilet zitten en duwde weer, maar de tampon kwam niet in beweging. Ik liep terug naar de slaapkamer om te proberen of ik nog een keer een orgasme kon krijgen, maar Zack was de tijdschriften al aan het opruimen. 'Hé,' zei ik, toen hij die met het golfwagentje pakte. 'Daar zat ik in te kijken.'

'Het is vijf uur,' zei hij. Dat was de avondklok die ik voor ons allebei had ingesteld, voor alle zekerheid.

'Echt waar?' zei ik, en ik keek op mijn horloge. Hij had gelijk.

'Wat was je nou aan het doen in de badkamer?' vroeg hij.

'Niks,' zei ik.

'Ik hoorde je wel,' zei hij. 'Je zat te poepen.'

'Niet waar,' zei ik.

Toen maakte hij een kreunend geluid waarmee hij mij blijkbaar nadeed, hoewel ik wist dat ik zo'n geluid niet had gemaakt.

'Hou je kop,' zei ik, en ik liep naar de kast om mijn tijdschrift te pakken.

'Hé,' zei hij. 'Geen tijdschriften kijken na vijf uur.'

'We kunnen het veranderen in halfzes,' zei ik tegen hem, want meneer Vuoso kwam eigenlijk nooit voor zessen thuis. Ik kon me gewoon niet indenken dat ik nog een dag kon wachten om een orgasme te krijgen en ik kon me ook niet indenken dat ik er een kon krijgen zonder de foto's.

Zack haalde zijn schouders op en pakte zijn tijdschrift ook. We gingen ieder op onze vaste plek zitten en ik begon weer in mijn stoel te kraken. Ik voelde dat Zack zich omdraaide en naar me keek, maar dat kon me niets schelen. Ik wilde alleen maar dat heerlijke gevoel krijgen. Een orgasme krijgen, en dan aan alle vreselijke dingen in mijn leven denken en beseffen dat ze nu toch niet zo afschuwelijk leken. Ik bedacht dat als ik dit een paar keer achter elkaar deed – als ik steeds maar perste om dat lekkere gevoel te krijgen – ik me nooit meer rot zou voelen.

Na het tweede orgasme probeerde ik nog een derde te krijgen. Ik had er eigenlijk niet zoveel zin meer in maar zei tegen mezelf dat ik me daarna veel gelukkiger zou voelen. Ik moest deze keer veel harder mijn best doen, ik duwde mijn dijbenen tegen elkaar, keek naar de vrouw in het golfwagentje terwijl ik me voorstelde dat ik die vrouw was, en kneep mijn dijen nog steviger samen. Als de stoel niet zo hard gekraakt had, hadden we meneer Vuoso misschien door de voordeur binnen horen komen. Of de trap op horen komen of door de gang horen lopen. Maar we hoorden hem niet. Ik merkte niet eens dat hij in de deuropening stond tot ik Zack 'Papa' hoorde zeggen.

'Wat is hier aan de hand?' vroeg meneer Vuoso. Hij zag er anders uit. Hij droeg nog steeds dezelfde nette kleren en zijn haar zat ook netjes, maar zijn gezicht stond strakker.

'Niets,' zei Zack. Hij deed zijn tijdschrift dicht en kwam van het bed af.

Ik deed het mijne ook dicht.

'Wie zei dat jij in mijn tijdschriften mocht kijken?' vroeg meneer Vuoso.

'Niemand,' zei Zack.

'Waarom kijk je er dan in?'

'Ik weet het niet.'

'Jasira?' zei meneer Vuoso.

Ik stond op. 'Ja?'

'Waarom kijk jij in deze tijdschriften?'

'Ik weet het niet,' zei ik.

'Je weet het niet?'

Ik schudde mijn hoofd.

'Jij bent de oppas,' zei hij. 'Jij hoort dat toch te weten.'

Ik knikte.

'Dus waarom doe je het dan?'

'Ik weet het niet,' zei ik weer. Het leek alsof het gesprek steeds maar over hetzelfde ging en ik wilde dat het ophield.

'Geef me dat tijdschrift, Zack,' zei meneer Vuoso.

Zack liep naar zijn vader toe en gaf hem het tijdschrift.

'Ga naar beneden en wacht daar op mij.'

'Ja, papa,' zei Zack, en hij glipte de kamer uit. Het maakte me bang hoe snel zijn voetstappen klonken terwijl niemand hem achternazat.

'Ik had toch wel beter van jou verwacht, Jasira,' zei meneer Vuoso. Hij kwam naar me toe en pakte het tijdschrift dat ik hem toestak, en onze vingers raakten elkaar heel even. Ik keek hoe hij beide exemplaren in de kast legde en de deur dichtdeed.

'Sorry,' zei ik.

'Sorry?' Hij lachte, maar het was geen aardige lach, en ik wilde dat ik naar huis kon. 'Met sorry zeggen kom je echt niet weg, hoor,' zei hij.

'Ik denk dat ik geen goede oppas ben.'

'Nee, dat denk ik ook niet.' Hij ging op het voeteneind van het bed zitten, recht tegenover me en bleef me heel lang aankijken. 'Kom eens hier,' zei hij.

Ik bewoog niet. Sinds hij was binnengekomen was ik erin geslaagd iets dichter naar de deur te schuifelen, en dat leek me de beste plek om te staan.

'Kom eens hier,' zei hij weer, en deze keer iets vriendelijker. Ik keek naar de deur en overwoog om weg te gaan. Ik wilde heel graag weg. Ik deed nog een stap in die richting maar bleef staan toen ik zijn stem hoorde. 'Waar ga je naartoe?' vroeg hij.

'Naar huis,' zei ik.

'Kom eens heel even hier,' zei hij.

'Nee.'

'Nee?' Toen glimlachte hij alsof hij vond dat ik iets heel grappigs had gezegd.

'Ik moet gaan,' zei ik.

'Waar naartoe?' vroeg hij.

'Naar huis,' zei ik weer. Het leek wel alsof hij een spelletje met me speelde.

'Goed,' zei hij. 'Best. Ga maar naar huis.'

Ik bewoog niet.

'Ga dan,' zei hij.

'Gaat u het aan mijn vader vertellen?' vroeg ik.

'Hem wat vertellen?'

'Dat ik in die tijdschriften zat te kijken.'

'Je vader is een achterlijke theedoek.'

Ik zei niets.

'Ga maar naar huis, naar die theedoek.'

'Vertelt u het alstublieft niet aan mijn vader,' zei ik.

'Waarom niet?'

'Doe dat alstublieft niet.'

'Wat moet ik dán doen?' vroeg hij. 'Moet ik het dan maar vergeten?'

'Ik zal het niet meer doen,' zei ik.

'Wat doen?'

'In die tijdschriften kijken.'

'Vond je het leuk om er in te kijken?'

Ik gaf geen antwoord.

'Je moet het wel leuk hebben gevonden. Waarom zou je er in kijken als je het niet leuk vindt?'

Ik gaf nog steeds geen antwoord.

'Zeg me waarom je het leuk vond om er in te kijken en dan vertel ik het niet aan je vader.'

Ik probeerde te bedenken waarom ik het leuk vond, maar ik wist niet hoe ik het moest zeggen.

'Kom eens hier,' zei hij.

Ik deed een stap in zijn richting.

'Heel even maar.'

Ik schuifelde dichterbij tot aan zijn knie en bleef daar staan.

'Vertel me waarom je het leuk vindt om in die tijdschriften te kijken,' zei hij.

'Dat kan ik niet,' zei ik.

'Waarom niet?'

'Ik weet niet waarom ik het leuk vind om er in te kijken.'

'Maar je vindt het dus wel leuk?'

'Ja.'

Toen stak hij zijn hand uit en legde die om mijn middel. Het was de sterkste hand die ik ooit had gevoeld en ik bedacht dat die hand ook geweren aanraakte. 'Kom eens hier staan,' zei meneer Vuoso en hij trok me tussen zijn knieën.

Ik stond daar even en hij liet zijn hand naar beneden glijden over mijn billen. Toen ging hij omhoog met zijn hand en raakte mijn haar aan. Hij streek het uit mijn gezicht en duwde een pluk achter mijn oor. Ik keek naar de grond. 'Wil je nog steeds naar huis?' vroeg hij en ik knikte. 'Goed,' zei hij. 'Ga maar naar huis.'

Ik bewoog niet.

'Ik dacht dat je naar huis wilde,' zei hij.

Toen rukte ik me van hem los en hij liet me gaan. Ik draaide me om en liep de deur uit en hij hield me niet tegen. Ik ging de trap af, langs Zack in de zitkamer en de voordeur uit. Toen ik op de stoep stond wenste ik dat ik op een of andere manier weer naar binnen kon, maar dat kon niet. Morgen pas.

Toen ik thuiskwam, ging ik op het toilet zitten en perste zo hard als ik kon, en uiteindelijk voelde ik de tampon in beweging komen. Ik voelde hoe mijn spieren hem naar buiten duwden. Nadat hij in het toilet was gevallen viste ik hem er uit en wikkelde hem in een papieren zakdoekje. Ik bedacht dat ik was gered. Dat meneer Vuoso me zo'n heerlijk gevoel had gegeven dat mijn binnenste bijna vloeibaar was geworden. Hij was beter dan de tijdschriften en ik kon nauwelijks wachten tot het weer zou gebeuren.

Toen papa die avond thuiskwam, was hij in een goeie bui. Een Griekse vrouw bij hem op het werk had hem voor aanstaande zaterdag te eten gevraagd, en hij vond haar erg leuk. Ze werkte hard. Om het te vieren gingen we bij Panjo's een pizza eten en ik mocht een slokje bier van papa. Ik vond het lekker omdat ik er heel even een duizelig gevoel van kreeg, vlak nadat ik het had doorgeslikt.

Op de terugweg vertelde hij hoe hij mijn moeder had leren kennen, hoewel ik er niet naar had gevraagd. 'Ze had zo'n kleine Fiat,' vertelde hij, 'en die was fout geparkeerd, en zij stond op straat ruzie te maken met de man die hem ging wegslepen. Dus terwijl zij daar stonden te ruziën stapte ik in de auto en deed de portieren op slot. Een auto mag niet worden weggesleept als er nog iemand in zit. Wist je dat?'

Ik schudde mijn hoofd.

'Nou,' zei hij, 'het is echt waar.'

Ik vond het wel een interessant verhaal, maar ik wilde er verder niets over horen. Ik vond het vervelend om aardige dingen over papa te weten omdat ik meestal niet zo over hem dacht. Ik was bang dat ik hem zonder het te willen toch aardig zou gaan vinden, zodat het te onverwachts zou komen als hij de volgende keer weer nijdig werd – en ik wist zeker dat dat zou gebeuren.

Thuis vroeg papa of ik hem een plezier wilde doen.

'Wat dan?' vroeg ik. Ik kon niet geloven dat ik iets had wat hij wilde.

'Ik zou graag willen dat je een brief aan je grootmoeder in Beiroet schrijft.'

'Waarom?' vroeg ik.

'Omdat,' zei hij, 'ze heel veel van je houdt.'

'Maar ik ken haar niet eens.'

'Dat maakt niet uit,' zei hij. 'Ze is je grootmoeder.'

Toen pakte hij papier – rijstpapier noemde hij het. Het was heel dun, bros papier en het maakte een knisperend geluid als je het aanraakte. Ik ging aan de eettafel zitten en papa ging tegenover me zitten. 'Lieve oma,' begon hij, en ik schreef het op. Ik wist niet dat hij zou dicteren wat ik moest opschrijven en daar voelde ik me wel opgelucht over. 'Ik mis u heel erg,' vervolgde hij, en toen wachtte hij even zodat ik ook dat kon opschrijven. Toen ik klaar was, zei hij: 'Ik hoop dat het goed met u gaat en dat u een goede gezondheid geniet. Ik woon nu bij papa in Houston. We hebben een heel mooi huis.' De volgende regels gingen over dat ik het jammer vond dat ik haar niet in het Frans kon schrijven maar dat ik les kreeg en het gauw zou leren. En aan het eind moest ik schrijven: 'Papa is verloofd met een heel aardige vrouw van de NASA.'

'Is dat waar?' vroeg ik.

'Nee,' zei hij.

'Waarom zegt u het dan?'

'Je oma snapt het woord "verkering" niet,' zei hij. 'Ze zal zich gelukkiger voelen als ze denkt dat ik ga trouwen.'

'En als u nou niet trouwt?'

'Hoe weet jij nou of ik niet zal trouwen?'

Ik zei niets.

'Misschien ga ik inderdaad wel trouwen,' zei hij. 'Die vrouw vindt mij heel erg leuk.'

'Oké,' zei ik.

Hij wees op de brief. 'Nu nog: "Ik hou van u, oma" opschrijven en dan je naam eronder zetten.'

Daarna las hij de hele brief door en zei dat hij er heel goed uitzag. 'Je oma zal het leuk vinden om te zien hoe mooi je kunt schrijven,' zei hij. Toen trok hij een nieuw velletje papier uit het pak en begon mijn Engels in het Arabisch te vertalen. Hij zei dat ik mocht gaan, maar ik bleef nog een tijdje staan kijken hoe hij van rechts naar links schreef. Toen hij klaar was vroeg hij of ik mijn naam in het Arabisch wilde schrijven, en ik zei natuurlijk ja. Ik dacht dat hij het op een stukje papier voor zou doen en het me dan op het rijstpapier zou laten schrijven, maar in plaats daarvan gaf hij me de pen en hield mijn hand vast terwijl hij mijn bewegingen leidde. Ik wist dat hij me alleen maar wilde helpen, maar ik kon er niet tegen dat hij me aanraakte. Mijn arm verstijfde een beetje en toen we klaar waren, zei hij dat oma nu vast zou denken dat ik achterlijk was.

Die avond in bed perste ik mijn dijbenen tegen elkaar en probeerde een orgasme te krijgen door aan de mevrouw in het golfkarretje te denken. Ik dacht niet dat het zou lukken maar het lukte toch. Toen het gebeurde dacht ik niet aan vreselijke dingen maar aan meneer Vuoso. Ik dacht aan zijn hand om mijn middel en zijn lekkere aftershave, en dat hij me naar huis had laten gaan toen ik dat wilde. Dat hij papa een achterlijke theedoek had genoemd, maar dat hij mij nog steeds aardig vond.

De volgende dag op school was ik zenuwachtig. Ik vroeg me af hoe het die avond met meneer Vuoso zou lopen. Of we weer met elkaar alleen zouden zijn zodat hij me kon aanraken. Terwijl ik tijdens de les maatschappijleer luisterde naar meneer Mecoy, die vertelde dat Texas vroeger een onafhankelijk land was geweest, begon ik onder tafel mijn dijbenen tegen elkaar aan te persen. Ik deed het heel stilletjes zodat niemand het merkte, en ik kreeg een orgasme. Toen het gebeurde keek ik over het gangpad naar Robert Sterling, de jongen die mijn maxi-maandverband op zijn voorhoofd had geplakt. Hij had blond krullend haar en op dat moment drong het tot me door hoe knap hij was.

Toen ik die middag bij de familie Vuoso kwam, zei Zack: 'We mogen niet meer in de tijdschriften kijken. Mijn vader heeft ze in de garage opgeborgen.'

'Kunnen we dan niet gewoon naar de garage gaan?' vroeg ik.

Zack schudde zijn hoofd. 'Mijn vader zegt dat hij erachter komt als we er toch stiekem in kijken.'

'Oké dan,' zei ik, maar ik was wel teleurgesteld.

'Hij zegt dat jij beter had moeten weten,' zei Zack.

'Ja,' zei ik, 'dat is ook zo.'

'Ik weet wel wat je in die stoel aan het doen was.'

'Wat dan?'

Hij begon te lachen. 'Nou, je weet wel.'

'Ik deed helemaal niets.'

We gingen naar buiten om te badmintonnen. Zack sloeg het pluimpje nou eens niet de hele tijd tegen mijn tieten en we speelden zowaar een hele wedstrijd. Maar halverwege de tweede partij moesten we stoppen toen we ons laatste pluimpje in de tuin naast die van Zack sloegen. We wilden nog over het hek klimmen, maar het was te hoog. We zouden moeten wachten tot het pasgetrouwde stel terug was van hun huwelijksreis. Ze waren hier een week geleden komen wonen en vlak daarna naar Parijs vertrokken. Ik had ze nog niet gezien maar Zack wel. Hij zei dat de vrouw heel knap was en dat de man lang was.

We gingen weer naar binnen en zetten de tv aan. Ik kon me niet meer herinneren wat we deden voordat we in de tijdschriften begonnen te kijken en nu die er niet meer waren, kon ik me niet voorstellen wat we daarna ooit nog zouden kunnen doen. Na een tijdje ging ik naar boven om een tampon van mevrouw

Vuoso te pikken, maar het was te riskant omdat er te weinig in de pot zaten.

Op weg naar beneden viel mijn oog op iets in de ouderslaapkamer en ik bleef staan. Er stond een grote groene plunjezak aan het voeteneind van het hemelbed. Ik liep naar binnen en ging op mijn knieën zitten. Ik hield me even doodstil en luisterde of ik voetstappen hoorde, en toen ik niets hoorde, ritste ik de zak open. Er zaten voornamelijk kleren in: witte T-shirts, camouflagebroeken, laarzen, gymschoenen, boxershorts en riemen. Ik stak mijn hand erin om te voelen of er iets tussen de keurige stapeltjes was gegleden, en dat was zo. Iets wat in plastic of cellofaan zat verpakt. Eerst dacht ik dat het snoep was, maar toen haalde ik het eruit en zag dat het niet zo was. Het waren condooms. Een hele rits. DUREX stond er op de verpakking. EXTRA DUN VOOR MEER GEVOEL. Ik scheurde er eentje af en stopte die in mijn zak, en legde de rest terug. Beneden in de zitkamer vroeg ik Zack of zijn vader soms ergens heen ging.

'Hoezo?' vroeg hij.

'Er staat een plunjezak in hun slaapkamer.'

'Dat is voor het geval we oorlog krijgen met Irak,' zei Zack.

'O.'

'Dat kan elk moment gebeuren. En dan moet hij klaarstaan.'

'Gaat het dan snel gebeuren?'

Zack haalde zijn schouders op. 'Ik weet het niet.' Toen ging hij weer tv-kijken.

Ik ging op de bank zitten en begon me zorgen te maken. Ik vroeg me af of meneer Vuoso echt dood kon gaan. Papa had het er de laatste tijd vaak over gehad dat we misschien oorlog zouden krijgen. Hij was er helemaal opgewonden over. Hij zei: 'Saddam is een tiran. Hij kan niet zomaar een ander land binnenvallen en daar ongestraft mee wegkomen.'

Toen meneer Vuoso die avond binnenkwam, stond ik op en glimlachte. 'Hoi,' zei ik.

Hij glimlachte niet terug. 'Is alles goed gegaan?'

Ik knikte.

'Dat is mooi,' zei hij en hij liep de keuken in.

Ik wist toen niet wat ik moest doen: achter hem aan lopen of blijven wachten tot hij terugkwam.

'Je mag nu weggaan,' zei Zack.

'Hou je kop,' zei ik, en ik deed net of ik naar iets op tv zat te kijken. Toen meneer Vuoso een paar minuten later nog steeds niet was teruggekomen, ging ik zelf via de voordeur naar buiten.

Thuis was ik helemaal van streek. Ik had niet eens zin in een orgasme. Ik probeerde een reden te bedenken om weer naar de familie Vuoso te kunnen gaan en toen ik niets kon verzinnen, ging ik er toch heen. Zack deed de deur open. 'Wat moet je?' vroeg hij.

'Ik moet je vader spreken,' zei ik tegen hem.

'Waarom dan?'

'Haal hem nou maar.'

Hij keek me even aan, draaide zich toen om en schreeuwde: 'Pap!'

'Wat is er?' riep meneer Vuoso terug.

'Jasira wil iets tegen je zeggen!'

Hij gaf geen antwoord maar een paar seconden later kwam hij naar de deur. 'Ja?' zei hij, en hij bleef achter Zack staan.

'Kan ik u even alleen spreken?' zei ik.

Hij zweeg even en zei toen: 'Zack, ga jij eens naar boven om je huiswerk te maken.'

Zack liep weg maar ik zag dat hij er geen zin in had.

'Wat is er?' vroeg meneer Vuoso met zijn hand op de deurknop.

En toen wist ik niet wat ik moest zeggen. Ik dacht hij wel iets zou zeggen – of zou doen – als ik het zo regelde dat we met elkaar alleen konden zijn. 'Nou,' zei ik uiteindelijk, 'ik wilde u nog bedanken omdat u niets tegen mijn vader hebt gezegd over gisteren.'

'Gisteren,' zei hij. 'Wat was er dan gisteren?'

Ik keek hem aan. Hij zag er opeens zo anders uit. 'Gisteren,' zei ik. 'In de logeerkamer.'

'Er is gisteren niets gebeurd,' zei hij. 'Maak je daar maar geen zorgen over.'

Ik was even stil.

'Was dat het?' vroeg hij.

'Ik geloof van wel,' zei ik.

'Goed,' zei hij, 'dan zien we je morgen weer. Nog een fijne avond.'

Hij deed de deur dicht en ik bleef daar nog een minuut op de veranda staan. Daarna ging ik naar huis en sloot mezelf op in de badkamer. Ik haalde het condoom van meneer Vuoso uit mijn zak en verstopte het achter de Comet, waar ook de tampons van zijn vrouw lagen. Toen ging ik op de rand van het bad zitten en begon te huilen. Ik had in de biologieles gehoord waar condooms voor gebruikt werden, en ik wist dat als meneer Vuoso werd opgeroepen, zijn vrouw niet mee zou gaan. Dat kon maar één ding betekenen, en dat was dat hij van plan was om verliefd te worden op andere mensen. Ik begreep gewoon niet waarom ik niet een van hen kon zijn.

De rest van de week verliep hetzelfde. Meneer Vuoso kwam thuis, vroeg hoe het was gegaan en ging dan naar de keuken. Ik wist niet wat ik moest doen. Ik dacht erover om hem op te bellen of hem een brief te schrijven, maar ik wist niet goed wat ik moest zeggen. Misschien had hij wel gelijk. Misschien was er eigenlijk helemaal niets gebeurd.

Op zaterdag wilde papa nieuwe kleren kopen voor zijn afspraakje, en we gingen naar het winkelcentrum. Bij Foley's liet de verkoper hem verschillende sportieve jasjes zien en papa paste ze allemaal. Hij vroeg me wat ik ervan vond en ik zei dat ik ze mooi vond, ook al zagen ze er precies hetzelfde uit als de colbertjes die hij thuis in de kast had hangen. Hij kocht uiteindelijk een marineblauw jasje en een blauw gestreepte stropdas. Ik dacht dat we toen naar huis zouden gaan maar in plaats daarvan zei papa dat ik ook iets nieuws nodig had. 'Nee, ik heb niets nodig,' zei ik, want kleren kopen met papa klonk even erg als maxi-maandverband met hem kopen. Maar hij zei dat ik wél iets nodig had en dat mijn borsten begonnen te hangen.

Terwijl ik door de winkel achter hem aan liep, moest ik daar steeds aan denken. Dat ze begonnen te hangen. Ik moest er steeds aan denken dat papa dat alleen maar kon weten doordat hij naar mijn borsten had gekeken.

Op de afdeling damesondergoed vroeg hij de verkoopster of ze ons kon helpen. Hij zei weer dat ze begonnen te hangen, en zij zei dat ik waarschijnlijk een beha met een beugel moest dragen. Toen pakte ze een meetlint en gebruikte dat waar papa bij stond. Ik hoefde mijn truitje en zo niet uit te trekken, maar het meetlint werd strak over mijn tepels gelegd. '75 C,' zei de verkoopster, en papa floot alsof hij het niet kon geloven.

Terwijl zij met zijn tweeën wegliepen om een paar beha's voor me uit te zoeken, zat ik in een roze fluwelen stoel naast de kassa aan mijn moeder te denken. De laatste keer dat we samen waren gaan winkelen, had ze gewild dat ik een beugelbeha aantrok, maar ik wilde het toen niet. Hij deed te veel pijn. 'Je zult niet blij zijn als je later van die witte strepen krijgt,' had ze gezegd, maar ik wilde het toch niet. Na een tijdje had ze het opgegeven. We gingen een hotdog kopen en toen zei ze tegen me dat ik ooit een man heel gelukkig zou maken. 'Echt waar?' vroeg ik, en ze knikte. 'Zelfs met strepen,' zei ze. Een paar maanden later leerde ze Barry kennen en ik denk niet dat ze hem had bedoeld.

Al gauw kwamen papa en de verkoopster terug met een handvol verschillende beha's. Ze bracht me naar de paskamer en zei dat ik op een rood knopje moest drukken als ik hulp nodig had, en ik zei dat ik dat zou doen. Ik kleedde me uit en trok eerst de mooiste aan, een zilvergrijze met een klein strikje in het midden. Ik wist niet of hij goed paste, dus ik drukte op het rode knopje. Maar toen ik de deur van de paskamer opendeed, stond papa daar. Ik kruiste mijn handen voor mijn borst, maar hij zei dat ik ze omlaag moest doen zodat hij kon kijken of de beha goed zat. 'Waar is die mevrouw?' vroeg ik, en hij zei dat ze bezig was met een andere klant. Toen ik mijn handen nog steeds niet omlaag wilde doen, zei hij dat ik met die onzin moest ophouden en dat een beha niet anders was dan een badpak.

Ik vond het echt vreselijk om papa in de spiegel zo naar me te zien kijken. Ik vond het vreselijk dat hij aan de sluithaakjes van de beha stond te rukken en de schouderbandjes verstelde. Ik snapte niet waarom hij zoveel over mijn lichaam wilde weten als hij het niet eens mooi vond. Ik vond dat hij ervandaan moest blijven. Ik vond dat alleen mensen die het echt, werkelijk mooi vonden, het mochten zien.

Uiteindelijk kocht hij zeven beha's voor me, een voor iedere dag van de week. De verkoopster zei dat er niet veel vaders waren die er de tijd voor namen om te zorgen dat hun dochters goed passende lingerie droegen, en ik kon aan hem zien dat hem dat genoegen deed. Ze gaf hem een klantenkaart zodat we de volgende keer korting kregen, en hij zei dat we volgend jaar terug zouden komen.

Zodra we thuis waren zei papa dat ik een van mijn nieuwe beha's aan moest trekken en voor hem moest showen. Ik dacht dat hij zonder truitje bedoelde, net als in de paskamer, maar toen ik zo binnenkwam gaf hij me een klap en vroeg waar ik godverdomme mee bezig was. Ik begon te huilen en rende terug naar mijn kamer, en even later klopte hij op de deur. 'Wat is er nou aan de hand daarbinnen?' vroeg hij, en ik zei: 'Niks.'

'Goed,' zei hij. 'Want ik sta nog steeds te wachten om een beha te zien.' Toen ik uiteindelijk naar buiten kwam met een T-shirt aan, zei hij: 'Veel beter.'

'Dank u wel,' zei ik.

Hij knikte. 'Probeer te onthouden dat we onze kamer nooit verlaten zonder eerst behoorlijk aangekleed te zijn.'

'Oké,' zei ik. Ik ging terug naar mijn kamer en knipte de labeltjes van al mijn beha's af. Ik vond die beugels nog steeds niet prettig aanvoelen, maar ze gaven wel meer steun. Telkens als ik mezelf in de passpiegel aan de binnenkant van de kastdeur zag, kon ik niet geloven hoe hoog het allemaal zat. En puntig. Als ik van opzij in de spiegel keek, vond ik het wel mooi om te zien hoe mijn tieten mijn T-shirtje van voren omhoog duwden.

Om zeven uur riep papa me naar de zitkamer. Hij had zijn nieuwe jasje en stropdas aangetrokken, met daaronder een wit overhemd. 'Hoe zie ik eruit?' vroeg hij.

'Heel mooi,' zei ik.

'Denk je dat Thena het ook mooi zal vinden?'

'Ja.'

'Nou,' zei hij, 'laten we het hopen.'

Nadat hij was weggereden, verwarmde ik een kant-en-klaarmaaltijd in de magnetron. Ik at in de ontbijthoek in plaats van in de eetkamer en waste daarna mijn bord af. Later, toen ik mijn moeder belde om haar te vertellen dat ik eindelijk een beugelbeha droeg, nam Barry de telefoon op.

'Met Jasira,' zei ik. 'Ik wil mijn moeder even spreken.' Ik probeerde mijn stem zo robotachtig mogelijk te laten klinken, zodat er niets vervelends zou gebeuren.

'Jasira,' zei hij. Hij klonk helemaal niet als een robot. Hij klonk gewoon heel blij. 'Hoe gaat het met je?'

'Is mijn moeder er?' vroeg ik.

'Nee,' zei hij. 'Die is er niet.'

'Waar is ze dan?'

'Ze is gaan zwemmen. Ze is de laatste tijd gek van fitness.'

'O,' zei ik. Ik vroeg me af waarom ze me dat zelf niet had verteld. 'Kun je haar vragen of ze me wil bellen als ze terug is?'

'Natuurlijk,' zei hij. 'Alles goed?'

Het maakte me echt woest hoe aardig hij deed, terwijl ik zo hard mijn best deed om niet vriendelijk te doen. Ik vond dat hij op zijn minst ook onvriendelijk kon doen.

'Jasira?' zei hij.

'Wat?'

'Gaat het goed met je?'

'Nee,' zei ik.

'Wat is er aan de hand?' vroeg hij.

'Niks.'

'Je zei anders net dat het niet goed ging.'

'Hou op met vragen stellen,' zei ik. 'Dat is niet eerlijk.'

'O nee?'

'Nee.'

Hij zuchtte. 'Oké. Ik zal je geen vragen stellen.'

'Bedankt,' zei ik.

Toen bleef het even stil en ik hoopte dat hij niet zou ophangen. 'Zeg maar wat ik dan wel mag zeggen,' zei hij uiteindelijk.

'Niks.'

Hij begon te lachen. 'Hoe moeten we dan een gesprek met elkaar voeren?'

'Dat doen we niet.'

Hij zuchtte weer en zei: 'Goed.'

'Ik stel jou wel vragen,' zei ik.

'Oké,' zei hij. 'Ga je gang.'

'Hoe gaat het met je?'

'Het gaat goed met me,' zei hij. 'Vooral nu.'

'Niet van die extra dingen zeggen,' zei ik. 'Alleen antwoord geven op de vraag.'

'Sorry,' zei hij.

'Zijn jij en mijn moeder van plan om uit elkaar te gaan?'

'Ik weet het niet,' zei hij.

'Waarom niet?'

'Omdat we proberen om dat niet te doen.'

Ik wilde tegen hem zeggen dat ik vond dat hij het wel moest doen. Dat mijn moeder niet zo heel erg aardig was, en als ze eenmaal boos op je werd, dan bleef ze ook boos. In plaats daarvan zei ik: 'Ik heb vandaag nieuwe beha's gekregen. Met een beugel.'

'O ja?' zei Barry.

'Ja,' zei ik. 'Ik had 75 B maar nu heb ik 75 C.'

'Wauw.'

'Ik heb nu een maat groter.'

Hij zweeg even en zei toen: 'Ik moet maar ophangen.'

'Nee,' zei ik, 'niet doen,' maar hij had al opgehangen.

Kort daarna ging de telefoon en was het mijn moeder. 'Barry zei dat je gebeld had,' zei ze.

'Ja,' zei ik. 'Was je gaan zwemmen?'

'Hij zei dat je hem over je beha's vertelde.'

Ik kon het niet geloven. Hij had weer zitten kwekken.

'Heb je hier nou helemaal niets van geleerd?' vroeg ze.

'Ik wilde je alleen maar laten weten dat ik nu een beugelbeha draag,' zei ik. 'Zodat ik meer steun heb.'

'Nee,' zei ze, 'je wilde dat Barry het wist.'

Ik gaf geen antwoord. Het was waar.

'Niemand wil jou over je borsten horen praten, Jasira. Begrijp je me? Ze willen niets over je borsten horen, ze willen niets over je schaamhaar horen, en ze willen niets over je ongesteldheid horen, begrepen? Je moet al die dingen voor jezelf houden. Dan hebben jij en ik misschien iets om over te praten.'

'Oké,' zei ik.

'Heb je dat goed begrepen?' vroeg ze.

'Ja.'

'Mooi.'

'Ga je nu ophangen?'

'Niet per se,' zei ze. 'Ik bedoel, heb je nog iets anders om over te praten behalve over dat geweldige lichaam van je?'

'Ja,' zei ik.

'Heel fijn,' zei ze. 'Wat dan?'

'Papa is vanavond met iemand uit.'

'O ja? Hoe ziet ze eruit?'

'Dat weet ik niet,' zei ik.

'Nou,' zei ze, 'je moet het me maar vertellen als je haar een keer gezien hebt.'

'Oké.'

'Nog iets anders?' vroeg ze.

Ik probeerde iets te bedenken maar kon niets verzinnen. 'Nee,' zei ik uiteindelijk.

'Goed dan,' zei ze. 'Dan zal ik dat chloor maar eens uit mijn haar gaan spoelen.'

We hingen op en ik ging plassen. Daarna liep ik naar mijn kamer en trok al mijn kleren uit. Ik deed de kastdeur open en bekeek mezelf in de spiegel. Als ik eraan dacht dat mijn moeder of papa me zo zou zien, voelde ik me rot, maar als ik aan Barry of meneer Vuoso dacht, voelde ik me al beter. Na een tijdje ging ik op de grond zitten met mijn benen wijd en probeerde mezelf te zien. Het zag er roze en harig en nat uit, en ik vond het een vreselijk gezicht. Ik wilde weer overeind komen, maar besloot nog een keer te kijken. Deze keer zag het er niet zo erg uit. Ik had in de *Playboy* gelezen dat er ergens een plekje zat waardoor je een orgasme kon krijgen, maar ik wist niet goed waar. Ik begon overal te voelen tot ik het gevonden had, en begon er toen over te wrijven. Toen het orgasme kwam, keek ik in de spiegel en bedacht dat ik misschien wel mooi was, maar daarna was het afgelopen en dacht ik er weer anders over.

Ik ging al slapen voordat papa thuiskwam. De volgende morgen kwam ik beneden en zag hem in de keuken met een vrouw die ik nog nooit had gezien. Ze hielden allebei een beker koffie in hun hand en stonden te praten, en de vrouw had een merkwaardige uitdrukking op haar gezicht, alsof ze papa aardig en interessant vond.

'Goeiemorgen!' zei papa toen hij me zag.

'Goeiemorgen,' zei ik, en ik bleef in de deuropening van de keuken staan. Ik wist niet goed of ik moest blijven of terug moest gaan naar mijn kamer.

'Goeiemorgen,' zei de vrouw, en ze draaide zich om. Ze was klein van stuk en had net zo'n donkere huid als papa en ik. Ze had grote bruine ogen en zware oogleden, en ik vond het mooi dat je haar oogschaduw kon zien als ze met haar ogen knipperde. Maar ik snapte niet hoe ze daar zo met blote benen in een overhemd van papa kon staan zonder een klap te krijgen.

'Jasira,' zei papa, 'dit is Thena Panos.'

'Hallo,' zei ik, en ik deed een stapje naar voren.

Thena stak haar hand uit, die nog warm aanvoelde van haar koffiebeker, en ik schudde hem. 'Wat leuk om eindelijk kennis met je te maken, Jasira. Je vader heeft het de hele tijd over je.'

'O ja?' vroeg ik een beetje beduusd.

Thena knikte. 'Je schijnt een behoorlijk pittige dame te zijn.'

'O,' zei ik.

'Dat is een compliment,' zei papa.

'Dank u,' zei ik tegen hem.

'Graag gedaan,' antwoordde hij.

Er stonden pannenkoeken op het vuur en Thena en ik moesten van papa in de ontbijthoek gaan zitten zodat hij ons kon bedienen. Pannenkoeken waren papa's specialiteit. Hij maakte het beslag zelf en bakte ze in een heleboel olie zodat ze knapperig werden aan de buitenkant. Toen Thena haar eerste hap nam, zei ze: 'O, Rifat. Ik ben je slavin.'

'Het geheim is bakpoeder,' zei hij. 'Een heleboel bakpoeder.'

'Ik wil het geheim niet weten,' zei ze. 'Ik wil alleen maar dat jij ze voor me blijft bakken.'

Hij lachte en zei: 'Dat kan geregeld worden.'

Toen de volgende stapel pannenkoeken klaar was, bracht papa ze op een bord en ging bij ons zitten om mee te eten. Hij vertelde grappige verhalen over de NASA wat ik nep vond want hij vond het er vreselijk. Toen gaf hij me weer een compliment door te zeggen dat ik een fantastische oppas was. 'Je zou eens moeten zien hoe dol dat joch van de buren op haar is,' zei papa. 'Hij vindt haar helemaal het einde.'

Thena glimlachte. 'Vast wel.'

'Hij vindt me helemaal niet aardig,' zei ik, en dat was waar. Zack had een hekel aan me. Ik had geen flauw idee waar papa het over had.

'Natuurlijk vindt hij je wel aardig,' zei papa op scherpe toon. 'Hij vindt het leuk om met je te badmintonnen.'

'Hoe heet hij?' vroeg Thena.

'Zack,' zei ik.

'Zijn vader is reservist,' zei papa, en hij trok een wenkbrauw op tegen Thena.

'Aha,' zei ze.

Papa knikte. 'Hij is erachter gekomen dat ik Libanees ben en nou denkt hij dat ik dol ben op Saddam.'

'Typisch,' zei Thena.

'Ik laat Jasira alleen maar voor hem werken zodat ze vast geld kan sparen voor haar studie,' zei papa. 'Anders zou ik er niet over piekeren.'

'Hoeveel heb je tot nu toe gespaard?' vroeg Thena me.

'Ik weet het niet,' zei ik.

Ze moest lachen. 'Weet je dat niet?'

'Papa zet het geld voor mij op de bank.'

'Ik begrijp het,' zei ze. Toen keek ze papa aan en vroeg: 'Hoeveel heeft ze al gespaard, Rifat?'

Papa dacht even na en zei toen: 'Ik denk tweehonderd dollar. Om en nabij.'

'Wauw,' zei Thena. 'Dat is een mooi begin.'

'Dank u,' zei ik.

'Wat wil je later worden?' vroeg ze.

'Ik weet het niet.'

'Je zou best fotomodel kunnen worden,' zei ze.

'Geen sprake van,' zei papa.

'Hoezo, geen sprake van?' zei Thena. 'Modellen verdienen heel veel geld.'

'Ze gaat studeren,' zei papa. 'Ze kan veel geld verdienen als ingenieur.'

'Wil ze wel ingenieur worden?' vroeg Thena.

Papa haalde zijn schouders op. 'Ze is goed in exacte vakken.'

Thena wendde zich tot mij en zei: 'Geen ingenieur worden, Jasira. Dat is saai. Word maar model, verdien heel veel geld en ga de rest van je leven lekker reizen.'

'Oké,' zei ik.

'Je moet haar geen ideeën aanpraten,' zei papa.

'We praten gewoon met elkaar,' zei Thena. Ze leunde voorover en raakte zijn wang even aan met haar hand, waardoor hij alles weer leek te vergeten.

Later, toen ze van tafel opstond om haar bord in de gootsteen te zetten, zag ik papa naar de achterkant van haar blote benen kijken. Ze verontschuldigde zich omdat ze naar het toilet moest en hij keek haar na terwijl ze zijn kamer inliep. Toen keek hij naar mij en zei: 'Ze is leuk, hè?'

'Ja,' zei ik.

'Probeer eens niet zo sip te kijken,' zei hij terwijl hij opstond om zijn eigen bord naar de keuken te brengen. 'Geen enkele vrouw wil trouwen met een man die een kind heeft dat ongelukkig is.'

'Ik ben niet ongelukkig,' zei ik terwijl ik achter hem aan liep.

'Waarom lach je dan niet?'

'Ik weet het niet,' zei ik.

Ik wilde hem helpen met het inruimen van de vaatwasser, maar hij zei dat ik weg moest gaan. 'We worden allemaal depressief van je,' zei hij.

Ik ging naar mijn kamer en deed de deur dicht. Een tijdje later kwam papa aankloppen. 'Je moet weer naar beneden komen,' fluisterde hij.

'Waarom?' vroeg ik.

'Ze wil je opmaken.'

'Opmaken?'

Hij knikte. 'Ze blijft maar doorgaan over dat stomme modellenwerk.'

Ik zei dat ik het prima vond en liep achter hem aan naar de eetkamer. Thena was nu helemaal aangekleed en droeg een rok en een bloes, en haar make-upspullen lagen op tafel. Ik moest van haar in de stoel dicht bij het raam gaan zitten en tegen papa zei ze dat hij in de andere kamer moest wachten tot ze hem zou roepen. 'Mag ik niet kijken?' vroeg hij, maar ze zei van niet, dat het beter was als hij het totale effect zou zien.

Toen hij weg was ging ze met me aan de slag. Ze vertelde me steeds wat ze deed op het moment dat ze het deed. 'Ik begin met een vochtinbrengende crème,' zei ze en ze streek lichtjes met haar handen over mijn gezicht. 'Daarna breng ik foundation aan. Foundation nooit direct op je gezicht aanbrengen. Eerst je poriën met lotion vullen.'

Ik knikte hoewel ik amper luisterde. In plaats daarvan keek ik uit het raam en zag ik mevrouw Vuoso en Zack in hun nette kleren het huis uitkomen om naar de kerk te gaan. Zacks haar was nat en opzij gekamd, en zij droeg een blauwe jurk met een kraagje. Ik zag dat ze nauwelijks borsten had en vroeg me af of dat de reden was waarom haar man aan die van mij wilde zitten.

Een paar minuten nadat ze waren weggereden, kwam meneer Vuoso met een schop naar buiten en begon in de voortuin te graven. Hij had dat weekend zeker geen dienst als reservist.

'Doe je ogen eens dicht,' zei Thena, en ze ging met een poederkwast over mijn gezicht. 'Altijd poeder opdoen na het aanbrengen van de foundation,' zei ze. 'Zodat het blijft zitten.'

Ik knikte weer en wilde dat ik mijn ogen open kon doen. Maar ik moest ze dichthouden omdat ze nu oogschaduw ging aanbrengen. 'Lichte kleuren in de binnenste ooghoek, donkere kleuren aan de buitenzijde,' zei ze, en ze maakte met haar vingertoppen een ronddraaiende beweging over mijn oogleden. Het voelde prettig aan, de manier waarop ze me aanraakte. Net als toen Barry mijn schaamhaar had geschoren. Mijn hoofdhuid begon te tintelen en al gauw vond ik het niet meer zo erg dat ik meneer Vuoso niet kon zien.

Tot slot bracht ze mascara en lippenstift aan. Toen gaf ze me haar poederdoos en zei: 'Wat vind je ervan?'

Eerst zei ik niets. Het was vreemd om mezelf zo te zien. Mijn huid was gladder, mijn ogen kwamen beter uit, mijn wangen waren roze en mijn mond zag eruit alsof ik net iets roods en vochtigs had gegeten zonder een servetje te gebruiken. Ik was het, maar dan beter. 'Ik vind het mooi,' zei ik uiteindelijk.

Ze knikte. 'Ik ook.' Toen draaide ze zich om naar de keuken en riep: 'Oké, Rifat! We zijn klaar.'

'Wat is-ie nou allemaal aan het doen?' zei papa toen hij binnenkwam.

Thena volgde zijn blik door het raam en zei: 'Rifat, wat vind je van Jasira?'

'Wat?' zei papa.

'Ziet ze er niet fantastisch uit?'

Hij keek me even aan en zei toen: 'Ja. Ze ziet er heel leuk uit.'

'Ze zou echt model kunnen worden,' zei Thena.

'Dat is hem,' zei papa tegen Thena en hij knikte in de richting van het raam. 'De reservist.'

Thena keek weer naar buiten. 'O ja,' zei ze.

'Hij graaft naar olie in zijn voortuin,' zei papa, en Thena en hij moesten allebei lachen.

'Mag ik naar mijn kamer?' vroeg ik. Ik vond het niet leuk dat ze grapjes maakten over meneer Vuoso.

Papa draaide zich naar me om. 'Heb je dankjewel gezegd tegen Thena?'

'Dankjewel,' zei ik tegen haar.

'Och,' zei ze, 'ik vond het leuk om te doen. Ik ben dol op make-up.'

In mijn kamer deed ik de kastdeur open en keek in de spiegel. Zonder Thena erbij, die zei dat ik er mooi uitzag, zag ik het opeens niet meer. Ik hoorde alleen papa zeggen dat ik er erg leuk uitzag op een toon alsof hij het niet meende. Ik wist niet zeker waarom ik hem wel geloofde en haar niet, maar zo was het wel.

Er werd op mijn deur geklopt en papa stak zijn hoofd om de hoek. 'Ik breng Thena naar huis,' zei hij. 'Ga je gezicht wassen.'

'Goed,' zei ik.

Hij keek naar me terwijl ik daar voor de spiegel stond en zei: 'Je mag geen fotomodel worden.'

'Weet ik,' zei ik.

Ik ging naar de badkamer en draaide de kraan open, maar ik waste mijn gezicht niet. Toen ik er zeker van was dat papa weg was, ging ik naar de buren. Meneer Vuoso was nog steeds in de voortuin aan het werk en ik bleef even naar hem kijken terwijl hij daar stond te scheppen. Ik vond het wel mooi hoe zijn armspieren eruitzagen als ze zwaar werk deden. Je zag heel even de precieze vorm van de spieren en als het voorbij was, dan verdwenen ze weer onder zijn huid. 'Wat bent u aan het doen?' vroeg ik.

'Graven,' zei hij.

'Naar olie?'

Hij schoot even in de lach en zei: 'Nee. Voor een vlaggenstok.'

'O.'

Een paar minuten later nam hij even pauze. 'Je ziet er anders uit,' zei hij.

'Ik heb make-up op.'

'Mag je make-up dragen van je vader?'

'Nee,' zei ik. 'Zijn vriendin heeft het bij me opgedaan.'

'Was dat zijn vriendin?'

Ik knikte. 'Hij brengt haar naar huis.'

Meneer Vuoso zei niets, veegde met de rug van zijn hand alleen wat zweet van zijn voorhoofd en begon weer te graven. Ik bedacht dat ik naar huis moest om mijn gezicht te wassen, maar toen zei hij: 'Jasira?'

'Ja?' zei ik.

'Hoe oud ben jij?'

'Dertien.'

'Wanneer word je veertien?'

'In juni,' zei ik. Toen vroeg ik: 'Hoe oud bent u?'

'Ik ben zesendertig,' zei hij. 'Ik ben een stuk ouder dan jij.'

'Ja,' zei ik.

'Maar met die make-up op zie je er ouder uit.'

'Ja?'

Hij knikte. 'Je ziet eruit als zestien.'

Ik wist niet zeker of dat een compliment was, dus ik zei niet dank u wel. In plaats daarvan zei ik: 'Ik mis het dat ik niet meer in uw tijdschriften kan kijken.'

Hij zweeg even en vroeg toen: 'Waarom?'

'Daarom,' zei ik. 'Het geeft me een fijn gevoel.'

Hij zei niets.

'Ik krijg er een orgasme van,' zei ik.

Hij zei nog steeds niets. Bleef gewoon verder graven. Na een tijdje liep ik terug naar huis. Ik waste mijn gezicht in de gootsteen en droogde het af, en ging toen een andere onderbroek aantrekken omdat die nat was geworden toen ik met meneer Vuoso had staan praten. Net toen ik mijn spijkerbroek dichtritste ging de bel. Ik deed de voordeur open, maar er was niemand. Ik keek naar beneden en zag een papieren zak op de deurmat liggen. Ik pakte hem op en maakte hem open; er zat een *Playboy* in.

DRIE

Toen papa erachter kwam dat meneer Vuoso een vlaggenstok ging neerzetten, nam hij er ook een. Hij zette hem op precies dezelfde plek in de voortuin als meneer Vuoso en installeerde ook een schijnwerper die hij 's nachts liet branden. Dat hoorde je te doen als je de vlag vierentwintig uur per dag wilde uithangen, zei hij tegen me. Anders moest je hem met zonsondergang naar beneden halen en hem met zonsopgang weer hijsen. Dat deed meneer Vuoso en papa werd er stapelgek van. 'Wat probeert hij nou te bewijzen?' vroeg papa terwijl hij door het raam van de eetkamer naar hem keek. 'Dat hij patriottischer is? Nou, dat is hij niet. Het is patriottischer om de vlag altíjd uit te hangen.'

Ik wist dat papa eigenlijk helemaal niet patriottisch was, maar dat hij meneer Vuoso dwars wilde zitten en hem een lesje wilde leren. Maar het kon me niet schelen. Ik was blij dat we een vlag hadden. Voor één keer leek het alsof we gewone Amerikanen waren. Dat we in ieder geval íéts als alle andere mensen deden. Toen ik meneer Vuoso de keer daarop zag, vroeg hij wat papa hem nou eigenlijk duidelijk wilde maken, en loog ik maar en zei dat ik het niet wist.

Het was al bijna twee weken geleden sinds hij me die *Playboy* had gegeven en we hadden het er eigenlijk niet meer over gehad. 'Bedankt voor het tijdschrift,' had ik hem de volgende dag toegefluisterd, toen ik na het oppassen de deur uit glipte, en hij had me aangekeken en gezegd: 'Wat voor tijdschrift?' Maar ik voelde me niet rot. Iets in zijn stem gaf me het idee dat we een spelletje speelden en dat dit een van de regels was.

Hij had me het nummer gegeven met die vrouw in het golfkarretje. Ik vroeg me af of hij dat nog wist van die dag dat hij mij en Zack in de logeerkamer had betrapt, of dat het gewoon toeval was. Hoe dan ook, ik was blij haar weer te zien. Haar mooie glimlach. Ik wilde zo verschrikkelijk graag net zo zijn als zij. Bij een mannelijke fotograaf zijn en het fijn vinden om hem mijn borsten te laten zien.

Ik gebruikte het tijdschrift heel vaak. Ik werd 's morgens vroeg wakker en gebruikte het dan, en ging 's avonds vroeg naar bed. Als ik midden in de nacht wakker werd, gebruikte ik het ook. Het gebeurde steeds vaker dat ik mijn dijbenen niet meer tegen elkaar perste als ik het gebruikte. In plaats daarvan ging ik achteroverliggen op bed, liet ik mijn benen openvallen en raakte ik mezelf aan terwijl ik naar de foto's keek. Ik raakte ook mijn tepels aan, zoals sommigen van de vrouwen in de *Playboy* deden, en dan kwam het orgasme sneller. Het leek wel alsof er een soort verbindingslijn van mijn borsten naar het plekje tussen mijn benen liep. Om uit te proberen hoe sterk die was probeerde ik een orgasme te krijgen door alleen mijn tepels aan te raken, en dat lukte.

Ik begon te denken dat mijn lichaam het bijzonderste was dat er op de wereld bestond. Dat het zelfs beter was dan andere lichamen. Niet omdat het er beter uitzag, maar vanwege alle dingen die het kon. Vanwege al die verschillende knopjes waarop ik kon drukken. Ik wilde erachter komen waar al die knopjes stuk voor stuk voor dienden. Ik wilde me zo goed mogelijk voelen.

Eind oktober kwam het pasgetrouwde stel eindelijk terug uit Parijs. 'Ze is dik geworden op haar huwelijksreis,' zei Zack. We zaten op het afstapje voor zijn huis en keken hoe de mevrouw haar boodschappen uit de auto haalde en naar binnen droeg.

'Nee,' zei ik. 'Ze is zwanger.'

'Echt waar?'

Ik knikte. 'Zie je het verschil dan niet?'

Hij haalde zijn schouders op. 'Eigenlijk niet.'

We wachtten even tot ze haar boodschappen had opgeborgen en liepen toen naar haar huis en klopten op de deur. 'Hoi,' zei ik, 'ik ben Jasira en dit is Zack. We willen onze pluimpjes graag uit uw tuin halen.'

'Wat voor pluimpjes?' zei ze. Ze stond amandelen uit een plastic bakje te eten. Haar T-shirt zat heel strak waardoor de vorm van haar buik was te zien. Haar haar was voor een deel blond en voor een deel bruin. Het bruine deel zat bij de wortels en vormde een hele krans. Naast haar linkeroog had ze een paar piepkleine moedervlekjes, waardoor het leek alsof ze zwarte tranen huilde.

'We hebben een paar pluimpjes in uw tuin geslagen toen u op huwelijksreis was,' zei Zack. 'Die willen we graag terughalen.'

'O,' zei ze. 'Je bedoelt die shuttles.'

'Wat?' zei Zack.

'Shuttle,' zei ze. 'Dat is het juiste woord voor pluimpje.'

'Niet waar,' zei Zack.

'Wil je soms wedden?' vroeg ze.

Zack dacht even na en zei toen: 'Nee.'

'Heel verstandig,' zei ze. Toen deed ze een stapje terug van de deur. 'Kom binnen. Let maar niet op de rommel.'

Overal stonden dozen en er lagen een heleboel opgerolde tapijten. In plaats van vloerbedekking hadden de mevrouw en haar man houten vloeren. Ik hoorde de publieke zender spelen maar ik zag nergens een radio.

De mevrouw bood ons een paar amandelen aan maar we bedankten. 'In welke klas zitten jullie?' vroeg ze, en dat vertelden we. Ze wilde weten of we de scholen hier leuk vonden en Zack zei ja. Ik zei dat ik de scholen thuis leuker vond en ze zei: 'O ja? Waar is thuis dan?'

'In New York,' zei ik.

'Waar in New York?' vroeg ze, en voor de eerste keer sinds ik naar Texas was verhuisd, vertelde ik iemand dat ik uit Syracuse kwam.

'Dat meen je niet,' zei ze.

'Jawel.'

'Mijn man heeft op de Syracuse University gezeten.'

'Kom nou, Jasira,' zei Zack. 'dan gaan we die pluimpjes halen.'

We gingen naar buiten en raapten ze allemaal op. Toen we weer binnenkwamen, zei de mevrouw: 'Jasira. Wat voor naam is dat?'

Ik aarzelde even en Zack zei: 'Ze is een theedoek.'

'Wat zeg je nou?' vroeg de mevrouw.

'Dat is een theedoekennaam,' zei Zack een beetje lacherig.

'Wie heeft jou dat woord geleerd?' vroeg ze.

Zack gaf geen antwoord.

'Ik wil niet dat je dat woord ooit nog in dit huis gebruikt,' zei ze, en ze liep weg en liet ons alleen in de keuken. Na daar even gestaan te hebben draaiden we ons om en lieten onszelf buiten.

'Wat een trut,' zei Zack toen we weer op de stoep stonden.

'Ik vond haar wel aardig,' zei ik.

'Ja, dat zal wel.'

'Ze heeft gelijk,' zei ik. 'Je moet dat woord ook niet gebruiken.'

'Ik zeg gewoon wat ik wil, achterlijke theedoek.'

We speelden nog een partijtje badminton en ik sloeg de shuttles met opzet in de tuin van de mevrouw zodat we morgen weer naar haar toe konden.

Later gingen we naar binnen en zocht Zack het woord 'pluimpje' op in het woordenboek.

'Betekent het "shuttle"? vroeg ik en hij knikte. 'Zie je nou wel?' zei ik. 'Ze bedoelde het niet lullig.'

Daarna zocht hij theedoek op. 'Dat staat er gewoon in,' zei hij.

'Ja, maar niet als scheldwoord, die staan nooit in woordenboeken,' zei ik tegen hem.

'O nee?' zei hij, en hij begon te bladeren en liet me zien dat er ook 'bruinjoekel' en 'nikker' in stond. 'Het is gewoon een nieuw scheldwoord,' zei hij. 'Ze gaan het in alle nieuwe woordenboeken zetten.'

Hij ging tv kijken en ik liep naar boven. Ik begon me zorgen te maken over mijn voorraadje tampons voor de maand november. Ik had er nog maar drie in mijn badkamerkastje en mevrouw Vuoso had de pot achter het toilet niet meer bijgevuld. Het leek alsof er al wekenlang dezelfde vijf tampons in zaten. En vandaag was het weer zo. Ik wilde al naar beneden gaan zonder er een gepakt te hebben, toen ik alsnog van gedachten veranderde en er eentje in mijn zak stopte. Ik moest er niet aan denken dat ik weer maandverbandjes zou moeten gebruiken. Die waren ranzig en stonken, en soms dacht ik dat dat eigenlijk de reden was waarom ik ze van papa moest dragen. Om me het gevoel te geven dat mijn lichaam vies was.

Toen meneer Vuoso thuiskwam, vertelde Zack dat de mevrouw van daarnaast tegen hem geschreeuwd had. 'Waarom?' vroeg meneer Vuoso.

Zack keek naar mij en ging toen op zijn tenen staan en fluisterde zijn vader iets in het oor. Toen hij klaar was, zei meneer Vuoso: 'Goed. We hebben het er straks nog wel over.' Toen vroeg hij aan mij: 'Gaat het verder goed, Jasira?'

Ik knikte.

'Mooi,' zei hij, en hij liep langs me heen de keuken in.

Ik ging toen weg en terwijl ik het pad voor het huis af liep, reed de man van de buurvrouw net hun oprit op. Hij reed in een oude blauwe pick-up en daarom dacht ik dat hij wel een spijkerbroek zou dragen, maar dat was niet zo. Hij droeg een grijs pak en had een aktetas bij zich. 'Hé, hallo,' zei hij, en ik zei hallo terug. Ik wilde hem nog over Syracuse vragen, maar hij was al bijna bij de voordeur.

Toen papa die avond thuiskwam, gaf hij me een brief waar mijn naam op stond. Er zaten buitenlandse postzegels op en degene die de brief gestuurd had, wist niet hoe je het adres moest spellen. De stad en de staat en de postcode stonden allemaal op aparte regels onder elkaar. Ik draaide de brief om en zag dat hij afkomstig was van iemand van wie ik nog nooit had gehoord. 'Wie is Nathalie Maroun?' vroeg ik, en papa zei: 'Dat is je oma.'

Hij zei dat ik hem moest openmaken, en ik zag dat de hele brief in het Frans was geschreven. Ik vroeg papa of hij hem wilde voorlezen maar dat wilde hij niet. Hij zei dat ik hem mee naar school moest nemen en mijn docent om hulp moest vragen, en dat hij morgenavond een volledige vertaling verwachtte.

We gingen eten en daarna ging ik op de bank zitten met de brief van mijn oma. Ze gebruikte hetzelfde blauwe rijstpapier als papa, en ze schreef in een handschrift met lange lussen en fijne letters. *Ma chère Jasira*, stond er bovenaan, en ik wist dat dat 'Mijn lieve Jasira' betekende. Ik las dat zinnetje keer op keer en vroeg me af hoe iemand die mij nog nooit had gezien me lief kon vinden. Als ik het echt geprobeerd had, had ik de rest van de brief ook wel kunnen vertalen, maar ik had er geen zin in. Ik hoefde niet allemaal aardige dingen te horen van iemand die ik niet eens kende. Het betekende helemaal niets.

De volgende dag liet ik mijn brief aan het begin van de les aan Madame Madigan zien en vroeg of ze me wilde helpen. Ze raakte helemaal opgewonden, kwam achter haar bureau vandaan en zei dat ze zo weer terug was. Een paar minuten later kwam ze terug met fotokopieën van de brief. Ze verdeelde de hele klas in vijf groepjes en we kregen elk een stukje om te vertalen. Mijn groepje kreeg het stuk waarin stond: *Ik hoop dat we elkaar op een dag zullen zien en dat ik je op je wangen kan kussen en je kan vertellen hoeveel ik van je houd. Het is belangrijk voor jou om je Libanese familie te leren kennen. Kom alsjeblieft zo gauw mogelijk naar Beiroet. Oma.*

Toen de les was afgelopen, schold iedereen me uit voor Fatima en theedoek. Ze maakten me ook uit voor zandneger en kamelendrijver, en daar had ik nog nooit van gehoord. Zelfs Thomas Bradley, die zwart was, noemde me een zandneger.

Ik voelde me echt rot op weg naar huis. In de bus zat ik in mijn eentje helemaal achterin en dacht aan de vrouw in het golfkarretje, en ik perste mijn dijen tegen elkaar. Dat hielp een beetje, maar toen ik bij de familie Vuoso kwam, lag er een briefje voor me op de keukentafel. Het was van mevrouw Vuoso en de envelop was dichtgeplakt. 'Wat is dat?' vroeg ik aan Zack, en hij zei dat hij dat toch niet kon weten. Ik maakte de envelop open en las: *Beste Jasira, Het lijkt wel alsof mijn tampons uit het toilet verdwijnen. Ik vroeg me af of jij er misschien een paar geleend hebt? Als dat zo is, zou ik het erg op prijs stellen als je daarmee zou willen ophouden. Ze zijn behoorlijk duur en ik weet zeker dat als je het aan je vader vraagt, hij je van het nodige kan voorzien. Bedankt, mevrouw V.*

'Wat staat erin?' vroeg Zack.

'Niets,' zei ik en ik stopte het briefje in mijn zak.

'Zit je in de problemen?'

'Nee.'

'Wat is er dan?'

'We moeten naar hiernaast om de shuttles te pakken die ik gisteren ben kwijtgeraakt.'

'Waarom?' zei hij. 'We hebben er nog een heleboel.'

'Ik ga naar hiernaast,' zei ik tegen hem.

'Ik wil niet,' zei hij.

'Dan blijf je hier.'

'Maar jij moet op mij passen,' zei hij.

'Ik dacht dat je geen oppas nodig had.'

Hij ging daar niet op in en zei: 'Als je naar hiernaast gaat, dan krijg je niet betaald voor de tijd dat je weg bent.'

'Mij best,' zei ik.

Hij keek op zijn horloge. 'Je krijgt niet betaald vanaf nu.'

'Mij best,' zei ik weer en ik liep naar buiten.

Ik ging naar de mevrouw en klopte aan. Eerst deed niemand open, maar toen kwam ze naar de deur in een pyjamabroek en een T-shirt. 'Hoi,' zei ik, 'ik moet de shuttles weer uit de tuin halen.'

'Ga je gang,' zei ze. 'Kom maar even binnen.'

Ik liep achter haar aan door de woonkamer naar de keuken. Ze was bezig een groot kruidenrek op het aanrecht in elkaar te zetten, en ik zag dat ze heel veel van dezelfde specerijen had als papa: komijn, koriander, geelwortel, kardemom, fenegriek.

'Waar is je vriendje?' vroeg ze.
'Zack?'
Ze knikte.
'Die is thuis.'
'Wat is dat joch grofgebekt, zeg,' zei ze hoofdschuddend.
'Hij bedoelt het niet zo,' zei ik. 'Hij is pas tien.'
'Het kan me niet schelen hoe oud hij is.'

Ze begon de specerijen op alfabet te zetten. Ze leek heel ordelijk, net als papa, hoewel ze zich een beetje slordig kleedde. Na een tijdje ging ik naar buiten om de shuttles te pakken. Toen ik weer binnenkwam probeerde ik iets anders te bedenken om tegen haar te zeggen zodat ik niet terug naar de familie Vuoso hoefde. 'Hoe heet jij?' vroeg ik.
'Melina,' zei ze.
Ik knikte. 'Hebt u tampons?'
Ze begon te lachen. 'Tampons? Wat moet ik met tampons?'
Ik snapte niet wat ze daarmee bedoelde. Toen hield ze op met wat ze aan het doen was en keek me aan. 'Je wordt niet ongesteld als je zwanger bent,' zei ze. 'Al dat bloed blijft in je baarmoeder om de baby te beschermen.'
'O.'
'Hoezo?' vroeg ze. 'Heb je een tampon nodig?'
'Niet meteen,' zei ik. 'Maar over een tijdje wel.'
'Kunnen je ouders die niet voor je kopen?'
'Alleen papa,' zei ik. 'Ik woon bij hem.'
'Maar kun je het hem dan niet vragen?' zei ze.
Ik schudde mijn hoofd. 'Nee.'
'Niet?'
'Ik mag ze niet gebruiken,' zei ik. 'Pas als ik getrouwd ben.'
'Hmm,' zei ze. 'Daar heb ik eigenlijk nog nooit van gehoord.'
'Dat is een regel van papa,' legde ik uit.
'Waar komt hij vandaan?' vroeg Melina.
'Uit Libanon,' zei ik, en voor het eerst schaamde ik me daar niet zo voor.
'Hmm,' zei ze weer. Toen vroeg ze: 'Wat is dat met die vlag?'

'Wat bedoelt u?' zei ik.

'Jullie wonen toch aan de andere kant van de familie Vuoso?'

Ik knikte.

'Waarom hangt je vader dan de vlag uit?'

'Papa haat Saddam,' zei ik.

Ze keek me aan alsof ze het niet echt begreep.

'Meneer Vuoso denkt dat papa dol is op Saddam,' probeerde ik uit te leggen, 'maar dat is niet zo. Daarom heeft papa die vlag neergezet. Om het te bewijzen.'

'Wat kan het jouw vader schelen wat die kerel denkt?'

Ik dacht even na en zei toen: 'Ik weet het niet.'

'Want die kerel is een smeerlap,' zei Melina.

'Wie?' vroeg ik.

'Vuoso,' zei ze. 'Hij leest de *Playboy*.'

'O ja?' zei ik. Plotseling leek het iets wat ik maar beter geheim kon houden.

Melina knikte. 'Gisteren kregen we per ongeluk zijn post in onze brievenbus.'

'Heb je hem teruggegeven?'

'Helemaal niet,' zei ze. 'Ik heb hem weggegooid.'

'Heb je zijn *Playboy* weggegooid?'

'Waarom niet?' zei ze.

Ik gaf geen antwoord.

'Ik kan weggooien wat ik wil.'

Ik was echt van slag. Niet omdat Melina een *Playboy* had weggegooid, maar omdat ze blijkbaar vond dat het smerig was om zoiets leuk te vinden. Ik wilde niet dat ze zo dacht. Ik wilde dat ze het net zo leuk vond als ik. Ik wilde dat we over alles hetzelfde dachten. 'Nou,' zei ik, 'ik moet maar eens gaan.'

'Oké.'

'Sorry van de shuttles,' zei ik.

'Dat is helemaal niet erg.'

Het was een klein eindje lopen naar het huis van de familie Vuoso, maar ik deed er langer over omdat ik niet dwars door hun voortuin liep. Toen ik binnenkwam, zei Zack: 'Waarom ben je zo lang weggebleven?'

'Ik ben maar tien minuten weg geweest,' zei ik.

'Je bent vijftien minuten weg geweest,' zei hij. 'Dus je bent vijftig cent kwijt.'

'Kan mij het schelen,' zei ik. Het kon me echt niets schelen. Ik wilde alleen maar aan Melina denken. Hoe je het knopje van haar navel door haar T-shirt heen zag.

Toen meneer Vuoso thuiskwam, probeerde Zack te klikken door te vertellen dat ik hem alleen had gelaten. 'Kun je dan niet een kwartiertje alleen zijn?' vroeg zijn vader, en Zack zei dat hij dat best kon, en meneer Vuoso zei toen dat hij dan niet snapte waarom hij zo moeilijk deed. Daarna ging zijn vader naar de keuken, Zack stak zijn middelvinger naar me op en fluisterde dat ik een gore theedoek was, en ik fluisterde terug dat hij me nooit meer zo moest noemen.

Later op de avond moest ik oma's brief voor papa vertalen. Toen ik klaar was zei hij dat ik het heel goed had gedaan, en toen vroeg hij hoeveel Madame Madigan me had moeten helpen. Ik dacht erover hem te vertellen dat de kinderen op school me hadden uitgescholden, maar ik deed het toch maar niet. Ik kreeg die woorden niet uit mijn mond. Om een of andere reden dacht ik dat papa dan zou denken dat ik het over hem had.

De volgende middag bij de familie Vuoso sloeg ik vier shuttles achter elkaar in Melina's achtertuin. 'Je kan er niks van!' schreeuwde Zack.

'Sorry,' zei ik. 'Ik ga ze wel even halen.'

'Nee!' gilde hij, maar ik deed net of ik hem niet hoorde.

'Shuttles?' zei Melina toen ze de voordeur opendeed, en ik knikte. Er staken potloden uit de rommelige knot in haar nek.

Nadat ze me had binnengelaten vroeg ze of een schilderij dat ze net aan de muur van de zitkamer had gehangen, wel recht hing, en ik zei ja. Het stelde een zandkleurig huis voor dat tegen een steile rots was gebouwd. 'Wat is dat?' vroeg ik.

'Het vroegere huis van mijn man Gil,' zei ze.

'In Syracuse?' Het leek niet erg op Syracuse.

Ze lachte even. 'Nee. In Jemen.'

Ik probeerde me te herinneren waar dat lag.
'Hij heeft in het Vredeskorps gezeten,' zei ze.
'Wat heeft hij daar gedaan?'
Ze haalde haar schouders op. 'Van alles. Het grootste deel van de tijd heeft hij rioleringen gegraven.'
'O,' zei ik.
'Toiletten,' voegde ze eraan toe.
Ik knikte.
'Ga eens op je hurken zitten,' zei ze.
'Wat?'
'Buig je knieën en ga eens op je hurken zitten.'
Dat deed ik en toen zei ze: 'Nee, nog dieper.'
Ik ging nog verder op mijn hurken zitten.
'Nog dieper,' zei ze. 'Zo diep als je kunt zonder dat je billen de vloer raken.'
Toen ik zo diep door mijn knieën zat als ik maar kon, zei ze: 'Zo gaan ze daar naar de wc. Ze hebben daar geen echte toiletten. Ze graven gewoon een gat in de grond en hurken daarboven.'
'Echt waar?' zei ik, en ik kwam weer overeind. Mijn dijbenen voelden pijnlijk aan.
Ze knikte. 'Kun je je voorstellen dat je dat doet als je zwanger bent?'
'Nee.'
'Ik ook niet,' zei ze en ze legde haar hand op haar buik.
'Ik zal de shuttles maar eens gaan halen.'
'O ja,' zei ze. 'Is goed.'
Ik liep de keuken door en liet mezelf door de achterdeur naar buiten. Ik vond het eigenlijk helemaal niet leuk als Melina haar buik aanraakte, en ik wilde niet over haar zwangerschap praten. Ik wist niet zo goed waarom en ik voelde me er rot over, maar zo was het nou eenmaal.
Toen ik terugkwam was Zack al naar binnen gegaan. Hij zat in de zitkamer en probeerde naar de betaaltelevisie te kijken. Zijn ouders waren er niet op geabonneerd, maar soms leek het

alsof je tussen alle sneeuw en strepen blote mensen kon zien. 'Heb je geen zin meer om te badmintonnen?' vroeg ik.

Hij schudde zijn hoofd en hield zijn ogen op de tv gericht.

'Waarom niet?'

'Omdat je de shuttles steeds met opzet die kant op slaat,' zei hij, 'zodat je met die mevrouw kan gaan praten.'

'Niet waar,' zei ik.

'Ik ga nooit meer met je badmintonnen,' zei hij, en hij stond op en ging naar zijn kamer. Ik zette de tv uit, liep naar de boekenkast en pakte het woordenboek eruit. Achterin zat een atlas en ik vond Jemen, vlak onder Saoedi-Arabië.

Die avond zei ik onder het eten tegen papa: 'Kent u die mensen die naast de familie Vuoso zijn komen wonen?'

'Of ik ze ken?' zei hij. 'Nee, ik ken ze niet.'

Dat vond hij soms leuk. Letterlijk antwoord geven op mijn vraag in plaats van de eigenlijke vraag beantwoorden. Ik zuchtte en zei: 'Weet u dat er nieuwe mensen naast de familie Vuoso zijn komen wonen?'

'Ja,' zei hij nu. 'Dat weet ik. Die vrouw moet haar buik beter bedekken als ze buitenkomt. Dat hoeven de mensen allemaal niet te zien.'

'Nou,' zei ik, 'haar man heeft in Jemen gewoond.'

Papa kauwde even op het kraakbeen van zijn kippenpootje, slikte het toen door en zei: 'Hoe weet je dat?'

'Dat heeft Melina me verteld,' zei ik. 'Dat is zijn vrouw.'

'We noemen volwassenen niet bij hun voornaam,' zei hij.

'Maar ze zei dat het mocht.'

'Het kan me niet schelen wat ze zei. Je zoekt maar uit hoe ze van haar achternaam heet en zo noem je haar.'

Na het eten pakte papa zijn spullen, hij ging die avond bij Thena slapen. Ze hadden elkaar regelmatig gezien sinds hun eerste afspraak, maar papa liet haar niet meer bij ons thuis komen. Hij zei dat hij geen zin had in al dat gedoe met die make-up. 'Jij eist alle aandacht op,' zei hij. 'Ik weet niet hoe je het doet, maar je doet het.' En toen zei hij dat hij ook aandacht nodig had en dat ik groot genoeg was om iedere week een paar nachten alleen te zijn.

Ik vond het niet erg om alleen te zijn. Ik vond het zelfs prettiger. Ik kon gewoon door het huis lopen zonder bang te zijn dat ik iets verkeerds zou doen. Ik kon orgasmen hebben met de slaapkamerdeur open. Ik kon de *Playboy* op de bank lezen. Dat was ik ook aan het doen toen er om een uur of negen werd aangebeld. Het was meneer Vuoso. Hij droeg een wit T-shirt en een spijkerbroek, en zijn adem rook lekker naar bier. 'Hallo,' zei hij. 'Is je vader thuis?'

'Nee,' zei ik.

'O,' zei meneer Vuoso, 'nou, zijn schijnwerper brandt niet. Misschien moet je hem dat maar zeggen.'

'Hij komt morgen terug,' zei ik.

'Morgen?'

Ik knikte. 'Hij is bij zijn vriendin.'

'Ben jij niet een beetje te jong om alleen te zijn?'

'Ik kan het wel, hoor,' zei ik.

Hij keek me aan. 'Ben je niet bang?'

Ik schudde mijn hoofd.

Een paar seconden lang zeiden we niets en toen vroeg hij: 'Wat ben je aan het lezen?'

'Wat?' vroeg ik.

Hij maakte een hoofdbeweging naar de bank en ik draaide me om. 'O,' zei ik, want ik wilde ons spelletje goed spelen. 'Niks.'

Hij glimlachte even. 'Zo, zo... niks?'

Ik wist niet wat ik moest zeggen en glimlachte ook maar een beetje.

'Ik kon niet beslissen welke ik je zou geven,' zei hij. 'Ik heb gewoon de bovenste gepakt.'

'Die lees ik het liefst,' zei ik.

'Echt waar?' zei hij. 'Waarom?'

'Ik vind die mevrouw in het golfkarretje mooi.'

'De mevrouw in het golfkarretje,' zei hij, alsof hij het zich probeerde te herinneren.

'Haar hemd staat open, maar dat heeft ze niet door,' zei ik.

'O ja?'

Ik knikte.

'En dat vind je leuk?' vroeg hij. 'Dat ze het niet merkt?'

'Ja,' zei ik. Ik was zo blij dat ik het er eindelijk over kon hebben. Dat ik dingen kon zeggen waarvan ik wist dat alleen hij ze zou begrijpen.

'Goed,' zei hij. 'Vergeet je vader niet over dat licht te vertellen.'

'Wilt u niet binnenkomen?' vroeg ik.

'Nee,' zei hij. 'Ik moet weer terug.'

'O.'

'Bel ons maar als je iets nodig hebt,' zei hij.

'Dat is goed,' zei ik, en ik wilde dat ik iets kon bedenken zodat hij nog wat langer bleef.

'Fijne avond,' zei hij, maar hij ging niet weg.

'Fijne avond,' zei ik.

Hij stak zijn hand uit en kneep heel zachtjes in mijn schouder. Toen liet hij zijn hand naar beneden glijden, en over mijn ene borst. Daarna draaide hij zich om en liep weg.

Nadat hij was weggegaan ging ik op de bank zitten en kreeg ik een orgasme door alleen maar mijn borsten aan te raken en aan hem te denken. Toen het voorbij was, herinnerde ik me wat Melina had gezegd, dat hij een smeerlap was. Volgens mij was dat niet waar. Het kon gewoon niet dat iemand die me zo'n fijn gevoel gaf, tegelijkertijd zo slecht kon zijn. Ik mocht Melina ontzettend graag en ik vond haar heel slim, maar volgens mij waren er ook dingen die ze niet begreep. Ik geloofde vooral dat alles wat mij een orgasme kon geven, goed was. Ik geloofde dat mijn lichaam het gewoon het beste wist.

De volgende dag in de kantine kwam Thomas Bradley met zijn dienblad naar mijn tafeltje toe. 'Mag ik bij je komen zitten?' vroeg hij.

Ik knikte ja en hij ging zitten. Zijn haar vormde een dun glanzend laagje en zijn ogen waren heel lichtbruin vergeleken bij zijn huid. We zaten daar een tijdje zonder iets te zeggen en toen zei hij: 'Sorry dat ik je toen uitschold met dat woord. Ik weet niet waarom ik dat deed.'

'Maakt niet uit,' zei ik.

'Wel waar,' zei hij, 'het maakt wel uit.'

Ik wist niet zo goed wat ik toen moest doen, dus ik at mijn ravioli maar op. Toen de bel ging, bood Thomas aan mijn dienblad af te ruimen, en ik zei ja. Hij zette mijn bord en bestek en melkpak op zijn dienblad en schoof mijn lege blad onder het zijne. 'Ik ben zo terug,' zei hij, waarmee hij waarschijnlijk bedoelde dat ik op hem moest wachten, en dat deed ik maar. Toen hij terugkwam, zei hij: 'Oké, klaar,' en we liepen samen naar zijn kluisje. Hij vroeg of ik ook nog in mijn kluisje moest zijn, en ik loog en zei ja. Het was wel leuk om iemand te hebben met wie je iets samen kon doen.

Toen ik me later zat te vervelen onder maatschappijleer, probeerde ik een orgasme te krijgen door aan Thomas te denken, maar het lukte niet. Het was niet hetzelfde als wanneer ik aan meneer Vuoso dacht die mijn borst aanraakte, of als ik fantaseerde dat een fotograaf een foto van me nam. Daarom liet ik het maar zitten en begon in plaats daarvan aan die andere dingen te denken. Ik vond dat ik maar mazzel had dat ik zo'n systeem had. Dat ik zo verschillende mensen kon uitproberen om te kijken of ik echt van ze hield.

Toen ik die middag bij de familie Vuoso kwam, ging ik de tampons op het toilet even tellen voor het geval mevrouw Vuoso het had opgegeven om me te betrappen. Maar dat had ze niet. Er zaten nog steeds dezelfde vier tampons in. Ik ging weer naar beneden en zei tegen Zack dat ik even naar de buren moest. 'Helemaal niet,' zei hij terwijl hij het geluid van de tv afzette. 'Er liggen geen shuttles in hun tuin.'

'Daar gaat het niet om,' zei ik. 'Ik moet Melina's achternaam vragen.'

'Waarom?' vroeg hij.

'Omdat ik haar geen Melina meer mag noemen. Dat mag niet van mijn vader.'

Zack zei niets.

'Ik ben zo terug,' zei ik. 'Goed?'

Hij draaide zich om en zette het geluid van de tv weer aan.

Toen Melina de deur opendeed, zei ik: 'Ik kan niet lang blijven. Ik moet je alleen iets vragen.'

'Vraag maar,' zei ze en liep naar binnen.

Ik liep achter haar aan naar de zitkamer waar ze bezig was een doos boeken uit te pakken en in een hoge houten boekenkast te zetten. Ik zag dat sommige boeken Arabische letters op de rug hadden staan. 'Ik wil je achternaam graag weten,' zei ik.

'Best. Hines. Hoezo?'

'Omdat ik je geen Melina meer mag noemen.'

'O nee?'

Ik knikte. 'Dat is papa's regel.'

'Wauw,' zei ze. 'Hij heeft wel een hoop regels, zeg.'

'Hmm-hmm.'

'Nou, misschien kun je dan Melina tegen me zeggen als hij er niet bij is.'

'Oké,' zei ik.

'Prima, dan,' zei ze.

'Melina?' vroeg ik.

'Ja?'

'Als ik jou wat van mijn oppasgeld geef, zou jij dan tampons voor mij willen kopen?'

Ze zweeg even. 'Tja, ik weet niet of ik dat moet doen, Jasira.'

'Waarom niet?' vroeg ik.

'Nou ja, ik vind het niet zo'n prettig idee om tegen je vader in te gaan.'

'Maar je zei net dat ik Melina tegen je kon zeggen als hij er niet bij was.'

Ze zuchtte. 'O jee.'

'Ik snap niet waarom ik geen tampons mag gebruiken,' zei ik. 'Ze zitten me goed.'

'Kun je hier niet met je moeder over praten?' vroeg Melina.

Ik schudde mijn hoofd. 'Nee.'

'Waarom niet?'

'Omdat,' zei ik, 'die toch alleen maar tegen me zegt dat ik naar papa moet luisteren.'

'Is ze ook van Libanese afkomst?'

'Nee,' zei ik. 'Ze is Ierse.'

'Wauw,' zei Melina. 'Jij bent me wel een mix, zeg.'

Ik vond het irritant dat ze het nu over mijn nationaliteiten probeerde te hebben in plaats van over tampons. 'Ik moet weer gaan,' zei ik uiteindelijk.

'Echt?' zei ze.

'Ja,' zei ik. 'Ik mag Zack niet alleen laten.'

'Het spijt me echt, Jasira. Ik zou willen dat ik je kon helpen. Echt. Ik weet zeker dat je er wel iets op vindt.'

'Bedankt,' zei ik en ik ging weg.

Ik was echt kwaad op haar terwijl ik terugliep naar Zacks huis. Het was net alsof ze me belazerd had of zo. Alsof ze al die dingen wel had gezegd, dat papa van die gekke regels had, maar dat dat dan toch niet waar was. Ze vond dat ik naar hem moest luisteren, zoals iedereen zei.

Toen ik de zitkamer binnenkwam, zei Zack: 'Lang niet gezien, Fatima.'

'Hou op met me zo te noemen,' zei ik.

'Oké,' zei hij. 'Kamelendrijver.'

'Hou je kop,' zei ik.

'Oké,' zei hij. 'Zandneger.'

Ik deed een stap naar voren en gaf hem een klap op zijn arm. Het was geen harde klap maar hij deed alsof het wel zo was, en maakte zichzelf aan het huilen. 'Dat ga ik vertellen!' krijste hij en hij rende naar zijn kamer en knalde de deur dicht.

Ik ging aan de keukentafel zitten wachten tot meneer Vuoso thuiskwam. Het leek me dat ik er inderdaad wel gedonder mee zou krijgen. Als ik Zack in het weekend had geslagen, als we gewoon aan het spelen waren, zou er niets aan de hand zijn geweest. Dan waren we gewoon twee kinderen geweest.

Om een uur of zes hoorde ik de sleutel van meneer Vuoso in

het slot en ik liep naar de zitkamer om hem te begroeten. 'Waar is Zack?' wilde hij weten.

'Boven,' zei ik.

'Ging het allemaal goed?'

'Ja,' zei ik, en ik liep snel de deur uit.

Thuisgekomen wist ik niet zo goed wat ik moest doen. Ik dronk wat water, spoelde mijn glas om en droogde het weer af. Terwijl ik het in de kast terugzette, ging de deurbel. Ik deed open en meneer Vuoso stond op de stoep. Hij droeg nog steeds het lichtblauwe jasje dat hij op zijn werk droeg. 'Heb jij mijn zoon geslagen?' vroeg hij.

Ik zweeg even en zei toen: 'Ja.'

Hij stapte naar binnen en deed de deur achter zich dicht.

'Wat ben jij voor een oppas?' vroeg hij; hij stond op de vierkante tegels in de gang.

'Ik weet het niet,' zei ik.

'Iedere dag is er wel een probleem.'

'Het spijt me.'

'Weet je dan niet dat je geen kleine kinderen moet slaan?'

'Ja.'

'Nou,' zei hij, 'dat weet je blijkbaar niet.'

Ik gaf geen antwoord.

'Of wel soms?'

'Nee.'

'Ik wil mijn tijdschrift terug,' zei hij.

'Wat?'

'Ga mijn tijdschrift halen. Ik wil het terug.'

Ik kwam niet in beweging. Ik wilde het tijdschrift niet teruggeven.

'Waar ligt het?' vroeg hij.

'In mijn kamer,' zei ik.

'Ga het halen,' zei hij. 'Onmiddellijk.'

Toen ik nog steeds niet in beweging kwam, deed hij een stap naar me toe. Hij legde zijn handen op mijn schouders en draaide me om zodat ik met mijn gezicht naar de achterkant van het huis stond. 'Ga godverdomme dat tijdschrift halen,' zei hij, en ik wilde het gaan doen maar hij liet me niet gaan. In plaats daarvan haalde hij zijn handen van mijn schouders en liet ze over de voorkant van mijn lichaam naar beneden glijden, over mijn borsten. Hij begon ze te kneden. Ik probeerde weer te bewegen, maar hoe meer ik me van hem wilde losmaken des te steviger hield hij me vast.

Nu gleden zijn handen verder naar beneden langs de voorkant, en mijn spijkerbroek in. 'Ik ga het tijdschrift even pakken,' zei ik tegen hem, maar hij luisterde niet. Hij stopte zijn vingers in mijn onderbroek en bewoog ze tot tussen mijn benen. 'Nee,' zei ik, 'niet doen,' als de dood dat hij al mijn schaamhaar zou voelen en me lelijk zou vinden alleen maar door me aan te raken. Maar hij zei er niets over. Hij ging gewoon door, steeds verder omlaag. Hij begon te wrijven en eerst voelde het een beetje ruw aan, maar toen kwam hij bij dat speciale plekje en voelde het wat prettiger. Ik werd een beetje nat en al gauw begonnen zijn vingers soepeler te bewegen.

Ik dacht dat het niet zo erg was als hij me daar een tijdje wilde aanraken, maar toen stopte hij en begon hij te porren met zijn vingers alsof hij iets zocht. Daarna voelde ik hoe hij zijn vingers naar binnen duwde. Eerst deed het niet zoveel pijn, maar toen leek het alsof hij meer dan één vinger gebruikte. 'Niet doen,' zei ik en ik probeerde me los te rukken, maar mijn armen zaten onder de zijne geklemd. 'U doet me pijn,' riep ik, maar hij ging gewoon door. Het was afschuwelijk om zo'n pijn te hebben op de plek die altijd zo lekker voelde. Ik kon alleen maar denken dat hij daar iets kapotmaakte. Dat het daar beneden nooit meer goed zou werken. Ik begon te huilen en toen hield hij eindelijk op. Hij haalde zijn hand uit mijn broek en die zat onder het bloed. Heel even dacht ik dat ik ongesteld was, maar toen begreep ik dat dat niet zo was.

'Jezus!' zei meneer Vuoso terwijl hij naar zijn hand keek. 'O, god.' Hij liep naar de keuken en ik hoorde water stromen. Toen hij terugkwam, zei hij: 'Dat was echt mijn bedoeling niet. Echt niet.'

Ik was bijna gestopt met huilen, maar omdat hij zo berouwvol klonk, begon ik opnieuw te huilen.

'Och, jezus,' zei hij weer.

Ik deed een stap naar voren zodat hij me kon omhelzen, maar hij deed een stap terug. 'Ik moet gaan,' zei hij. 'Ik moet terug naar Zack.'

'Nee,' zei ik, 'ik wil niet dat u weggaat.'

Maar hij had zijn hand al op de deurknop gelegd. 'Dit was echt mijn bedoeling niet,' zei hij weer en toen ging hij weg.

Ik stond daar nog een paar minuten te huilen. Daarna ging ik naar de badkamer en trok mijn broek uit. Er zat bloed in mijn onderbroek en het was ook door mijn spijkerbroek heen gelekt. Er zat bloed op mijn buik op de plaats waar meneer Vuoso er met zijn hand langs was gegaan. Ik trok al mijn kleren uit en ging onder de douche staan. Toen ik klaar was, trok ik een schone onderbroek aan en stopte er zo'n maxi-maandverband in. Daarna waste ik mijn kleren in de wastafel. Ik probeerde het snel te doen want ik wist dat papa straks zou thuiskomen. Mijn spijkerbroek werd goed schoon maar hoe hard ik mijn onderbroek ook boende, er bleef toch een bruine vlek in zitten. Uiteindelijk wikkelde ik hem in toiletpapier en gooide hem in de vuilnisemmer.

Toen ging ik in de zitkamer op papa zitten wachten. Vreemd genoeg keek ik ernaar uit hem te zien. Ik wilde gewoon dat er iemand bij me was, en ik wist dat papa een hekel had aan meneer Vuoso, dus leek hij me de beste persoon om me gezelschap te houden.

Ik probeerde zelf ook een hekel te krijgen aan meneer Vuoso maar dat was moeilijk. Vooral als ik eraan dacht dat hij er zo'n spijt van leek te hebben. Nog nooit had iemand sorry tegen mij gezegd en dat gaf me zo'n fijn gevoel. Het maakte het bijna de moeite waard dat iemand iets heel gemeens met je doet als hij daarna zo aardig tegen je is.

Het eerste wat papa deed toen hij thuiskwam was tegen me tekeergaan omdat de schijnwerper niet aan stond. Ik vertelde hem toen dat meneer Vuoso de vorige avond daarom langs was geweest en hij zei: 'Je maakt zeker een geintje.'

'Nee,' zei ik.

'Nou, mooie boel,' zei papa terwijl hij zijn stropdas losmaakte. 'Hij vond zichzelf zeker heel wat door hier aan te komen zetten.'

Ik knikte.

'Je hebt hem toch niet verteld dat ik er de hele nacht niet zou zijn, hè?' vroeg hij.

'Nee,' loog ik.

'Mooi,' zei hij, 'want dat gaat hem geen bal aan.'

Ik zuchtte zachtjes en papa keek me aan.

'Wat is er met jou aan de hand?' vroeg hij.

'Niets,' zei ik.

'Je ziet er gedeprimeerd uit.'

'Dat ben ik niet.'

'Heb je een rotdag op school gehad?'

'Nee.'

'Denk je dat iedere keer als jij je rot voelt, iemand je allerlei vragen gaat stellen om te weten waarom?'

'Nee,' zei ik.

'Want dat doen ze niet, hoor.'

'Weet ik.'

'Ik geef het op,' zei hij, en hij ging het avondeten klaarmaken.

Ik ging toen maar naar de badkamer om mijn maandverband te controleren. Het bloedde niet meer zo erg. Het schrijnde alleen. Ik durfde mezelf niet af te vegen nadat ik geplast had en bleef zitten tot ik uitgedruppeld was. Na een tijdje werd er geklopt. 'Gaat het goed daarbinnen?' vroeg papa.

'Ja,' zei ik, en ik kwam overeind en ritste mijn broek dicht. De deur was op slot maar ik was toch bang dat hij op een of andere manier binnen zou kunnen komen.

'Ben je ongesteld?' vroeg hij. 'Is dat het?'

'Ja,' zei ik na een seconde.

'Heb je zo'n pil genomen?'

'Nee.'

'Nou, neem er dan maar een,' zei hij. 'Het heeft geen zin dat je je beroerd voelt.'

'Oké,' zei ik.

Onder het eten begon ik me al wat beter te voelen. Dat kwam door die pijnstiller maar ook omdat papa in een goede bui was nadat hij de nacht bij Thena had doorgebracht. Hij beschreef wat ze voor hem gekookt had, een heerlijke ovenschotel die moussaka heette, en ook die vreselijke baklava van haar. 'Ik zei natuurlijk dat het heel lekker was,' zei hij. 'Maar ze gebruikt suikerstroop in plaats van honing. Dat doet ze fout.' Toen zei hij dat ze me misschien zou opbellen om te vragen of ik met haar wilde gaan winkelen, en dan moest ik nee zeggen. 'Zeg maar dat je huiswerk moet maken of zoiets,' zei hij.

'Dat is goed,' zei ik, hoewel ik wel mee wilde.

'Ze moet maar vriendinnen van haar eigen leeftijd zoeken,' zei papa.

Later zei hij dat ik op de bank mocht gaan liggen terwijl hij afruimde. Toen hij klaar was, kwam hij de kamer in en ging in de stoel de krant zitten lezen. Om een uur of acht ging de bel. Ik wilde opstaan en opendoen, maar papa zei dat ik moest blijven liggen. Hij legde de krant op de grond en stond op. Toen hij de deur opende stond mevrouw Vuoso daar met Zack. 'O,' zei hij. 'Hallo.'

Ik kwam overeind op de bank en vroeg me af of meneer Vuoso misschien achter hen stond.

'Hallo, Rifat,' zei mevrouw Vuoso. Ze sprak zijn naam altijd uit alsof het woord 'vet' erin zat, en niet zoals papa het uitsprak, met 'fot'. 'Heb je misschien een ogenblikje?'

'Zeker,' zei papa, en hij deed een stap achteruit zodat ze binnen konden komen. Toen zag ik pas dat ze met zijn tweeën waren. Zack wilde me niet aankijken, maar mevrouw Vuoso keek me juist heel nadrukkelijk aan. Haar ogen waren grijs, net als haar haar.

Toen ze midden in de zitkamer stonden zei mevrouw Vuoso:

'We komen Jasira haar laatste cheque brengen. Ik ben bang dat we haar niet langer op Zack kunnen laten passen.'

'Gaat Zack dan op zichzelf passen?' vroeg papa.

'Nee,' zei mevrouw Vuoso. 'Ik bedoel daarmee dat we een andere oppas gaan zoeken.'

'Ze heeft me geslagen,' zei Zack tegen papa.

Papa keek hem aan. 'Wie heeft jou geslagen?'

'Jasira,' zei Zack.

Papa draaide zich naar mij om. 'Kun jij mij vertellen wat hier aan de hand is?' vroeg hij.

Ik stond op, maar voor ik antwoord kon geven, zei Zack: 'Ze heeft me heel hard op mijn arm geslagen.'

'Is dat waar?' vroeg papa aan mij.

Ik knikte.

Hij zweeg even. 'Waarom heb je hem geslagen?'

'Hoor eens,' zei mevrouw Vuoso, 'ik denk niet dat slaan onder welke omstandigheden dan ook gepast is.'

Papa bleef me aankijken. 'Was het vanwege een spelletje?'

Ik schudde mijn hoofd.

'Het was nergens om!' zei Zack.

'Ik denk dat Jasira een heel ongelukkig meisje is,' zei mevrouw Vuoso. 'Ik bedoel, ik vind het vervelend om het te moeten zeggen, maar dit is niet de eerste keer dat we problemen met haar hebben.'

'Waar hebt u het over?' vroeg papa.

'Hij heeft me voor theedoek uitgescholden,' zei ik toen, als de dood dat mevrouw Vuoso over de ontbrekende tampons zou beginnen.

Papa keek me aan. 'Voor wat?'

'Voor theedoek,' zei ik.

'Theedoek,' herhaalde papa. Toen richtte hij zich tot mevrouw Vuoso en zei: 'Wist jij dat jouw zoon mijn dochter voor theedoek heeft uitgescholden?'

Mevrouw Vuoso keek naar Zack alsof ze daar helemaal niets van wist.

'En voor kamelendrijver,' zei ik.

Papa keek me weer aan.

'En voor zandneger,' zei ik.

Hij schoot in de lach. 'Godallemachtig.'

'Ik vind dit niet om te lachen,' zei mevrouw Vuoso. 'Ik bedoel, als Zack ongepaste taal heeft gebezigd, dan wil ik daarvoor mijn verontschuldigingen aanbieden. Maar geweld blijft geweld. Ik denk echt dat Jasira een heel ongelukkig meisje is.'

'Waar is de cheque?' zei papa.

'Pardon?' zei mevrouw Vuoso.

'Je zei dat je Jasira's laatste cheque bij je had,' zei hij. 'Waar is hij?'

'O,' zei mevrouw Vuoso. Ze aarzelde even en stak toen haar hand in haar zak. 'Alsjeblieft.'

Nadat papa de cheque had aangenomen, liet hij hem aan mij zien. 'Klopt het bedrag?'

Ik keek ernaar maar ik was veel te zenuwachtig om het bedrag te kunnen lezen. 'Ja,' zei ik.

'Goed,' zei papa. 'Dan is het volgens mij hiermee afgehandeld.'

'Nou,' zei mevrouw Vuoso, 'ik denk niet dat het al is afgehandeld.'

'Bedankt voor jullie komst,' zei papa, en hij liep naar de deur en deed die open.

Na een paar seconden zei mevrouw Vuoso: 'Nou, goed dan,' en zij en Zack liepen de deur uit.

Ik dacht dat papa me een klap zou geven nadat ze weg waren. Ik dacht dat hij alleen aardig tegen me deed waar Zack en zijn moeder bij waren. Maar hij gaf me geen klap. Hij vroeg: 'Waar had ze het nou over toen ze zei dat ze nog meer problemen met je had gehad?'

'Ik weet het niet,' zei ik.

'Wat heb je gedaan?' wilde hij weten.

'Niets,' zei ik.

'Je moet iets gedaan hebben.'

'Ik heb Zack een keer alleen gelaten toen ik daarnaast bij Melina shuttles ging zoeken,' zei ik uiteindelijk maar.

Papa keek me aan.

'Ik bedoel, bij mevrouw Hines.'

Hij knikte. 'Is dat alles?'

'Ja.'

'Ze maken zich druk om niks!' zei hij.

Toen liep hij naar buiten om onze vlag naar beneden te halen zodat we niet onpatriottisch zouden lijken. Toen hij weer binnenkwam, zei hij: 'Moet jij eens raden wie zijn vlag nog niet heeft binnengehaald?'

'Wie dan?' zei ik.

'Wie denk je?' zei hij.

Ik liep naar het raam van de eetkamer en schoof het gordijn opzij. Ik kon het eerst nauwelijks zien, maar na een paar seconden zag ik de vlag van meneer Vuoso in de roerloze lucht slap naar beneden hangen. Toen bedacht ik dat hij tijdens zonsondergang bij mij was geweest. Dat hij door mij onpatriottisch was geweest.

'Ik zou er eigenlijk heen moeten gaan om er iets van te zeggen,' zei papa. Maar dat deed hij niet. Hij vouwde onze vlag op en borg hem op in de kast. Toen ging hij in zijn stoel zitten en pakte zijn krant weer op. Ik ging op de bank liggen. Ik moet in slaap zijn gevallen want het volgende moment stond papa over me heen gebogen en floot zijn afschuwelijke wakker-wordendeuntje. Maar toen ik mijn ogen opende, vond ik het niet eens zo verschrikkelijk om zijn gezicht te zien.

VIER

De volgende dag stopte het bloeden. En een paar dagen later schrijnde het ook niet meer. Ik testte mezelf om te zien of ik nog een orgasme kon krijgen, en dat lukte. Ik was blij dat alles daar beneden nog goed werkte, maar ik wilde eigenlijk geen orgasmen meer krijgen. Zoveel prettiger voelde ik me er nou ook niet door.

Ik werd weer ongesteld en de tampons gingen er nu veel gemakkelijker in dan eerst. Maar ik had er nog maar een paar en die zouden al snel op zijn. Ik kwam even op het idee meneer Vuoso te vragen of hij tampons voor me wilde kopen – hij zou ze vast wel voor me willen halen omdat hij me pijn had gedaan. Maar toen ik door het raam van de eetkamer naar hem keek terwijl hij zijn vlag naar beneden haalde, veranderde ik van gedachten. Hij keek niet meer alsof hij er zoveel spijt van had.

Zacks nieuwe oppas was Melina. Ze speelde in de achtertuin badminton met hem net als ik altijd had gedaan. Ze rende niet zo snel heen en weer, misschien vanwege de baby. Ze stond gewoon stil terwijl Zack de shuttles naar haar toe sloeg. Soms sloeg hij expres tegen haar buik en dan riep ze dat hij daarmee moest kappen. Ik dacht erover haar te vertellen wat meneer Vuoso bij mij had gedaan, zodat ze het rot zou vinden om voor hem te werken, maar ik deed het toch maar niet. Ik schaamde me te erg.

Meestal keek ik uit naar het moment dat papa 's avonds thuiskwam en hij de familie Vuoso voor van alles en nog wat begon uit te schelden. Hij zei dat ze achterlijk waren en noemde ze klootzakken en een stelletje boeren. Hij zei dat meneer Vuoso binnenkort het leger in moest en dat Saddam hem zou vergassen en dat dat zijn verdiende loon was. Ik vroeg papa wat er gebeurde als je vergast werd en hij zei: 'Je valt op de grond en je ziet niets meer en je voelt niets meer. En je krijgt een ontzettende dorst. Maar in al het water dat je vindt zit dat gas, en daardoor ga je je nog zieker voelen.'

'Ik dacht dat u een hekel had aan Saddam,' zei ik.

'Dat heb ik ook,' zei hij. 'Ik noem alleen de feiten.'

Ik knikte. Het was fijn om wat meer vertrouwd met papa te zijn. Sinds mevrouw Vuoso me had ontslagen leek het alsof hij zijn best deed aardig voor me te zijn. Hij had zelfs mijn moeder gebeld om haar te vertellen wat er gebeurd was. 'En toen heeft ze hem gewoon een klap gegeven,' hoorde ik hem vertellen. 'Recht op zijn arm.' Later, toen ik aan de telefoon kwam, zei mijn moeder: 'Als je ruzie hebt met iemand, probeer er dan eerst met praten uit te komen voordat je geweld gebruikt.'

'Oké,' zei ik.

'Wat zegt ze tegen je?' wilde papa weten, omdat hij vlak naast me stond.

'Dat ik eerst moet proberen om het uit te praten,' zei ik.

'Geef me die telefoon eens,' zei hij en hij pakte de hoorn van me af. Toen begon hij met haar te ruziën dat zij Iers was en niets wist. Uiteindelijk gooide hij de hoorn op de haak en gingen we pizza eten bij Panjo's. We zaten buiten voor het restaurant aan een picknicktafel hoewel het al eind november was, en papa zei: 'Je moeder komt met Kerstmis naar Houston.'

'Echt waar?' Dat deel van het gesprek had ik niet gehoord.

Hij knikte. 'Ze wil bij ons logeren zodat ze niet voor een hotel hoeft te betalen.'

'Oké,' zei ik, ervan uitgaand dat hij mijn goedkeuring wilde horen.

'Hoe bedoel je "oké"?' zei hij. 'Is het soms jouw huis?'

'Nee.'

'Precies,' zei hij terwijl hij op zijn pizzakorst knaagde. 'Het is mijn huis. Ik beslis wie komt logeren.'

Ik zei niets.

'Ik heb gezegd dat ze in mijn studeerkamer kan slapen, hoewel ik eigenlijk beter zou moeten weten.'

Ik knikte.

'Jouw moeder kan heel lastig zijn om mee samen te leven,' zei hij. 'Ze denkt dat ze alles weet.'

'Hoelang blijft ze?' vroeg ik.

'Te lang,' zei hij. 'Een week.'

'Wauw,' zei ik.

'Als ze moeilijk gaat doen, gooi ik haar eruit, heb ik haar gezegd.'

Ik wist niet zo goed hoe ik het vond dat mijn moeder op bezoek kwam. Ik had haar sinds juli niet meer gezien en eigenlijk miste ik haar niet meer zo erg. Ik was bang dat als ze dat zou merken, ze heel kwaad zou worden. Ze was volgens mij sowieso al kwaad omdat ik haar niet meer zo vaak belde. 'Wat gebeurt daar allemaal?' vroeg ze wel eens als ze me zelf belde. 'Ik hoor nooit meer wat van je.' Ik zei dan dat er niets gebeurd was en dan zei zij weer dat dat niet kon. Ze had gelijk – alleen kon ik haar niet vertellen wat er aan de hand was. Ik deed nu eenmaal geen normale dingen.

Op een keer probeerde ik haar over Melina te vertellen, maar dat vond ze saai. 'Waarom zou ik verhalen willen horen over een zwangere vrouw die te beroerd is om behoorlijke zwangerschapskleren voor zichzelf te kopen?' vroeg ze.

'Haar man heeft in Jemen gewerkt,' zei ik.

'Nou en?'

'Ik dacht dat dat misschien wel interessant was.'

'Nee,' zei mijn moeder, 'ik wil weten hoe het met jou gaat. Dat interesseert me. Vertel eens iets over school.'

'Wat is daarmee?'

'Heb je vrienden?'

'Ja.'

'Wie?'

'Thomas Bradley.'

'Leuk,' zei ze. 'Vertel eens wat over hem.'

'We eten tussen de middag altijd samen,' zei ik. 'En dan ruimt hij mijn dienblad af.'

'Kun je je eigen dienblad dan niet afruimen?' vroeg ze.

'Jawel,' zei ik. 'Alleen is hij me gewoon voor.'

'Je bent te jong om al een vriendje te hebben,' zei ze. 'Denk eraan.'

'Hij is niet mijn vriendje,' zei ik.

'Dat zal wel,' zei ze.

'Echt niet,' hield ik vol.

Maar op een bepaalde manier was hij het ook weer wel. De kinderen op school plaagden ons ermee, en als ze het deden waar Thomas bij was, zei hij nooit dat het niet waar was. Soms wilde ik het zelf tegen ze zeggen, maar ik was bang dat ze me dan zouden uitschelden. Ze waren ermee opgehouden toen ze dachten dat ik met Thomas ging. Ik wist eigenlijk niet zo goed waarom dat was, want Thomas was volgens mij helemaal niet zo populair. Maar hij was wel veel groter dan de andere kinderen en dankzij hem won het YMCA-zwemteam vaak wedstrijden.

Begin december vroeg hij of ik bij hem thuis kwam eten. 'Mijn ouders willen je leren kennen,' zei hij.

'Waarom?' vroeg ik.

'Waarom denk je?'

Ik haalde mijn schouders op. 'Ik weet het niet.'

'Nou,' zei hij, 'kom je of kom je niet?'

'Ik moet het aan mijn vader vragen,' zei ik.

'Oké,' zei hij. 'Laat het me dan morgen weten. Dan kan mijn moeder het eten kopen.'

Toen ik die avond onder het eten aan papa vertelde dat ik was uitgenodigd, zei hij: 'Nee. Je bent nog te jong.'

'Maar zijn ouders zijn erbij,' zei ik.

'Kan me niet schelen,' zei hij. 'Als je bij iemand thuis wilt langsgaan, moet je maar met een meisje bevriend proberen te raken.'

Toen ik de volgende dag tegen Thomas zei dat ik niet mocht komen, zei hij: 'En als mijn moeder nou eens met jouw vader belde? Zou dat helpen?'

Ik schudde mijn hoofd. 'Ik denk het niet.'

'Waarom niet?' zei hij.

'Mijn vader houdt daar niet van,' zei ik, hoewel ik niet zeker wist of dat waar was.

Die avond belde de moeder van Thomas papa toch op. Ik wist er niets van tot ik hem 'Jasira!' hoorde schreeuwen. Ik stond in de badkamer mijn beha's met de hand te wassen met de Woolite die papa voor me had gekocht. Toen ik naar de keuken kwam, gaf hij me een klap. Het was voor het eerst dat hij zo gemeen tegen me deed sinds ik ontslagen was, en ik begon onmiddellijk te huilen. Nadat ik weer wat gekalmeerd was, zei hij: 'Ik had net mevrouw Bradley aan de telefoon. Ken jij mevrouw Bradley?'

Ik knikte, hoewel ik haar niet persoonlijk kende.

'Ze belde om me over te halen om jou dit weekend bij hen te laten eten. Weet je wel hoe gênant dat voor me is?'

Ik knikte weer.

'Als ik nee zeg, dan betekent dat nee. En dat betekent dus niet dat je je vriendje moet zeggen dat hij zijn moeder moet laten bellen om mij over te halen.'

'Maar ik heb juist tegen Thomas gezegd dat hij het niet moest doen,' zei ik. 'Ik zei dat u dat niet prettig vond.'

Hij keek me aan. 'Hoe komt het toch dat als jij nee zegt tegen mensen, zij denken dat je ja zegt?'

'Ik weet het niet,' zei ik.

'Nou, ik weet het anders wel,' zei hij. 'Dat komt omdat jij ja en nee op precies dezelfde toon zegt. Niemand weet precies wat jij denkt. Je moet met meer nadruk leren spreken. Begrijp je me?'

'Ja,' zei ik, en ik probeerde krachtig te klinken.

Hij knikte. 'Dat is al beter.'

'Sorry dat mevrouw Bradley u belde,' zei ik.

'Zorg ervoor dat het niet weer gebeurt.'

'Ik zal ervoor zorgen.'

'En je mag niet mee naar die jongen zijn slaapkamer. Dat heb ik al tegen zijn moeder gezegd.'

Ik wist niet wat ik daarop moest antwoorden. Ik had gedacht dat ik toch niet mocht.

'Je mag alleen in de gemeenschappelijke ruimten van hun huis komen.'

'Oké,' zei ik.

Die zaterdag ging papa met me naar het winkelcentrum om een doos Godiva-bonbons voor mevrouw Bradley te kopen. Ik schaamde me om een cadeau te geven aan iemand die ik niet eens kende, maar papa zei dat dat hoorde als je te eten werd gevraagd. Daarna gingen we naar de drankwinkel om een fles wijn voor haar te kopen.

Toen ik die avond mijn kamer uit kwam, keek papa naar me en zei: 'Heb je niets anders om aan te trekken behalve die spijkerbroek?'

Ik schudde mijn hoofd.

'Je kunt niet bij iemand gaan eten in je spijkerboek.'

'Thomas draagt ook een spijkerbroek.'

'Het kan me niet schelen wat Thomas draagt,' zei papa, en hij liep langs me heen naar mijn slaapkamer. Ik ging achter hem aan en toen ik daar binnenkwam hield hij een van mijn katoenen rokjes omhoog. 'Ik dacht dat je zei dat je niets had behalve een spijkerbroek.'

Ik keek hem aan.

'Wat is dit dan?' vroeg hij, en hij schudde het hangertje heen en weer.

'Een rok.'

'Trek aan,' zei hij, en hij gaf hem aan mij.

'Dat gaat niet.'

'Waarom niet?'

'Daarom niet,' zei ik.

'Waarom daarom niet?'

'Waarom mag ik niet gewoon mijn spijkerbroek aan?'

'Waarom wil je geen rok dragen?' wilde hij weten.

'Papa,' zei ik, 'ik heb te veel haar op mijn benen.'

Hij keek naar mijn benen, hoewel die bedekt waren. 'Oké,' zei hij, 'wacht even.' Hij gaf me het rokje en liep de kamer uit. Een paar seconden later kwam hij terug met scheercrème en zijn lievelingsscheermes. 'Ga naar de badkamer en gebruik dit maar,' zei hij. 'Daarna trek je dat rokje aan en dan gaan we.'

'Oké,' zei ik.

'En opschieten,' zei hij.

Ik kon niet geloven dat ik mijn benen eindelijk mocht scheren. Ik deed mijn onderbenen zo snel als ik kon en toen mijn bikinilijn. Het zwembad was 's winters gesloten, dus papa zou er niet achter komen. 'Waarom duurt dat allemaal zo lang?' schreeuwde hij en ik schreeuwde terug dat ik moest opletten dat ik mezelf niet zou snijden. Gelukkig zat er zo'n ruitvormig roostertje in het afvoerputje van de badkuip, dus ik kon alle haren er daarna uitscheppen.

'Straks kom je nog te laat!' zei papa toen ik eindelijk naar buiten kwam. 'Wat heeft het nou voor zin om al die moeite te doen als je niet eens op tijd kunt komen?'

'Sorry,' zei ik.

'Het is onbeleefd om te laat te komen,' zei hij, en hij pakte snel zijn sleutels en ging door de achterdeur naar buiten.

Op weg naar de familie Bradley zei hij dat ik erop moest letten dat ik niet met mijn mond open at en dat ik moest zeggen dat het eten lekker was, ook al was dat niet zo. 'Oké,' zei ik.

'En zit niet zo sip te kijken,' zei hij. 'Probeer eens een beetje te glimlachen.'

Ik knikte.

'Ik wens niet meer dat gezeik te horen van mensen die denken dat je zo'n ongelukkig meisje bent. Begrepen?'

'Ja.'

'Zet eens een glimlach op,' zei hij, en ik glimlachte een beetje, en toen zei hij: 'Goed zo. Blijf zo maar kijken.'

De familie Bradley woonde twee blokken bij ons vandaan. Wij hadden daar ook modelwoningen bezichtigd en hoewel die iets mooier waren dan ons huis, had papa toch besloten dat ze het geld niet waard waren. Toen we hun straat in reden zei papa: 'Ze hebben waarschijnlijk twintigduizend meer betaald dan ik, en waarvoor? Voor een extra slaapkamer? Stelletje idioten.' Hij reed hun oprit op, die breed genoeg was voor twee auto's, hoewel er maar een stond. Toen herinnerde ik me dat de kleur van de bleke bakstenen waaruit hun huis was opgetrokken 'champagne' heette.

'Oké,' zei papa en hij zette de motor even af, 'uitstappen.' Zo praatte hij altijd tegen me als hij aardig wilde doen zonder aardige woorden te gebruiken, en plotseling voelde ik me heel blij. Ik wilde zelfs even naar hem toe leunen om hem een kus te geven, maar ik wist dat ik daarmee alles zou verpesten, dus deed ik het maar niet. 'Bedankt voor het brengen,' zei ik.

Hij knikte. 'Bel me maar op als je weer naar huis komt.'

'Oké,' zei ik, en ik pakte de wijn en de bonbons.

'Niet later dan tien uur,' zei hij.

'Oké,' zei ik weer, en ik stapte uit. Net op dat moment deed Thomas de voordeur open en kwam naar me toe. 'Hoi,' zei hij. Hij had zich ook een beetje netjes aangekleed, in een kakikleurige broek en een grijze coltrui.

'Hoi,' zei ik.

Hij keek over mijn schouder. 'Is dat je vader?'

Ik draaide me om om te zien waarom papa nog op de oprit stond. Ik zwaaide naar hem, maar hij zwaaide niet terug. Hij keek niet naar me. Hij keek naar Thomas.

'Wil hij niet even binnenkomen?' vroeg Thomas.

'Ik denk het niet,' zei ik.

Na een seconde zette papa de auto in zijn achteruit en gaf gas. Ik zwaaide nog eens maar hij negeerde me en reed weg.

'Je ziet er mooi uit,' zei Thomas toen ik me weer omdraaide.

'Dank je.'

'Je hebt een beetje bloed op je been zitten,' zei hij.

Ik keek omlaag om te zien wat hij bedoelde. Het was waar. Er zat een sneetje op mijn rechterenkel vlak boven de hiel van mijn schoen.

'Kom maar mee,' zei hij. 'Ik heb wel een pleister.'

Ik liep achter hem aan naar binnen en hij liet me in hun zitkamer staan terwijl hij zelf naar boven liep. Er stond een lange zandkleurige bank met een hoge rugleuning net als in een vliegtuig, en ze hadden hun kerstboom al opgetuigd. Ik vond hem wel mooi staan naast de trap. Je kon gewoon de trap op klimmen als je iets aan de hoogste takken wilde hangen.

Toen Thomas terugkwam, knielde hij op de grond en depte mijn enkel eerst met een gaasje en deed er daarna een pleister op. 'Hoe heb je jezelf gesneden?' vroeg hij.

'Met het scheren,' zei ik. 'Ik had haast.'

'Probeer het voortaan wat rustiger te doen,' zei hij en stond op. Toen liepen we naar de keuken om met zijn moeder kennis te maken. Ze hoorde ons eerst niet omdat de mixer aanstond, maar toen riep Thomas: 'Mam!' en draaide ze zich om. Ze had kort afrohaar, net als Thomas, en ze was lang en knap. Ik vond de twee gouden knopjes in haar linkeroor leuk bij haar staan. 'Dit is Jasira,' zei Thomas, en mevrouw Bradley deed een stap naar voren om mij een hand te geven.

'Leuk om je te leren kennen,' zei ze. 'Welkom in ons huis.'

'Dank u,' zei ik. Toen stak ik haar de wijn en de bonbons toe en zei: 'Dit is voor u.'

'Wat lief van je,' zei ze en nam ze in ontvangst.

'Papa heeft het uitgezocht,' zei ik.

'Echt waar?' zei ze, en ze lachte even. 'Hij wilde anders niet dat je kwam.'

Ik knikte. 'Hij vindt dat ik meer meisjes als vriendinnen moet hebben.'

'Heb je die dan niet?' vroeg ze.

'Nee.'

'O?' zei ze.

'De meisjes op school zijn stomme trutten,' zei Thomas. Toen vroeg hij aan me of ik zijn kamer wilde zien. Ik keek mevrouw Bradley aan en verwachtte dat ze nee zou zeggen, maar dat zei ze niet. Ze zei: 'Thomas, als jij boven bent vraag dan even aan je vader of hij beneden wil komen om de wijn open te maken.'

Meneer Bradley zat in zijn studeerkamer achter een computer te werken. 'Pap,' zei Thomas in de deuropening, 'dit is Jasira.'

'Jasira!' zei meneer Bradley en hij kwam naar me toe om me een hand te geven. 'Wat leuk om je te leren kennen.' Hij droeg net zo'n kakibroek als Thomas, alleen was hij een beetje dik en moest hij de broeksband onder zijn buik dragen. 'Ik hoor dat je vader bij de NASA werkt,' zei hij.

Ik knikte.

'Wat interessant,' zei hij. 'Ik zou wel eens met hem willen praten. Ik ben zelf een soort amateur-astronoom.'

'Oké,' zei ik.

'Kom mee, Jasira,' zei Thomas. 'Mijn kamer is hier.'

'Wil je de deur alsjeblieft openlaten, Thomas,' riep meneer Bradley ons na.

'Doe ik,' zei Thomas.

Hij had een tweepersoonsbed in plaats van een eenpersoons zoals dat van mij, en er lag een donkerblauwe quilt overheen. Aan het prikbord boven zijn bureau hingen oorkonden die hij met zwemmen had gewonnen, en in de hoek stond een kleine televisie. De muren waren met muziekposters behangen, alleen kende ik geen van de bands. Mijn ouders luisterden meestal naar klassieke muziek.

'Wil je zitten?' vroeg Thomas.

'Oké,' zei ik, en ik ging op de rand van zijn bed zitten.

'Moet je horen,' zei hij en hij pakte een gitaar van een standaard naast zijn bureau. Hij deed de band over zijn schouder en begon te spelen, maar ik hoorde het niet goed omdat hij zonder versterker speelde. Toen hij klaar was, vroeg hij of ik het liedje had herkend en ik zei nee. 'Het heet "Hey Joe",' zei hij. 'Van Jimi Hendrix.'

'O,' zei ik.

Toen vroeg hij of ik iets wilde spelen en ik zei oké. Ik stond op en hij schoof de gitaarband over mijn hoofd. Ik schaamde me een beetje omdat mijn linkertiet nu werd platgedrukt, maar Thomas zei er niets over. 'Je moet je vingers zó houden,' zei hij, en hij legde ze op de snaren. Toen hij ze op hun plaats had gezet, zei hij dat ik met mijn rechterhand een beetje moest tokkelen. 'Herken je dit?' vroeg hij, en ik schudde mijn hoofd. 'Dat is Neil Young,' zei hij. Toen zei hij: 'Geef eens,' en hij pakte de gitaar terug en speelde het liedje beter dan ik had gedaan. 'Herken je het nu?' zei hij, en ik knikte maar.

Toen het liedje uit was deed hij de gitaar af en gingen we samen op de rand van het bed zitten. Na een minuutje ging hij achteroverliggen met zijn voeten nog op de vloer. Ik wist niet zo goed of ik moest blijven zitten of naast hem moest gaan liggen. Uiteindelijk ging ik ook maar liggen. 'Hoe ver scheer jij jezelf?' vroeg Thomas me.

'Hoe bedoel je?' zei ik.

'Ik bedoel of je je schaamhaar ook scheert en zo.'

'Ja,' zei ik.

'Alles?'

'Nee. Alleen de zijkanten.'

'Ik vind het leuk hoe het eruitziet als meisjes zich daar helemaal scheren,' zei hij.

Ik zei niets.

'Misschien kun jij dat ook een keer doen.'

'Misschien,' zei ik.

We bleven nog een paar minuten zo liggen tot mevrouw Bradley ons naar beneden riep om te komen eten. In de eetkamer had ze hummus, *baba ghanoush,* lamskebab, een salade, pitabrood, rijst en *tabouleh* op tafel gezet. Ik zei dat het lekker was, en dat was ook zo, ook al was het niet mijn favoriete eten. Onder het eten stelde meneer Bradley me allerlei vragen over mijn familie in Libanon, en ik schaamde me een beetje omdat ik de antwoorden niet wist. Ik kon hem niet zeggen wanneer mijn grootvader was overleden of wat voor werk hij had gedaan, en ik wist zelfs niet hoe mijn vaders oudste broer heette. Ik probeerde het gesprek op de Ierse afkomst van mijn moeder te brengen, maar meneer Bradley scheen dat niet zo'n interessant land te vinden.

Het toetje mochten we zelf maken met ijs, kersen, noten, bananen, warme saus, M&M's, slagroom en chocoladestrooisel. Terwijl we het opaten vroeg mevrouw Bradley wat mijn moeder deed en ik vertelde dat ze lesgaf. Mevrouw Bradley knikte. 'Dus je vindt het leuker om bij je vader te wonen?'

'Nee,' zei ik. 'Ik woon liever bij mijn moeder.'

'O,' zei mevrouw Bradley en ik zag dat ze meneer Bradley over de tafel een blik toewierp.

Na het toetje gingen Thomas en ik in de zitkamer naar muziek luisteren terwijl zijn ouders in de keuken bleven om af te ruimen. Ik bleef steeds maar denken dat ze wel bij ons zouden komen zitten, maar dat deden ze niet. Meneer Bradley stak even later alleen zijn hoofd om de deur en zei dat hij en mevrouw Bradley naar boven gingen en of we alsjeblieft de muziek niet te hard wilden zetten.

We luisterden naar Jimi Hendrix en Thomas stond voor de open haard luchtgitaar te spelen. Telkens als er een solo kwam vertrok hij zijn gezicht alsof hij ergens pijn had. Na een tijdje kwam hij naast me op de bank zitten. Hij begon op zijn dijen te drummen en telkens als er op het bekken werd geslagen, gaf hij een pets op mijn dijbeen.

Toen kwam er een langzaam liedje en Thomas boog zich voorover en raakte mijn borsten door mijn shirt heen aan. Daarna stak hij zijn hand onder mijn shirt en raakte ze door mijn beha aan. Op een of andere manier wist hij dat hij mijn tepels moest blijven aanraken en toen kreeg ik een orgasme. Ik begon te huilen en hij reageerde heel bezorgd. 'Heb ik je pijn gedaan?' vroeg hij. 'Het was niet mijn bedoeling om je pijn te doen.'

'Nee,' zei ik.

‘Wat gebeurde er dan?’ vroeg hij.

‘Niets,’ zei ik, en ik kruiste mijn armen voor mijn lichaam.

Thomas stond even op en kwam terug met een papieren zakdoekje. ‘Hier.’

Ik pakte het aan en veegde mijn gezicht af.

‘Weet je zeker dat ik je geen pijn heb gedaan?’

‘Zeker weten.’

‘Waarom moet je dan huilen?’

‘Ik kreeg een orgasme,’ zei ik.

‘Echt waar?’

Ik knikte.

‘Was dat de eerste keer?’

‘Nee.’

‘O,’ zei hij. Hij leek teleurgesteld. ‘Wanneer heb je er dan eerder een gehad?’

‘Met mezelf,’ zei ik.

‘O,’ zei hij weer.

‘Maar dat wil ik niet meer.’

‘Waarom niet?’

‘Gewoon.’

‘Vind je het niet lekker?’

‘Nee.’

‘Ik dacht dat iedereen dat lekker vond.’

‘Ik niet,’ zei ik.

‘Wat jammer,’ zei hij.

Ik haalde mijn schouders op.

‘Ik vind het wel lekker,’ zei hij.

Ik zei niets.

‘Ik wou dat ik er nu een kon krijgen.’

‘Van mij mag je,’ zei ik.

‘Kijk je dan?’

‘Weet ik niet, hoor.’

‘Je hoeft niets te doen,’ zei hij. ‘Blijf daar maar zitten.’

‘En als je ouders nou komen?’ vroeg ik.

‘Die komen niet naar beneden.’

'Hoe weet je dat?'
'Ze houden niet van Jimi Hendrix.'
Daar dacht ik even over na.

'Moet je kijken,' zei hij, en hij ritste zijn broek open en haalde zijn penis eruit. Hij vouwde zijn vingers eromheen en begon zijn hand op en neer te bewegen. Na een tijdje zei hij: 'Oké, ik ga klaarkomen,' en hij pakte mijn hand en gebruikte die om op te vangen wat eruit kwam. Hij ademde een beetje zwaar, dus wachtte ik een minuutje voordat ik hem vroeg wat ik daarmee moest doen. 'Was het er maar af,' zei hij.

Ik stond op, lette goed op dat ik niets morste en liep naar de wc. Ik rook er even aan voordat ik de kraan opendraaide en proefde ervan met het puntje van mijn tong. Ik had in de *Playboy* gelezen dat mannen het leuk vonden als vrouwen het opdronken. Ik had gedacht dat het naar pis of lijm zou smaken, maar dat was niet zo. Het was gewoon dik spul.

Nadat ik mijn handen had gewassen keek ik onder de wastafel en vond daar een doos tampons. Ik kon ze nergens in opbergen, dus nam ik maar een handvol mee naar de kamer. 'Mag ik die hebben?' vroeg ik aan Thomas. Hij zat nog steeds op de bank, maar hij had al wel zijn broek dichtgeritst.

Hij haalde zijn schouders op. 'Best.'
'Kun jij ze maandag voor me meenemen?'
'Kun je ze vanavond niet mee naar huis nemen?'
'Nee,' zei ik. 'Ik mag geen tampons indoen van papa.'
'Waarom niet?' vroeg hij.
'Weet ik niet.'
'Omdat je nog maagd bent?'
Ik keek hem aan.
'Ben je geen maagd meer?'
'Ik weet het niet,' zei ik.
'Hoe kun je dat nou niet weten?'
Ik zei niets.
'Ik zou wel kunnen zeggen of je het nog bent.'
'Nee,' zei ik. 'Ik wil niet.'

‘Oké,’ zei hij. ‘We hoeven het niet te doen.’

‘Niets tegen je moeder zeggen over die tampons,’ zei ik.

‘Het zou haar niet eens wat kunnen schelen.’

‘Vertel het haar nou maar niet,’ zei ik, en hij zei dat hij het niet zou doen.

Toen ik om een uur of negen papa nog niet had gebeld, belde hij Thomas’ moeder zelf op om te zeggen dat hij al onderweg was en of ik buiten op hem wilde wachten. Mevrouw Bradley kwam naar beneden en gaf me wat restjes eten mee. Ze zei: ‘Zeg maar tegen je vader dat het vast en zeker niet zo lekker is als wat hij altijd maakt, maar dat ik hoop dat het hem toch goed smaakt.’ Toen omhelsde ze me, ook al kenden we elkaar nog maar net.

Terwijl we buiten op de stoep op papa stonden te wachten, boog Thomas zich naar me toe en kuste me. Hij had zijn lippen een beetje open en vouwde ze om mijn onderlip. Terwijl hij me kuste begon hij weer zachtjes in mijn borsten te knijpen en mijn tepel aan te raken. Ik probeerde zijn hand weg te duwen, maar hij hield hem waar hij was. Voor het eerst die avond vond ik hem echt aardig.

Een paar minuten later reed papa de oprit op. ‘Tot maandag,’ zei Thomas en hij boog zich voorover om me weer te kussen, deze keer op mijn wang.

‘Tot ziens,’ zei ik en ik stapte in de auto. ‘Dit zijn restjes eten van mevrouw Bradley,’ zei ik tegen papa en ik liet hem de zak zien.

Hij knikte en zette de auto in zijn achteruit. Terwijl we naar achteren reden zwaaide ik naar Thomas en hij zwaaide terug. Toen we uiteindelijk wegreden, zei papa: ‘Ik moet even met je praten.’

‘Oké,’ zei ik.

‘Je mag niet meer met die jongen omgaan.’

‘Met Thomas?’ zei ik.

Hij knikte. ‘Toen je me over dat etentje vertelde, heb je me niet volledig geïnformeerd. Zodat ik de juiste beslissing kon nemen.’

Ik wist niet wat ik daarop moest zeggen.

'Begrijp je over wat voor informatie ik het heb?' vroeg hij me.

'Ik denk het wel,' zei ik, hoewel ik er geen touw aan vast kon knopen.

'Mooi,' zei hij. 'Want als je bij die jongen thuis blijft komen, zal niemand nog respect voor je hebben. Snap je waar ik het over heb?'

De geur van mevrouw Bradleys eten begon zich door de auto te verspreiden en ik snoof hem diep op.

'Luister je wel?' vroeg papa.

'Ja,' zei ik.

'Zeg dat dan.'

'Ik luister,' zei ik tegen hem.

'Mooi,' zei hij.

Toen we thuis waren gekomen zei hij dat ik nog niet naar bed moest gaan omdat mijn moeder me wilde spreken. Hij draaide haar nummer en gaf me de telefoon. 'Jasira?' zei ze.

'Ja?'

'Je vader heeft me over je vriend Thomas verteld. Het is heel belangrijk dat je je vaders regels gehoorzaamt. Begrijp je dat?'

'Nee,' zei ik.

'Wat begrijp je niet?'

'Ik vind Thomas aardig,' zei ik.

'Dat is best,' zei mijn moeder. 'Daar ben ik blij om. Maar je mag niet meer bij hem thuis komen, want dan wordt het later heel erg moeilijk voor je.'

'Wat zegt ze?' vroeg mijn vader.

'Dat het moeilijk voor me wordt om bij Thomas thuis op bezoek te gaan,' zei ik.

Hij knikte. 'Dat klopt.'

'Zeg dat hij zijn mond moet houden,' zei mijn moeder. 'Zeg hem dat ík nu aan het praten ben.'

'Het is goed,' zei ik. 'Ik luister wel naar je.'

Ze zweeg even en ik wist dat ze kwaad was omdat ik niet voor haar wilde zeggen dat papa zijn mond moest houden. Maar ik was ook kwaad op haar want als ik had gedaan wat ze wilde, had papa me een klap gegeven. Uiteindelijk zei ze: 'Je vader is niet eens zwart en de mensen scholden mij ook al uit voor van alles en nog wat.'

'Voor wat dan?' vroeg ik.

'Voor negerliefje.'

Ik snapte niet hoe dat dan zou werken omdat de kinderen op school me al zandneger noemden. Dus dat zou Thomas dan ook een negerliefje maken. Bovendien wist ik niet eens of we wel van elkaar hielden.

'Wil je dat de mensen je zo noemen?' vroeg mijn moeder me.

'Ik weet het niet,' zei ik.

'Nou,' zei ze, 'geloof me, dat wil je niet.'

'Wat moet ik dan tegen Thomas zeggen?'

'Waarover?' zei ze.

'Over dat ik niet meer bij hem thuis mag komen.'

'Heeft hij je alweer uitgenodigd?'

'Nee.'

'Nou, misschien doet hij dat ook niet. Dan hoef je je geen zorgen te maken.'

'Dat gaat hij wel doen,' zei ik.

'O ja?' zei ze met een lachje. 'We zijn wel erg zeker van onszelf, hè?'

Ik zei niets.

'Als hij je weer uitnodigt, zeg dan maar dat je niet kunt. Zeg maar dat je ouders je te jong vinden om bij jongens thuis te komen.'

'Dan weet hij dat ik lieg,' zei ik.

'Nou ja,' zei ze, 'als het de volgende keer nog eens gebeurt dan zul je er misschien aan denken om ons volledig te informeren. Beschouw het maar als een leermoment.'

'Is ze nou klaar?' vroeg papa me toen.

'Papa wil weten of je klaar bent,' zei ik.

'O,' zei ze, 'dus je kunt zijn boodschappen wel aan mij doorspelen maar omgekeerd gaat het niet?'

‘Hier is papa,’ zei ik, en ik gaf hem de telefoon, en toen begonnen ze te ruziën over dat het niet netjes was om elkaar te onderbreken.

Ik liep naar de badkamer en ging op de rand van het bad zitten. Ik keek naar de pleister die Thomas op mijn enkel had gedaan en kwam tot de conclusie dat ik een leuke avond met hem had gehad. Ik kwam tot de conclusie dat het nergens op sloeg wat mijn ouders zeiden. Het had me geen kwaad gedaan dat ik op school Thomas' vriendinnetje was – het had me juist geholpen. En al zou het me later kwaad doen, dan kon me dat nu niet schelen. Ik zou hem toch nooit zeggen wat mijn ouders wilden dat ik zou zeggen. In geen miljoen jaar.

Die maandag tijdens de lunch gaf Thomas me een zak met tampons. ‘Bedankt,’ zei ik.

‘Graag gedaan.’

‘Thomas?’ zei ik.

‘Ja?’

‘Heeft je moeder ook scheermesjes?’

‘Waarom?’

‘Omdat ik ook scheermesjes nodig heb.’

‘Wil je vader die niet voor je kopen?’

Ik schudde mijn hoofd.

‘Maar je had je laatst geschoren.’

‘Dat was voor een speciale gelegenheid,’ zei ik.

Hij nam een slok melk. Daarna zei hij: ‘Natuurlijk. Ik kan wel een paar scheermesjes voor je meenemen.’

‘Bedankt,’ zei ik.

‘Hoe ver ga je je scheren?’

‘Dat weet ik niet.’

‘Je moet alles afscheren,’ zei hij.

‘Ik zie nog wel.’

Nadat Thomas mijn dienblad had afgeruimd, liep ik met hem mee naar zijn kluisje en daarna liep hij met mij mee. Op weg daarnaartoe hield hij mijn hand vast en ik zag dat een paar kinderen naar ons keken. Er waren nog een paar stelletjes op school die ook hand in hand liepen, maar daar lette niemand op omdat ze allebei blank waren.

Ik had niets te doen toen ik thuiskwam behalve huiswerk maken en tv-kijken. Terwijl ik mijn Engels zat te maken hoorde ik Melina en Zack in zijn achtertuin badminton spelen. Ik stond op, trok mijn schoenen aan en liep naar buiten. Ik stak de oprit over en bleef op de plek staan waar het beton aan het grasveld van de familie Vuoso grensde. Melina zag me meteen. 'Jasira!' riep ze. 'Kom je ook?'

Zack, die met zijn rug naar me toe stond, draaide zich om en zei: 'Helemaal niet! Ik mag niet meer met haar spelen!'

Maar Melina had haar racket al neergelegd en kwam op me toe lopen. 'Hai, lang niet gezien,' zei ze en ze woelde even door mijn haar.

'Melina!' riep Zack die niet in beweging kwam en aan zijn kant van het net bleef staan. 'Kom nou! Laten we verder spelen.'

Ze negeerde hem. 'Wat doe je allemaal?' vroeg ze me.

Ik haalde mijn schouders op. 'Niets.'

'Hoe gaat het op school?'

'Goed,' zei ik. 'Ik heb een vriendje.'

Ze glimlachte.'Echt waar? Wat leuk.'

'Dank je.'

'Melina!' gilde Zack.

Uiteindelijk draaide ze zich om en zei: 'Zack, ik sta nu met Jasira te praten. Dus je moet even je mond houden. Begrepen?'

Hij zei niets en ze draaide zich weer om en rolde met haar ogen.

'Mevrouw Vuoso heeft me ontslagen,' zei ik.

'Dat heb ik gehoord,' zei Melina. 'Ze is bij me geweest.'

'Je hebt mijn baantje ingepikt.'

'Niet waar.'

'Jawel, dat heb je wel gedaan.'

'Ben je nou helemaal?' zei ze en ze begon zachter te praten. 'Ik wil helemaal niet op dat joch passen. Ik doe het om zijn moeder een plezier te doen. Tot ze iemand anders heeft gevonden.'

'Waarom doe je haar een plezier?'

'Ik weet het niet. Ik had met haar te doen. Ze raakte helemaal in de stress omdat Zack alleen zou zijn.'

Ik wilde zeggen dat ik ook de hele tijd alleen was en dat niemand daarover in de stress raakte, maar ik hield mijn mond.

'Ik ga naar binnen!' gilde Zack. Hij wees naar me met zijn racket en zei: 'Ik mag niet bij haar in de buurt komen!'

'Goed zo!' gilde Melina terug. 'Donder maar op!'

'Dat mag je niet tegen me zeggen,' zei hij.

'Ach joh, doe toch niet zo kinderachtig,' zei ze.

Hij stormde het terras op en ging door de glazen schuifdeur naar binnen. Hij probeerde hem met veel lawaai dicht te knallen, maar dat lukte niet echt.

'Ik moet weer naar binnen,' zei ik.

'Waarom?' vroeg ze.

'Ik moet mijn huiswerk nog maken.'

Ze zuchtte. 'Ben je nog steeds boos op me vanwege die tampons?'

'Nee,' loog ik.

'Want als je boos zou zijn,' zei ze, 'dan zou ik dat begrijpen.'

'Thomas neemt nu tampons voor me mee,' zei ik.

'Wie is Thomas?' vroeg ze.

'Mijn vriendje.'

'O.'

'Hij heeft me vandaag een hele zak gegeven op school.'

'Zo,' zei ze, 'hij lijkt me een hele coole jongen.'

'Ja, dat is hij ook,' zei ik. Ik dacht erover om haar volledig te informeren, maar deed het toch maar niet. Ik was nog te kwaad. Ik snapte gewoon niet waarom ze geen tampons voor me wilde kopen, en als iemand anders het wel deed, dan vond ze dat cool. Het sloeg gewoon nergens op.

We namen afscheid en ik ging terug naar binnen om mijn huiswerk af te maken. Toen papa thuiskwam vroeg hij of ik al tegen Thomas had gezegd dat ik niet meer met hem mocht omgaan, en ik loog en zei dat ik dat had gezegd. 'Mooi,' zei hij. 'Dat is ook maar het beste.'

Na het eten gingen we aan de slag in zijn studeerkamer om die in orde te brengen voor als mijn moeder op bezoek kwam. Terwijl papa bezig was de papieren op zijn bureau op te bergen werd hij chagrijnig. Hij zei dat hij niet snapte waarom mijn moeder nou bij ons moest logeren. Hij zei dat ze een prima baan had en zich best een hotel kon veroorloven. Hij besloot haar te bellen om dat te zeggen en het eindigde ermee dat ze ruzie kregen. Ik hoorde hem iets zeggen als: 'Denk maar niet dat je bij mij in bed kunt kruipen, want dat kan je wel vergeten.' Ik hoorde niet wat ze terug zei, maar in ieder geval gooide hij daarna de hoorn erop.

De volgende dag gaf Thomas me tijdens de lunch een zak met plastic scheermesjes. 'Bedankt,' zei ik tegen hem.

'Ga je je vandaag scheren?' vroeg hij.

'Ik heb me zaterdag al geschoren.'

'Je weet wel wat ik bedoel,' zei hij.

'O,' zei ik. 'Dat.'

'Ik wil het wel voor je doen,' zei hij.

Ik keek hem aan.

'Ik zal echt heel voorzichtig zijn. Ik beloof het.'

Ik zei nee, maar tijdens Frans moest ik er steeds aan denken. Ik herinnerde me al die keren met Barry in onze badkamer in Syracuse, en ik kreeg een prettig gevoel tussen mijn dijen. Ik probeerde het eerst te negeren maar toen werd het te sterk en moest ik mijn benen tegen elkaar duwen.

Na de les ging ik naar mijn kluisje. Thomas liep mee en vroeg wat ik onder mijn tafel had zitten doen. 'Hoe bedoel je?' vroeg ik.

'Je perste je dijen tegen elkaar.'

'Welnee, helemaal niet.'

'Moest je plassen of zo?'

'Nee,' zei ik.

'Ik heb gelezen dat meisjes op die manier een orgasme kunnen krijgen,' zei hij.

'Op wat voor manier?'

'Door hun dijen tegen elkaar te duwen.'

Ik gaf geen antwoord.

'Was je dat aan het doen?' vroeg hij.

We waren ondertussen bij mijn kluisje aangekomen en ik draaide aan het cijferslot.

'Jasira,' zei Thomas, en hij legde zijn hoofd tegen het kluisje naast het mijne.

'Wat?'

'Mag ik je scheren?'

'Nee,' zei ik, maar het klonk niet krachtig, en toen ik die dag na school in de bus stapte zat hij er al en had hij een plaatsje voor me vrijgehouden.

Thuis stonden Melina en Zack op straat een bal over en weer te schoppen. 'Hai!' riep Melina toen we aan kwamen lopen. Ze schopte de bal naar Zack en liep naar onze oprit om mij en Thomas te begroeten. Ik stelde hen aan elkaar voor en ze gaven elkaar een hand. Toen draaide Melina zich naar me om met een opgewonden uitdrukking op haar gezicht.

'Is dat uw zoon?' vroeg Thomas aan haar en hij knikte met zijn hoofd naar Zack. Die had geen vin verroerd sinds we aan waren gekomen. Hij stond daar maar op straat en had zijn ene voet op de bal gezet.

'Gelukkig niet,' zei Melina.

'Dat is Zack,' zei ik. 'Die woont naast me.'

'Hallo, Zack!' riep Thomas, maar Zack zei niets terug.

'Wat gaan jullie allemaal doen?' vroeg Melina.

'Niets,' zei ik.

'Gewoon een beetje hangen,' zei Thomas.

'Hebben jullie zin om mee te voetballen?' vroeg Melina.

'Ik mag niet met ze spelen!' gilde Zack toen.

Thomas keek naar hem. 'Wat heeft dat joch?'

'Let maar niet op hem,' zei ik.

'Ik probeer alleen maar aardig te zijn,' zei Thomas.

'Het is een rotjoch,' zei ik. 'Laat maar.'

Thomas leek niet naar me luisteren. 'Ik bedoel, welk joch wil nou niet voetballen?'

'Een raar joch,' zei Melina.

Thomas keek haar aan. 'Maar hij was net nog met jou aan het voetballen.'

'Hij is aan mij gewend,' zei Melina. 'Als hij je beter zou kennen, zou hij met jou ook wel willen voetballen.'

Thomas zei niets. Ik ook niet. Ik was er vrij zeker van dat ook al zou Zack Thomas kennen, hij niet met hem zou willen voetballen.

'Is het warm?' vroeg Melina en ze wapperde met haar handen voor haar gezicht. 'Ik heb het warm.'

'Niet echt,' zei ik.

'Misschien ligt het aan mij,' zei ze, en ze legde een hand op haar buik.

Ik had er een pesthekel aan hoe ze altijd wel een manier wist te vinden om over haar baby te beginnen.

'Is het een jongen of een meisje?' vroeg Thomas.

'Een meisje,' zei Melina. 'Dorrie.'

'Dorrie?' zei hij.

Ze knikte.

'Wat is dat voor naam?'

'Zo heette mijn oma.'

'O.'

'Het is ook de naam van een heks,' zei ik.

'Ja,' zei Melina, 'dat is zo.'

'Welke heks?' vroeg Thomas.

'Dorrie de Heks,' zei ik. 'Een heks die in een boek voorkomt.'

'Maar ze is wel een goede heks, hè?' vroeg Melina.

'Dat weet ik niet,' zei ik, maar ik wist het wel.

'Volgens mij is zij een goede heks,' zei Melina.

'We moeten gaan,' zei ik, en ik pakte Thomas' hand en trok hem mee naar onze oprit.

Binnen vroeg ik of hij zijn schoenen wilde uittrekken. 'Ik wist niet dat je kon sporten als je zwanger bent,' zei hij terwijl hij zich bukte om zijn veters los te maken.

'Ze voetbalde ook niet echt,' zei ik. 'Ze stond maar wat tegen die bal te schoppen.'

'Wanneer krijgt ze die baby?' vroeg hij.

Ik haalde mijn schouders op. Ik wilde liever niet over Melina's baby nadenken.

Thomas vroeg of hij iets mocht drinken en ik liep naar de koelkast om een cola voor hem te pakken. Toen ik terugkwam, zei ik: 'Je kunt niet zo lang blijven.'

'Waarom niet?'

'Omdat ik het niet aan mijn vader heb gevraagd,' zei ik.

'Nou en?' zei hij. 'We zijn toch vrienden.'

'Dat maakt niet uit,' zei ik. 'Ik moet het toch eerst aan mijn vader vragen.'

Hij dronk zijn cola op en vroeg toen of ik hem een rondleiding door ons huis wilde geven. Ik was niet van plan om hem papa's kamer te laten zien, maar hij vroeg: 'Wat is daar?' en toen duwde ik de deur een klein stukje open zodat hij even kon kijken. Ik wilde de deur weer dichtdoen, maar hij zei dat hij even naar binnen wilde. 'Dat kunnen we beter niet doen,' zei ik.

'Waarom niet?'

'Gewoon,' zei ik, en ik probeerde een reden te verzinnen.

'Heel even maar,' zei Thomas en hij ging naar binnen.

Er viel eigenlijk niet veel te zien. Papa was heel netjes. Hij maakte 's morgens altijd zijn bed op, zijn kleren hingen altijd netjes over zijn dressboy, en zijn schoenen stonden altijd keurig in het gelid tegen de muur. Hij had voor ieder paar schoenen schoenspanners, en hun cedergeur vulde de kamer.

In de badkamer deed Thomas de douchedeur open en dicht en stak toen zijn hoofd om de deur van het toilet. Ik vroeg me af of hij de pislucht rook maar hij zei niets. Nadat hij snel een paar pakken van papa had bekeken die in de kast hingen, pakte hij een bus scheercrème van de wastafel. 'Hé,' zei hij. 'Dit hebben we nodig.'

Daarna gingen we eindelijk naar mijn deel van het huis. Ik liet Thomas mijn badkamer zien en de studeerkamer waar mijn moeder zou komen te slapen, en eindigde de rondleiding in de deuropening van mijn slaapkamer. 'Is dit jouw kamer?' vroeg hij, verbaasd.

Ik haalde mijn schouders op. Het was waar, ik had geen posters of foto's aan de muur. Er stond alleen een eenpersoonsbed met een metalen frame, een grote stoel met kussens erin, een ladekast en een nachtkastje.

'Laat me je klerenkast eens zien,' zei Thomas en ik liet hem zien, en hij zei: 'Je hebt niet veel kleren.'

'Nee,' zei ik.

Hij stak zijn hand uit en raakte het rokje aan dat ik die avond had gedragen toen ik bij hem was. 'Dit vind ik een leuk rokje.'

'Dank je.'

'Wat heb je nog meer?' vroeg hij.

Ik keek de kamer rond. Toen liep ik naar mijn matras en trok de *Playboy* er onder vandaan.

'Waar heb je die vandaan?' zei Thomas.

'Die heb ik gevonden.'

Hij kwam naar me toe en nam hem van me aan. 'Waar?'

Ik dacht heel even na en zei toen: 'In de vuilnisbak.'

'O.' Hij ging op bed zitten en begon erin te bladeren, en ik ging naast hem zitten. Na een tijdje stopte hij met bladeren. 'Zie je dit?' zei hij en hij wees op een vrouw met een dun streepje schaamhaar. 'Zo zou je je moeten scheren.'

Ik had die foto al zeker duizend keer gezien, maar ik keek er nog steeds naar alsof ik niet wist wat het was.

'Oké,' zei ik.

'Waar zijn de scheermesjes?' vroeg hij, en ik stond op om ze in de woonkamer uit mijn rugzak te halen. Toen ik weer bovenkwam, wachtte hij in de badkamer. 'Klaar?' zei hij, en ik knikte, en toen zei hij dat ik mijn broek moest uittrekken.

'Zal ik mijn badpak aandoen?' vroeg ik.

'Hoe kan ik je nou scheren als je je badpak aanhebt?'

Ik haalde mijn schouders op. Zo had ik het ook met Barry gedaan.

'Kom,' zei hij, en hij begon zelf mijn broek uit te doen. Hij trok de pijpen omlaag tot op mijn enkels en wachtte tot ik eruit was gestapt. Toen trok hij mijn onderbroekje naar beneden. Zo bleven we daar even staan. Hij keek alleen maar naar me terwijl ik daar naakt stond. 'Je ziet er mooi uit,' zei hij uiteindelijk.

'Dank je.'

'Wil je rechtop blijven staan of gaan zitten?'

'Meestal sta ik,' zei ik, denkend aan Barry.

'Oké,' zei hij. 'Dat kunnen we proberen.'

Ik ging in de badkuip staan en hij pakte papa's scheercrème. Hij schudde de bus heen en weer en spoot wat op zijn hand. Toen hij de crème bij me aanbracht, smeerde hij die niet overal, alleen aan de randen. Daarna draaide hij de badkraan een klein beetje open en begon me te scheren. Na iedere haal spoelde hij het scheermesje onder de kraan af en kwam er een heleboel haar mee. Toen bracht hij nog wat scheercrème op. Al gauw pakte hij een nieuw scheermesje, hoewel hij het eerste niet eens zo lang had gebruikt. 'Het begint bot te worden,' zei hij.

Hij deed het heel voorzichtig, zoals hij had beloofd. Net als Barry altijd had gedaan. En ik begon weer dat oude gevoel te krijgen dat ik altijd bij Barry had, dat iemand iets heel gevaarlijks bij me deed. Het voelde heel anders dan die keer met meneer Vuoso. Hij had ook iets gevaarlijks gedaan, maar hij was helemaal niet voorzichtig geweest. Dat had pijn gedaan en het had gebloed en ervoor gezorgd dat ik mijn benen nooit meer tegen elkaar aan wilde duwen. Maar nu met Thomas begon ik me al iets beter te voelen. Ik herinnerde me sommige van de dingen die ik vroeger fijn vond.

Hij deed er heel lang over, maar uiteindelijk had ik een dun streepje net als die mevrouw in het tijdschrift. En geen wondjes. Thomas vormde een kommetje met zijn handen en ving water op om de overblijvende haartjes en scheercrème af te spoelen.

Toen pakte hij mijn badhanddoek en depte me droog. 'Vind je het mooi?' vroeg hij.

Ik knikte. Het stond heel volwassen en tegelijkertijd zag ik eruit als een klein meisje. 'Vind jij het mooi?' vroeg ik hem.

'Ja,' zei hij. 'Ik vind het heel mooi.'

'Bedankt dat je het wilde doen,' zei ik.

'Graag gedaan.'

Ik wilde uit de badkuip stappen maar hij zei: 'Wacht. Je mag je nog niet aankleden.'

Ik bleef staan en keek hem aan. 'Waarom niet?'

'Omdat,' zei hij, en hij begon zijn broek los te maken, 'ik een orgasme wil krijgen.'

'Hoe laat is het?' vroeg ik.

'Het duurt niet lang,' zei hij. 'Dat beloof ik je.' Hij haalde zijn penis tevoorschijn en raakte hem aan zoals hij die avond ook had gedaan. Ondertussen keek hij strak naar de plek waar hij me zojuist had geschoren. 'Je ziet er zo mooi uit,' zei hij, en al gauw kwam het witte spul eruit en liep over zijn hand.

Ik wachtte nog een minuutje tot hij weer op adem was gekomen, stapte toen uit bad en trok mijn kleren aan. Ik begon een beetje in paniek te raken. Bij ieder geluid dat ik hoorde leek het alsof het papa kon zijn die thuiskwam.

Tegen de tijd dat we alles hadden opgeruimd, was het al na zessen. 'Je moet nou echt gaan, hoor,' zei ik, en ik bracht hem naar de zitkamer.

Terwijl hij zijn gympen aantrok, zei hij: 'Laat me maar weten als het weer groeit. Dan kan ik je weer scheren.'

'Oké,' zei ik.

Hij gaf me een kus en ik deed de voordeur voor hem open. Toen hij weg was, liep ik door het huis om er zeker van te zijn dat alles er normaal uitzag. Ik zette papa's scheercrème weer in zijn badkamer. Ik controleerde mijn badkuip op haartjes. Ik legde de *Playboy* onder het matras. Ik probeerde naar het huis te kijken zoals papa altijd deed: op zoek naar dingen die niet goed waren. Toen ik dacht dat er niets te vinden was, ging ik mijn huiswerk maken aan de eettafel. Ik zat nog maar net of de deurbel ging. Ik deed open en het was meneer Vuoso. 'Hé, waar ben jij nou mee bezig?' zei hij.

Zijn haar zat van voren door de war en de schouders van zijn jasje zaten een beetje scheef, alsof hij het in grote haast had aangetrokken. Ik probeerde de deur voor hem dicht te doen, maar hij zette zijn voet ertussen. 'Waar ben jij nou mee bezig met die neger?' zei hij.

'Dat mag u niet zeggen,' zei ik.

'Wat mag ik niet zeggen?' vroeg meneer Vuoso.

Ik wilde het woord niet herhalen.

'Je gooit je reputatie te grabbel,' zei meneer Vuoso. 'Snap je wel? Als je met die knul omgaat, wil niemand je meer.'

'U hebt mijn reputatie kapotgemaakt,' zei ik.

Hij keek me aan.

'Die is al kapot.' Ik probeerde de deur weer dicht te doen, maar hij wilde zijn voet niet weghalen.

'Jasira,' zei hij.

Ik bleef de deur tegen zijn voet aan duwen.

'Jasira,' zei hij weer en hij deed zijn arm omhoog om de deur tegen te houden.

'Wat?'

'Heb je soms een dokter nodig?'

'Waarvoor?' zei ik.

Hij gaf geen antwoord.

'Waarvoor?' zei ik weer.

'Nou ja, je weet wel,' zei hij en hij begon zachter te praten.

Ik trok een gezicht alsof ik het niet snapte.

Uiteindelijk zei hij: 'Vanwege die keer. Toen ik bij je langs ging.'

'Nee,' zei ik.

'Weet je het zeker?'

'Laat me met rust,' zei ik.

'Hé,' zei hij, 'ik probeer je alleen maar te helpen, hoor.'

'Laat me met rust, anders vertel ik mijn vader wat u hebt gedaan!'

Toen zei hij niets meer. Hij stond daar maar, te ademen. Ik was bang dat hij me niet zou geloven. Dat hij wist dat ik nooit maar dan ook nooit de woorden kon zeggen die ik nodig had om papa te vertellen wat er gebeurd was. Maar toen haalde hij zijn voet weg. Hij liet de deur los zodat ik hem voor zijn neus kon dichtslaan. Nadat ik de deur op slot had gedaan, liep ik naar het raam in de zitkamer om te kijken hoe hij zijn vlag naar beneden haalde. Maar dat deed hij niet. Hij liep rakelings langs de vlaggenstok en ging zijn huis in.

VIJF

De zaterdag nadat meneer Vuoso Thomas een neger had genoemd hielp ik papa cyclamen planten in de voortuin. Het waren van die hoge rode en witte bloemen en de mevrouw van het tuincentrum had tegen papa gezegd dat ze tegen koeler weer bestand waren. Eerst moesten we het grasperkje aan weerszijden van onze voortuin omspitten, daarna haalden we de planten uit de potten en stopten ze heel voorzichtig in de grond om de wortels niet te beschadigen. Papa zei dat hij wilde dat het er mooi uitzag voor als mijn moeder kwam. Hij zei dat als ze soms dacht dat zij de enige was die wist hoe ze een behoorlijke tuin moest aanleggen, hij haar wel even uit de droom zou helpen.

Terwijl we aan het planten waren, kwamen meneer Vuoso en Zack aanlopen. We zaten met onze rug naar hun huis geknield, dus we zagen ze niet aankomen tot ze vlak voor ons stonden. 'Goedemorgen,' zei meneer Vuoso.

Papa keek op. Hij droeg smerige groene tuinhandschoenen en hield een schopje in zijn hand. 'Ja?' zei hij.

Meneer Vuoso schraapte zijn keel. 'Zack en ik wilden graag even met jou en Jasira praten.'

Papa keek naar mij en toen weer naar meneer Vuoso. 'Je praat nu toch al tegen ons?' zei hij een beetje lacherig.

Ik zag dat meneer Vuoso geïrriteerd raakte. 'We zijn hier als vrienden. Gewoon.'

'Welke vrienden?' vroeg papa en hij keek om zich heen. 'Waar zijn die vrienden dan?'

'We zijn gekomen om onze verontschuldigingen aan te bieden,' zei meneer Vuoso. 'Zo is het toch, Zack?'

Zack keek omhoog naar zijn vader.

'Vooruit dan,' zei meneer Vuoso tegen hem.

Na een seconde haalde Zack diep adem en zei: 'Sorry dat ik je voor theedoek heb uitgescholden.'

'Dat moet je niet tegen míj zeggen,' zei meneer Vuoso, omdat Zack nog steeds naar hem keek. 'Maar tegen Jasira.'

Hij draaide zich naar mij toe en herhaalde wat hij had gezegd.

'Goed zo,' zei meneer Vuoso tegen hem. 'En wat nog meer?'

Zack aarzelde even. Toen zei hij: 'Wil je weer komen oppassen?'

Ik wist niet wat ik daarop moest antwoorden. Ik draaide me om naar papa en keek hem vragend aan, maar hij haalde alleen zijn schouders op. 'Je moet doen wat je wilt,' zei hij. 'Maar als ze je zo graag willen, zou ik om opslag vragen.'

'Natuurlijk,' zei meneer Vuoso. 'We kunnen je opslag geven.'

'Hoeveel?' vroeg papa.

'Eén dollar meer per uur,' zei meneer Vuoso.

Papa zei niets.

'Eén dollar vijftig, dan,' zei meneer Vuoso.

'Hoe zit het dan met Melina?' vroeg ik.

'Dat was maar tijdelijk,' zei meneer Vuoso.

'Wat vind je ervan?' zei papa. 'Eén dollar vijftig en excuses. Is dat genoeg?'

'Ik weet het niet,' zei ik.

Meneer Vuoso keek me aan. 'Ik wil ook mijn excuses maken.'

'Waarvoor?' vroeg papa.

'Voor het zeggen van dingen die ik niet had horen te zeggen. Ik bedoel, misschien heeft Zack me dat horen zeggen en misschien heeft hij het daarom tegen jou gezegd.'

Papa begon te lachen. 'Misschíén?'

'Oké, dan,' zei meneer Vuoso, en hij draaide zijn hoofd met een ruk naar papa. 'Waarschijnlijk, oké? Waarschijnlijk heeft hij me dat horen zeggen en waarschíjnlijk heeft hij het van mij opgepikt.'

'Dat zou ik ook zeggen,' zei papa.

'Heeft iemand je al eens geleerd hoe je een excuus moet aanvaarden?' zei meneer Vuoso. 'Want daar ben je niet erg goed in.'

'Waarom zou ik daar goed in moeten zijn?' blafte papa, en hij stond op en trok zijn groene handschoenen uit. 'Waarom?'

'Ik wil niet op Zack passen,' zei ik.

Niemand scheen me te horen, dus zei ik het nog een keer, maar nu harder.

Meneer Vuoso draaide zich naar mij om. 'Wat?'

'Ik heb na school allerlei andere dingen te doen,' zei ik tegen hem.

'Wat dan?' zei hij. 'Wat doe je dan na school?'

'Hoe bedoel je "Wat doe je dan na school?"' zei papa. 'Dan maakt ze haar huiswerk. Dat is wat ze doet. Ze is een slimme meid.'

Meneer Vuoso wierp me een lange, doordringende blik toe en ik keek gewoon terug.

'Goed dan,' zei hij. 'Best.'

'Gaan we nu naar huis?' vroeg Zack aan zijn vader.

'Da's goed,' zei meneer Vuoso, en samen draaiden ze zich om en liepen weg.

Papa zei toen dat hij erg trots op me was. Hij zei dat het duidelijk was dat de familie Vuoso had ingezien hoe verkeerd het was geweest mij te ontslaan, en dat ze zich nu alleen maar probeerden in te dekken. Ik vertelde papa maar niet dat hij niet wist waar hij het over had. Dat meneer Vuoso zijn vingers in mij had gestoken en dat ik had gebloed, en dat dat de reden was waarom hij me terug wilde. Omdat hij het goed wilde maken.

We zetten de rest van de planten in de grond en toen we klaar waren zei papa dat onze tuin nu op de Libanese vlag leek: rood, wit en groen. Hij zei dat alle Arabische vlaggen de kleuren rood, wit, groen of zwart droegen. Dat het een van de weinige dingen was waarover de Arabieren overeenstemming hadden weten te bereiken, en toen zuchtte hij en zei dat dat toch wel erg bedroevend was.

Die middag begon ik me zorgen te maken over meneer Vuoso. Ik was bang dat ik zijn gevoelens had gekwetst. Zo voelde ik me soms ook als papa me had geslagen. Ik haatte hem dan, maar ik wilde toch niet dat hij zich rot voelde. Ik wist niet zo goed hoe dat kwam. Het leek alleen alsof het op die momenten erger was om hem te zijn dan mij.

Ik liep naar papa's slaapkamer, waar hij zich stond om te kleden om naar Thena te gaan. Hij droeg een lange broek en een onderhemd. Hij stond in de deuropening van de badkamer met in iedere hand een overhemd. 'Blauw of beige?' vroeg hij. 'Beige,' zei ik, en hij knikte. Hij hing het blauwe overhemd weer in de kast, kwam toen terug en haalde het beige van de kleerhanger.

'Misschien had ik ja moeten zeggen tegen meneer Vuoso,' zei ik.

Papa stak zijn arm door een van de mouwen. 'Ik heb je al een compliment gegeven omdat je nee hebt gezegd. Als je nu van gedachten verandert, neem ik mijn compliment terug.'

Ik dacht daarover na. Ik wilde papa's compliment liever niet kwijtraken.

'Wij komen niet terug op onze beslissingen,' zei hij, zijn hemd dichtknopend. 'Als we eenmaal een beslissing hebben genomen, blijven we bij die beslissing.'

'Maar hij heeft zijn excuses gemaakt.'

'Hij was je een excuus schuldig. Jij bent hem niets schuldig.'

'Oké,' zei ik.

'Je moet iets standvastiger proberen te worden,' zei hij, en hij draaide zich om zodat ik niet zou zien hoe hij zijn broek losknoopte en zijn hemd erin stopte.

Toen papa weg was, ging ik naar de keuken om mijn bevroren maaltijd van macaroni met kaas in de magnetron te zetten. Papa kocht altijd sla voor me, die ik moest wassen en waar ik een salade van moest maken, maar dat deed ik nooit. Ik trok er gewoon een paar bladeren af, wikkelde die in een stuk keukenpapier en gooide ze in de vuilnisbak.

Later, toen ik tv zat te kijken, werd er aangebeld. Het was meneer Vuoso. 'Hoi,' zei hij. Zijn wangen waren gladgeschoren, en zijn haar zat netjes naar één kant gekamd. Hij zag eruit alsof hij ergens naartoe moest.

'Hoi,' zei ik.

'Wees maar niet bang,' zei hij. 'Ik wil niet binnenkomen.'

Ik zei niets.

'Zack en zijn moeder zijn op bezoek bij zijn oma.'

'O.'

'Haar poes heeft net jonkies gekregen. Die zullen er vast heel schattig uitzien.'

Ik knikte.

'Is je vader bij zijn vriendin?' vroeg meneer Vuoso.

'Ja.'

'Hoe is ze?'

'Papa heeft liever niet dat ze hier nog komt omdat ze mij te veel aandacht geeft.'

'Dat zal wel,' zei meneer Vuoso.

'Ze denkt dat ik best fotomodel zou kunnen worden.'

Hij begon een beetje te lachen. 'Dat vindt je vader zeker fantastisch.'

'Nee,' zei ik, 'dat vindt hij juist niet.'

'Ik maak maar een geintje,' zei hij. 'Ik weet wel dat hij dat niet vindt.'

'O.'

'Enfin,' zei hij, 'ik verveel me te pletter.'

Ik keek naar zijn manchetknopen. Die staken ieder even ver onder de mouwen van zijn jasje uit.

'Verveel jij je ook?' zei hij.

'Nee,' zei ik, hoewel ik me wel verveelde.

'Je moet je haast wel vervelen. Je hebt niets te doen.'

Ik haalde mijn schouders op.

'Misschien kunnen we iets samen gaan doen.'

'Nee, dank u.'

'Misschien kan ik je ergens mee naartoe nemen.'

'Ik moet hier blijven.'

'Waarom?'

'Voor het geval papa thuiskomt.'

'Ik dacht dat je net zei dat hij bij zijn vriendin zit.'

'Dat is ook zo.'

'Nou dan?' zei meneer Vuoso.

'Misschien verandert hij van gedachten en komt hij naar huis,' zei ik. 'Ik moet hier zijn voor het geval hij dat doet.'

Meneer Vuoso haalde zijn schouders op. 'Zack en zijn moeder kunnen ook thuiskomen. Maar waarschijnlijk doen ze dat niet.'

Ik keek hem aan. Zijn stem klonk nu iets zachter en hij had zijn handen in zijn zakken gestoken. Ik probeerde echt standvastig te blijven zoals papa had gezegd, maar het was wel moeilijk als meneer Vuoso zo aardig deed. 'Waar zouden we dan heen gaan?' vroeg ik.

'Er draait altijd wel een film. Hou je van films?'

'Nee,' zei ik, ook al was dat niet waar.

'Of we kunnen uit eten gaan. Heb je honger?'

Ik schudde mijn hoofd.

'We zouden naar de Mexicaan kunnen gaan,' zei hij. 'Ik weet een heel goed restaurant.'

Het was heel maf, maar ik had nog nooit Mexicaans gegeten sinds ik naar Texas was verhuisd. Alleen pizza en de oriëntaalse gerechten van papa. En de oriëntaalse maaltijd van Thomas' moeder.

'Kom op,' zei meneer Vuoso. 'Dan gaan we ergens wat eten.'

Toen ik niet reageerde, zei hij: 'Wat vind je hiervan?' en hij haalde iets uit zijn zak wat ik niet herkende.

'Wat is dat?' vroeg ik.

Hij klapte het uit en ik zag dat het een mes was. 'Zie je dit?' zei hij, en hij liet me het lemmet zien. Toen klapte hij het mes weer snel dicht. 'Dat is voor jou.'

'Komt dat uit het leger?' vroeg ik. Het was groen.

Hij knikte. 'Je mag het voor vanavond lenen. Om jezelf te beschermen.'

Ik liet toe dat hij het in mijn handpalm legde. Ik pakte het met mijn andere hand op en draaide het een paar keer om.

'Stop het maar in je zak,' zei hij.

Ik stopte het in mijn zak.

'Ga nu je jas maar halen. Ik heb honger.'

In de auto praatten we niet zoveel. Ik had het mes van mijn broekzak naar mijn jaszak verplaatst, waar ik er gemakkelijker bij kon, en ik haalde het er nu uit en klapte het lemmet uit.

'Voorzichtig,' zei meneer Vuoso. 'Het is scherp.'

Hij had me die avond overal mee naartoe kunnen nemen en met me kunnen doen wat hij wilde. Dat mes speelde geen enkele rol. Ik kon me niet voorstellen dat ik het ooit tegen iemand zou gebruiken. Het in zijn lichaam zou kunnen steken. Mijn moeder had een tijdje verkering gehad met een man die suikerziekte had, en iedere dag moest hij zichzelf een injectie geven, en dat kon ik me toen ook niet voorstellen.

'Zal ik muziek opzetten?' vroeg meneer Vuoso.

'Maakt me niet uit.'

Hij zette de radio aan en koos een station met countrymuziek. Hij neuriede een beetje mee met het liedje, maar toen het was afgelopen volgden er een heleboel reclameboodschappen. Die klonken heel luid en schetterend en meneer Vuoso moest zich vooroverbuigen om het geluid wat zachter te zetten. 'Dat is verboden,' zei hij.

'Wat?' vroeg ik.

'De reclameboodschappen harder laten klinken dan de liedjes. Maar ze doen het allemaal.'

Ik vond het maar stom van hem dat hij het had over dingen die niet mochten, maar dat zei ik niet.

Het duurde heel lang voordat we bij het restaurant waren. Het laatste halfuur van de rit was ik er bijna zeker van dat het allemaal gelogen was. Vooral omdat we vlak voordat we daar aankwamen door een heel onguur gedeelte van de stad moesten rijden. Maar opeens zag ik het restaurant liggen. Een gebouw met flikkerende neonverlichting en een bomvolle parkeerplaats, en door de achterdeur, waar een paar Mexicanen met een wit schort voor een sigaret stonden te roken, klonk muziek.

'We zijn er,' zei meneer Vuoso, en hij zette de motor af.

'Wauw,' zei ik.

'Vind je het er leuk uitzien?' vroeg hij.

Ik knikte. Het leek net een kleine kermis.

We gingen naar binnen en de man bij de deur zei dat we een paar minuten moesten wachten tot er een tafeltje vrijkwam. Hij zei: 'U en uw dochter kunnen aan de bar gaan zitten,' en meneer Vuoso verbeterde hem niet.

'Ik ben uw dochter niet,' zei ik toen we eenmaal op onze kruk zaten. Aan het plafond boven ons hoofd hingen *piñata's*, en alles zag er heel kleurig uit. Volgens mij waren de Mexicanen heel gelukkige mensen.

'Nogal wiedes,' zei meneer Vuoso, 'maar hij moest iets zeggen.'

De barkeeper zette twee margarita's voor ons neer – een voor volwassenen en een voor kinderen. Ik nam een slokje. Het smaakte naar granita-ijs met citroen. Er zat zout rond de rand van het glas, maar ik zag niet in waarom ik eraan zou likken, zoals meneer Vuoso deed. 'Wat ben ik dan?' vroeg ik hem.

'Hoe bedoel je?' zei hij.

'Als ik uw dochter niet ben.'

Hij dacht even na en zei toen: 'Je bent mijn buurmeisje.'

'En verder?' Ik voelde me dronken of had het gevoel dat ik dat zou willen zijn.

'Dat is het.'

'Ik ben Zacks oppas.'

'Niet meer,' zei hij op bitse toon.

Ik zei niets.

Hij zuchtte. 'Sorry. Ik weet dat dat mijn schuld is.'

'Ik ben uw vriendinnetje,' zei ik. Ik wilde dat ik kon zeggen dat ik zijn vrouw was, maar die positie was al bezet.

'Je bent te jong om mijn vriendinnetje te kunnen zijn.'

'U hebt dat toen bij mij gedaan,' hield ik vol. 'Ik ben uw vriendinnetje.'

Hij nam een flinke teug van zijn drankje. 'Dat,' mompelde hij.

Ik staarde hem aan.

'Jezus,' zei hij, en hij wreef in zijn ogen.

Tegen de tijd dat we onze drankjes op hadden en meneer Vuoso voor de tweede keer had besteld, kwam de man van de voorkant van het restaurant naar ons toe om te zeggen dat ons tafeltje klaar was. Het stond naast een piepkleine nepwaterval omringd door plastic planten, en meneer Vuoso zei dat hij door die opstelling nu de hele avond zou moeten pissen. Hij ging naar het toilet en terwijl hij weg was, ruilde ik onze drankjes om. Zijn drankje maakte me duizelig na een paar slokjes en dat vond ik een fijn gevoel. Toen hij weer terugkwam had ik onze drankjes nog steeds niet terug geruild.

'Heb je het menu al bekeken?' vroeg hij.

'Ja,' loog ik.

'Heb je iets gezien wat je lekker vindt?'

'Ik weet niet wat dat allemaal betekent,' zei ik.

'Wat het betekent?' zei hij. 'Hoe bedoel je? Ze hebben enchilada's, burrito's en *tamales*. Weet je niet wat Mexicaans eten is?'

Ik schudde mijn hoofd.

'Nou,' zei hij, 'dan moet je maar enchilada's met kip nemen. Iedereen houdt van enchilada's met kip.'

De ober kwam en meneer Vuoso bestelde voor ons. Daarna nam hij een paar slokjes van zijn drankje en keek toen verbaasd naar zijn glas. Hij keek naar mijn glas, pakte het en nam een slok. 'Jezus, Jasira,' zei hij, en hij ruilde ze weer om.

'Ik ben dronken,' zei ik.

'Hoe weet je dat?'

'Ik voel me gelukkig.'

'O ja?' zei hij. Hij glimlachte even. 'Denk je dat dronken zijn je gelukkig maakt?'

Ik knikte.

'Ach,' zei hij. 'Misschien wel. Soms.'

'Mag ik nog een slokje van uw drankje?'

'Nee,' zei hij. 'Zo is het genoeg.' Onder tafel raakte zijn been het mijne heel even, toen trok hij het terug.

'Waarom vindt u mij leuk?' vroeg ik.

'Waarom?' Hij zuchtte. 'Tja, ik weet het niet.'

'Ik weet het wel,' zei ik.

'Waarom dan?'

'Om mijn tieten.'

Hij nam een teug van zijn drankje. 'Misschien,' zei hij. 'Maar dat is het niet alleen.'

'Om mijn haar.'

Hij knikte. 'Je hebt mooi haar.'

'Als ik groot ben, wil ik in de *Playboy* komen,' zei ik.

'Nee, dat wil je niet.'

'Waarom niet?'

'Daarom,' zei hij. 'Dat doen alleen sletten. Ben jij een slet?'

'Ik weet het niet,' zei ik. Ik dacht van niet, maar ik was er niet zeker van.

'Nou, dat ben jij niet,' zei hij. 'En daarom ga jij niet in de *Playboy* staan.'

Het eten werd gebracht en we legden ons servet op onze schoot en begonnen te eten. Na een paar minuten zei meneer Vuoso: 'Als je met dat zwarte joch blijft omgaan, dan word je wel een slet.'

'Dat is niet waar.'

'Jawel,' zei hij.

'Hij is beter dan u,' zei ik. 'Hij raakt me alleen maar aan als ik zeg dat ik het goed vind.'

Daar had meneer Vuoso geen antwoord op. Hij stopte zelfs met eten. Hij zat daar maar. Ik wist dat hij wilde dat ik hem aankeek en dat ik het zielig voor hem zou vinden dat hij zich zo rot voelde en zich schaamde, maar het kon me niet schelen. Ik was dronken, mijn enchilada smaakte heerlijk, en ik voelde het mes in mijn zak zitten, en door het drankje van meneer Vuoso begon ik te denken dat ik het misschien wel zou gebruiken als het moest.

Als toetje bestelde ik gebakken ijs: gesmolten ijs met een korstje erop. Meneer Vuoso zei dat hij niets wilde maar toen mijn toetje kwam, vroeg hij of hij toch een hapje mocht.

'Nee,' zei ik. Het was echt verrukkelijk en ik had geen zin om te delen.

Ik dacht dat hij toch een hapje zou nemen omdat hij voor alles betaalde en het feitelijk dus zijn toetje was, maar hij deed het niet. Hij keek alleen teleurgesteld en legde zijn lepeltje terug op het koffieschoteltje.

Op de terugweg naar huis haalde ik het mes weer uit mijn zak. 'Vind je het mooi?' vroeg meneer Vuoso.

'Ja.'

'Goed zo,' zei hij. 'Daar ben ik blij om.'

'Ik kan het eigenlijk wel teruggeven,' zei ik.

'Vertrouw je me dan?'

Ik haalde mijn schouders op. 'We zijn bijna thuis.'

'Hou het maar tot we er zijn,' zei hij.

Opeens was ik bang dat dit het dan was. Dat hij een etentje voor me had betaald en me zijn mes had geleend en niet van mijn ijsje had gegeten in ruil voor dat gemene dat hij met me had gedaan. Zodat ik hem niet zou verraden. Ik had een leuke avond gehad en nu was ik bang dat dat nooit meer zou terugkomen. 'Ik kan het nog steeds verklappen,' zei ik snel. 'Ik heb nog niets besloten.'

Meneer Vuoso knikte. 'Dat begrijp ik.'

Toen we thuiskwamen, reed hij hun oprit op en zette de motor af. We bleven daar een tijdje zitten met onze gordels nog om. 'We gaan oorlog voeren tegen Irak,' zei meneer Vuoso uiteindelijk.

'Dat weet ik,' zei ik. De laatste dagen had papa het er de hele tijd over. Dat het stom was om tot na de feestdagen te wachten. Dat Koeweit in brand stond, maar dat de president er eerst zeker van wilde zijn dat de mensen geld uitgaven aan kerstcadeautjes. Papa had gezegd dat hij uit protest dit jaar geen cadeautjes ging kopen, voor niemand. Hij zei dat mijn cadeau de wetenschap zou zijn dat mijn vader geen marionet van deze regering was.

'Waarschijnlijk word ik opgeroepen,' zei meneer Vuoso.

'Wat erg,' zei ik.

'Zul je me schrijven?'

'Ja hoor.'

Hij knikte. 'Dat zou leuk zijn.'

Ik stak mijn hand in mijn zak. 'Hier is uw mes.'

'Zie je nou wel?' zei hij toen hij het van me aannam. 'Je kunt me vertrouwen.'

'Ik moet naar huis,' zei ik, en ik stapte uit. Op de straatlantaarns na was het buiten donker. Een heleboel nieuwe huizen in onze straat waren onverkocht gebleven, en ik vond het vreselijk dat er nooit licht achter de ramen brandde.

Toen ik over de stoep naar huis liep, hoorde ik iemand mijn naam roepen. Ik draaide me om en zag Gil op zijn oprit die net de vuilnisbak buitenzette. 'O,' zei ik. 'Hoi.'

'Hoi,' zei hij en hij keek naar de minibus van meneer Vuoso. Meneer Vuoso was nog steeds niet uitgestapt. 'Zat je in die auto?' vroeg Gil me.

'Nee.'

'Echt niet?'

'Ik loop hier gewoon even,' zei ik.

'Ik dacht dat je in die auto zat.'

'Ik stond op de stoep,' zei ik tegen hem.

Hij zei niets.

'Nou,' zei ik, 'welterusten.'

'Welterusten,' zei hij.

Ik voelde me een beetje zenuwachtig omdat hij me had gezien, maar ik was nog zenuwachtiger om te weten of papa me wel of niet had proberen te bellen. Maar toen ik binnenkwam en het antwoordapparaat afspeelde, stond er alleen een bericht van mijn moeder op. Ik belde haar terug en ze vroeg: 'Waar was je nou?'

'Onder de douche,' zei ik.

'Een uur lang onder de douche?'

'Ik heb vergeten op het antwoordapparaat te kijken toen ik eronder vandaan kwam.'

'Waar is je vader?' wilde ze weten.

'Bij Thena.'

'Blijft hij daar slapen? Hij blijft daar toch niet slapen, hè?'

'Nee,' zei ik. 'Natuurlijk niet.'

'Je bent veel te jong om 's nachts alleen te blijven.'

'Hij blijft nooit slapen,' zei ik.

'Dat is hem geraden ook.'

'Maak je maar niet ongerust.'

'Je hoeft mij niet te vertellen dat ik me niet ongerust hoef te maken. Daar hou ik niet van.'

'Sorry,' zei ik.

'Kijk je al uit naar Kerstmis?'

'Ja.'

'Zo klink je anders niet.'

'Wel hoor.'

'Ik hoop dat je je cadeaus mooi vindt,' zei ze. 'Ik heb er een vermogen aan uitgegeven.'

'Vast wel.'

'Je moet voor mij niets kopen, hoor,' zei ze. 'Ik wil niets.'

'Oké,' zei ik. Ik vertelde haar maar niet dat zelfs al had ik eraan gedacht iets voor haar te kopen, wat niet zo was, papa het nooit goed zou hebben gevonden. Hij wilde niet eens een boom kopen uit protest tegen de timing van de oorlog. In plaats daarvan had hij een paar piepkleine witte lampjes aan een grote ficusplant gehangen die voor het raam aan de voorkant van het huis stond.

'Hoor eens,' zei mijn moeder, 'vind je het leuk om daar te wonen? Bij je vader?'

'Ik vind het best,' zei ik. Ik probeerde te klinken alsof het me sowieso niet veel uitmaakte, want ik wist niet zeker wat het goede antwoord was.

'Barry en ik zijn uit elkaar,' zei ze.

'Wat?'

'Hij is het huis uit.'

'O.' Ik probeerde niet droevig te klinken maar heel even vond ik het echt een vreselijke gedachte dat ik hem waarschijnlijk nooit meer zou zien.

'Het is eigenlijk wel een beetje eenzaam hier zonder jou,' zei ze.

'Goh,' zei ik, 'dat is wel rot voor je. Van Barry, bedoel ik.'

'Weet je?' zei ze. 'Dat is het niet. Omdat hij een klootzak was. Ik moet je zeggen, Jasira, ik voel me schuldig over hoe het afgelopen zomer is gelopen. Toen ik zijn kant koos in plaats van de jouwe.'

'Maakt niet uit.'

'Wél,' zei ze. 'Dat maakt wel uit.'

'Nou ja,' zei ik, 'ik moet toch het schooljaar hier afmaken. Ik vind het leuk op school.'

'O,' zei ze. 'Daar had ik niet aan gedacht.'

'Ik leer hier een hele hoop.'

'Ik dacht dat je het niet leuk vond op school.'

'Jawel,' zei ik. 'Ik vind het wel leuk.'

'Ik dacht dat je papa niet aardig vond.'

Ik wist niet wat ik daarop moest zeggen. Ze had ergens wel gelijk. Ik vond papa niet aardig. Maar ik was aan hem gewend geraakt. En ik wilde niet weg en weer helemaal aan haar gewend moeten raken. Dat was veel te veel gedoe.

'Goed,' zei mijn moeder kortaf. 'Dan heb ik het zeker verkeerd begrepen. Oké. Tot volgende week. Slaap lekker. Dag.' En ze hing op.

Ik wist dat ze kwaad was. Ik wist ook dat ze er zeker van wilde zijn dat ik dat wist, en dat ze me bang wilde maken. Normaal zou dat zeker gewerkt hebben. Maar nu voelde ik me gewoon gelukkig. Gelukkig omdat papa niet had gebeld of naar huis was gekomen terwijl ik weg was. Gelukkig omdat mijn moeder kwaad was en me niet meer aan mijn kop zou zeuren of ik naar huis kwam. Gelukkig omdat ik een restje karamelsuiker tussen mijn tanden voelde zitten dat ik er met mijn tong uit peuterde, terugdenkend aan een heerlijke avond.

Toen papa de volgende ochtend thuiskwam vertelde ik hem over mijn moeder en dat ze me terug wilde. 'Wat?' zei hij. 'Wat verbeeldt dat mens zich wel niet?'

'Ik weet het niet,' zei ik.

'Je moet het schooljaar afmaken.'

'Dat heb ik ook tegen haar gezegd.'

'Je vindt het hier fijn.'

'Weet ik.'

'Jij gaat nergens heen,' zei hij. 'Werkelijk ongelooflijk wat voor kunstje ze me nou weer flikt. Jou achter mijn rug om opbellen en je proberen terug te pikken.'

'Ik wil niet weg,' zei ik.

'Natuurlijk niet!' zei hij. 'Waarom zou je?'

Daarna hadden we een ontzettend fijne dag. Papa vertelde wat over zijn avond bij Thena en dat ze plannen maakten om naar Cape Canaveral te gaan. In maart zou er een lancering plaatsvinden en omdat ze allebei delen van de shuttle hadden ontworpen, mochten ze erbij zijn. Ik was even bang dat ik ook mee moest, maar toen zei papa: 'Je kan toch wel een paar dagen alleen blijven, hè?' En ik zei dat ik dat best kon.

Later vroeg hij me wat hij met kerst moest klaarmaken. Ik zei kalkoen en hij zei: 'Goed. Dan doen we dat.' Hij ging boodschappen doen en ik ging even wandelen. Ik hoopte vooral meneer Vuoso tegen te komen. Maar hij was niet buiten en toen ik op het trottoir voor zijn huis bleef wachten, kwam hij ook niet naar buiten. In plaats daarvan kwam Melina naar buiten. 'Jasira!' riep ze vanaf haar stoepje.

Ik keek naar haar. 'Ja?'

'Kom eens,' zei ze op een toon alsof ik dat allang had moeten weten.

Ik liep naar hun voortuin.

'Zat jij gisteren in de auto van meneer Vuoso?' vroeg ze me.

'Wat?' zei ik, en ik deed net alsof ik het niet snapte.

'Gil zei dat hij je gisteravond in de auto van meneer Vuoso heeft zien zitten.'

'Ik zat niet in zijn auto.' Ik keek haar recht in de ogen, want ik had een tv-programma gezien waarin ze zeiden dat leugenaars altijd opzij keken.

'Hm-hm,' zei ze. Ik zag dat ze me niet geloofde.

'Echt niet,' zei ik.

'Kom eens mee,' zei ze, en ze ging het huis in.

Ik liep achter haar aan naar binnen en daarna naar boven, waar ik nog nooit geweest was, en toen de gang door. Aan de muur hingen nog meer foto's van Jemen en van alle gaten voor de toiletten die Gil daar gegraven had.

Melina's badkamer zag er heel anders uit dan die van de familie Vuoso. Hij was eenvoudig en modern ingericht, en op de warm- en koudwaterkraan stonden de woorden CHAUD en FROID geschreven. 'Alsjeblieft,' zei Melina, en uit het kastje onder de wastafel pakte ze een doos tampons en gaf die aan me. 'Het was verkeerd van me dat ik je die niet eerder heb gegeven. Sorry.'

'Maar ik heb er al.'

'Die raken een keer op,' zei ze. 'Dan kun je deze gebruiken. En als deze op zijn, kom je het me zeggen en dan koop ik nieuwe voor je.'

Ik keek naar de doos.

'Pak aan,' zei ze. 'Alsjeblieft.'

'Oké,' zei ik. 'Bedankt.'

Ze zweeg even en zei: 'Weet je zeker dat je niet in die auto zat?'

'Ja,' zei ik. Het kan zijn dat ik haar toen niet recht in de ogen keek.

'Meneer Vuoso is een smeerlap,' zei ze. 'Dan weet je het vast. Iedere man die bevriend wil zijn met een meisje van jouw leeftijd is een zwijn. Snap je dat?'

'Ik zat niet in zijn auto.'

Ze luisterde niet naar me. 'Als hij je vraagt of je zijn vriendin wilt worden, dan kom je naar me toe en vertel je me dat. Oké?'

'Oké,' zei ik.

'Ik meen het serieus, Jasira.'

'Ik zal het doen.'

Toen ik weer thuiskwam borg ik de tampons onder de wastafel op bij de andere die ik van Thomas had gekregen, en ging op bed liggen. Ik dacht aan de avond daarvoor, toen Gil me op het trottoir had zien staan. Ik probeerde me voor te stellen hoe hij naar binnen was gegaan en het aan Melina had verteld. Ik bedacht hoe boos en bazig ze vandaag had gedaan. Ik stelde me voor hoe die twee beslissingen over mij hadden genomen, zich zorgen hadden gemaakt. Het gaf me het vreemdste gevoel dat ik ooit had ervaren. Het maakte dat ik voortdurend moest glimlachen, ook al was ik alleen.

Tijdens de lunch de volgende dag vroeg Thomas of hij me weer moest scheren. 'Misschien,' zei ik.

'Hoe lang zijn de haartjes?' vroeg hij.

'Niet zo heel lang. We kunnen nog wel een paar dagen wachten.'

'O,' zei hij, 'oké.' Daarna zei hij: 'Mag ik met je mee naar huis en even kijken?'

'Ik heb het niet aan papa gevraagd,' zei ik.

'Ik ga weg voordat hij thuiskomt.'

Ik dacht er even over na en zei toen: 'Oké.' Ik vond Thomas aardig. Ik geloofde niet dat ik een slet werd als ik met hem omging of dat het mijn reputatie kapot zou maken of wat dan ook. Hij deed me vooral aan Barry denken, omdat hij me altijd wilde scheren.

We stapten aan het eind van de straat uit de bus. Omdat er toch nooit auto's reden liepen we midden op straat. In de bus hadden we hand in hand gezeten en Thomas liet mijn hand nu ook niet los, zelfs niet toen we zagen dat Zack buiten een balletje stond te trappen.

'Hoi, Zack!' riep Thomas op een gemaakt toontje.

Zack stopte even met voetballen en keek op. Ik wist niet zeker of hij onze handen kon zien, maar volgens mij zag hij het wel. Daarna ging hij weer verder met voetballen.

'Wat heeft dat joch toch?' zei Thomas, en hij liet mijn hand los.

'Ik weet het niet,' zei ik.

'Jawel, dat weet je wel,' zei Thomas. 'Je weet heel goed wat er met hem is.' We waren bij mijn huis aangekomen en Thomas riep: 'Hé, Zack! Schop die bal eens hiernaartoe.'

Zack deed net of hij niets hoorde en bleef doorspelen. Hij liep van ons vandaan in de richting van Melina's huis.

Een seconde later ging Thomas achter hem aan. Hij zat hem niet echt achterna, maar hij kwam wel heel dichtbij. Het volgende ogenblik zag ik dat Thomas de bal van Zack had afgepakt en hem naar mij schopte. 'Hé!' schreeuwde Zack. 'Geef die bal terug!'

'Eerst hoi tegen me zeggen, dan geef ik hem terug,' zei Thomas.

Het viel me op dat hij behendig was met de bal hoewel hij vooral goed was in zwemmen.

'Oké dan!' schreeuwde Zack. 'Hoi!'

'En nou hoi zeggen tegen Jasira.'

Zack keek me aan.

'Zeg hoi tegen Jasira en dan geef ik je de bal terug,' zei Thomas.

'Hoi,' zei Zack tegen me. Hij draaide zich om naar Thomas en zei: 'Geef terug.'

Thomas negeerde hem. Hij schopte de bal iets dichter naar Zack toe, maar zijn voeten bewogen zo snel dat Zack hem nooit had kunnen pakken. 'Waar is je oppas?' vroeg Thomas.

'Geef me die bal,' zei Zack.

'Eerst zeggen waar je oppas is, dan geef ik hem.'

'Ik heb geen oppas meer,' zei Zack.

'Heeft ze ontslag genomen?' vroeg ik.

Zack wierp me een woeste blik toe. 'Ik ben oud genoeg om geen oppas meer te hoeven.'

'O ja?' zei Thomas. 'Hoe oud ben je dan?'

'Elf,' zei Zack.

'Ik dacht dat je tien was,' zei ik.

'Was ik ook,' zei hij, 'maar ik ben jarig geweest.'

'O ja?' zei Thomas. 'Wat heb je voor je verjaardag gehad?'

'Geef me die bal!' schreeuwde Zack.

'Eerst vertellen wat je hebt gekregen,' zei Thomas. Hij had de bal de stoep op gewipt en stond nu voor Zacks huis.

'Ik hoef jou helemaal niets te vertellen,' zei Zack.

'Natuurlijk hoef je dat niet,' zei Thomas. 'En ik hoef jou die bal niet terug te geven.'

'Jawel, dat moet je wel,' zei Zack.

'Wat heb je voor je verjaardag gekregen?' vroeg Thomas. 'Dat is een doodnormale vraag. Als je antwoord geeft, kun je je bal terugkrijgen.'

'Ik heb al antwoord gegeven op je vragen,' zei Zack. 'Je zei vijf vragen geleden dat je me mijn bal terug zou geven, maar je hebt je niet aan je woord gehouden. Dus dat bewijst het!'

Thomas hield op met schoppen. 'Dat bewijst wat?'

Zack bleef zwijgen.

'Dat bewijst wat?' vroeg Thomas weer en hij raapte de bal op en liep op Zack af.

'Niks,' zei Zack.

'Wat heb je voor je verjaardag gekregen?' zei Thomas. Hij stond nu vlak voor Zack, zachtjes heen en weer te bewegen. Het was vreemd om hem zo te zien. Zo gemeen.

Zack draaide zich nu om en zocht steun bij mij. Ik vond het wel zielig voor hem maar ik wilde ook weten wat Thomas ging doen. 'Zeg gewoon wat je voor je verjaardag hebt gekregen en dan geeft hij je de bal,' zei ik.

Zack keek alsof hij in tranen ging uitbarsten en alsof hij mij net zo gemeen vond als Thomas. Uiteindelijk draaide hij zich naar Thomas om en zei: 'Ik heb een jong poesje gekregen.'

'Wat voor poesje?' vroeg Thomas, en hoewel het onmogelijk leek, kwam hij nog dichter bij Zack staan.

'Ga van me vandaan,' zei Zack.

'We willen het poesje zien,' zei Thomas.

'Dat kan niet,' zei Zack. 'Niemand mag bij ons binnen.'

'Neem hem dan mee maar buiten.'

'Nee,' zei Zack. 'Het is een poes die binnen moet blijven.'

'Het kan heus geen kwaad als ze even buitenkomt,' zei Thomas.

Op dat moment deed Zack een stap naar voren en stompte de bal onder Thomas' arm vandaan. De bal viel en rolde weg en Zack ging er snel achteraan. Thomas bleef kalmpjes staan kijken. Hij gedroeg zich alsof Zack de bal al die tijd al had kunnen krijgen, als hij er maar om gevraagd had.

Zodra hij de bal had opgeraapt, rende Zack zijn huis binnen en sloeg de deur keihard dicht. 'Wat een rotjoch,' mompelde Thomas.

Ik knikte.

'Ik wil die kat zien,' zei hij. 'Ik ben gek op katten.'

'Die kunnen we een andere keer wel zien,' zei ik. 'Kom, dan gaan we naar binnen.'

Hij bleef staan.

'Kom nou,' zei ik.

Thomas wierp een blik op Zacks huis. 'Kom, we gaan bij hem aanbellen.'

'Nee,' zei ik. 'Dat wil ik niet.'

'Zag je hoe bang hij keek toen ik tegen hem begon te praten? Waarom deed dat joch het bijna in zijn broek van angst?'

'Dat weet ik niet,' zei ik.

'Jawel, dat weet je best.'

We gingen uiteindelijk naar binnen en ik gaf Thomas een cola. Daarna liepen we naar mijn kamer. Hij ging achteroverliggen op bed en ik trok mijn broek uit. Ik kwam naast het bed staan en hij stak zijn hand uit en betastte me een beetje. Na een minuut zei hij: 'Ik ben te kwaad om je te scheren. Misschien schiet ik uit en snij ik je. Ik kan het maar beter niet doen.'

'Oké,' zei ik, en ik wilde mijn broek pakken.

'Nee,' zei hij, 'wacht even.' Hij haalde zijn penis tevoorschijn en begon hem aan te raken, maar er gebeurde niet veel. Hij staarde naar me en bleef zijn penis heel lang aanraken, maar hij werd niet zo groot als anders. Uiteindelijk gaf hij het op en liet hem los.

'Mag ik me nu aankleden?' vroeg ik.

'Ja.'

Ik pakte mijn kleren en trok ze weer aan.

'Ik denk dat ik gewoon te kwaad ben,' zei hij, zijn gulp dichtritsend.

'Maakt niet uit,' zei ik. Ik wilde bij hem op bed gaan zitten toen ik me iets herinnerde. Ik liep naar mijn ladekast, deed de bovenste lade open en haalde er een zilverkleurige sleutel uit. 'Kijk,' zei ik en liet hem aan Thomas zien.

'Wat is dat?' vroeg hij.

'De familie Vuoso heeft hem vergeten terug te vragen toen ik ontslagen werd.'

Hij hees zich omhoog op zijn ellebogen. 'Echt waar?'

Ik knikte. 'We kunnen naar het poesje gaan kijken.'

Hij pakte de sleutel en keek ernaar.

'We gaan alleen naar het poesje kijken, oké? Ik wil nou niet meer gemeen doen tegen Zack.'

'Dat is het enige wat ik wil,' zei Thomas. 'Het poesje zien.'

'Oké,' zei ik, en we trokken onze schoenen aan.

Zack was niet in de zitkamer toen we naar binnen gingen. Ik dacht dat hij misschien in de keuken was om wat te eten voor zichzelf te maken, maar toen we daar heel stilletjes naar binnen liepen bleek hij leeg. Naast de koelkast stonden kommetjes met kattenbrokjes en water, en hier en daar slingerden een paar brokjes over de vloer. Ik merkte ook nog iets anders. Een andere geur. Ik ging in de toiletruimte naast de keuken kijken en zag wat het was. Een kattenbak. Hij lag vol klonten en was omgewoeld door het gebruik en ik zag er een drol uitsteken. Achter het toilet stond een bus luchtverfrisser.

Thomas kwam bij me staan. Hij was een appel aan het eten van de fruitschaal op de keukentafel. 'Getver,' zei hij kauwend, en hij keek even over mijn schouder.

'Ik denk dat Zack in zijn kamer is,' fluisterde ik.

Thomas knikte. 'Ga jij maar eerst,' zei hij, en hij stapte opzij om me erlangs te laten.

We liepen muisstil de trap op. Bovenaan gluurde ik heel even de slaapkamer van meneer en mevrouw Vuoso binnen en zag de plunjezak van meneer Vuoso nog steeds aan het voeteneind van het bed staan. 'Kijk dan,' fluisterde ik tegen Thomas, en ik wees ernaar. 'Dat is voor als meneer Vuoso wordt opgeroepen.'

'Waarvoor wordt opgeroepen?' zei Thomas.

'Voor de oorlog. Hij is reservist.'

'O.'

'Er zitten condooms in,' zei ik tegen hem.

'Hoe weet je dat?'

'Ik heb gekeken.'

Thomas zweeg even. Toen zei hij: 'En zijn vrouw dan?'

Ik haalde mijn schouders op.

'Shit zeg,' zei Thomas.

We liepen de gang door naar Zacks kamer. Ik dacht dat hij daar wel huiswerk zou zitten maken, maar hij was er niet. Hij was in de logeerkamer *Playboys* aan het kijken. Hij zat op de rand van het bed met zijn rug naar de deuropening, dus hij zag ons eerst niet.

Maar het poesje wel. Het zat naast hem op bed. Een klein wit donsballetje met blauwe ogen. Ze keek naar me en maakte een miauwgeluidje dat er voor de helft geluidloos uitkwam.

'Hoi Zack,' zei Thomas.

Zack maakte een schrikbeweging en daar schrok het katje ook van. Ze rende naar de rand van het bed, sprong eraf en kroop eronder.

'Ah nee,' zei ik, en ik knielde op de grond om te kijken of ik haar kon vinden.

Zack legde zijn tijdschrift neer en kwam ook van het bed. Zijn gezicht werd knalrood en hij begon te huilen. 'Wat moet je nou?' zei hij tegen Thomas. 'Wil je me vermoorden? Ga weg! Donder op!'

'Hou je kop!' zei ik, terwijl ik nog steeds op de grond geknield zat. 'Je maakt het poesje bang.'

'Blijf van haar af!' schreeuwde Zack. 'Laat haar met rust!'

'Zack,' zei Thomas. 'Rustig. Kun je even rustig doen?'

Maar Zack werd niet rustig. Hij begon nog harder te huilen en drukte zich tegen de muur van de slaapkamer. 'Hoe zijn jullie hier binnengekomen?' zei hij huilerig. 'Hebben jullie ingebroken?'

Toen kwam ik overeind. Het poesje zat te ver weg, ik kon er niet bij. 'Zack,' zei ik, 'nou even je kop houden, oké? Niet van die onzin zeggen.'

'We wilden alleen even het poesje zien, man,' zei Thomas. 'Dat is alles.'

'Nou, dat mag niet,' zei Zack met hortende stem. 'Ze is bang voor jullie.'

'Nee, dat is ze niet,' zei Thomas. 'Ze bang voor jou. Jij sprong omhoog van het bed.'

'Omdat jullie me bang maakten,' zei Zack.

'Er is niets om bang voor te zijn,' zei Thomas tegen hem.

'Jullie hebben bij mij ingebroken,' zei Zack.

'Helemaal niet,' zei Thomas.

'Hoe zijn jullie dan binnengekomen?'

'De deur stond open,' zei ik.

'Nietwaar,' zei Zack. 'Dat kan helemaal niet.'

'Jawel, hij stond wel open,' zei Thomas.

Zack keek naar mij. Hij bleef even stil en toen zei hij: 'Jij hebt je sleutel nog.'

'Nee, die heb ik niet meer,' zei ik.

'Geef terug!'

'Ik heb de sleutel niet,' zei ik.

'Ik ga het aan mijn vader vertellen,' zei hij.

'Jij gaat helemaal niets aan je vader vertellen,' zei Thomas. 'We kwamen alleen maar even naar je poesje kijken. Dat is alles. Maak je niet zo druk, man.'

Zack snotterde wat.

'We wachten gewoon tot de poes weer onder het bed vandaan komt,' zei Thomas.

'Ze komt er echt niet onder vandaan zolang jij hier nog bent,' zei Zack. 'Ze vindt je niet aardig.'

Thomas deed net alsof hij dat niet hoorde. Hij keek naar de *Playboy* op het bed en vroeg: 'Is die van jou?'

'Van mijn vader,' zei Zack.

'Er liggen er nog meer in de kast,' zei ik, en Thomas ging kijken.

'Shit,' zei hij, toen hij de stapel zag. 'Ik wil er een paar van je lenen.'

'Nee!' zei Zack.

Thomas leende er toch een paar. 'Ik breng ze morgen terug,' zei hij. 'Misschien is de kat dan ook weer tevoorschijn gekomen.'

'Jullie mogen hier niet meer binnenkomen,' schreeuwde Zack.

'Best,' zei Thomas. 'Dan hou ik die tijdschriften wel.'

Zack keek hem aan.

'Kom, Jasira,' zei Thomas en hij liep de kamer uit.

'Je moet die sleutel teruggeven,' zei Zack tegen mij.

'De deur stond open,' zei ik, en ik draaide me om en liep achter Thomas aan.

Toen we weer thuis waren wilde Thomas dat ik mijn broek uittrok zodat hij kon proberen of hij een orgasme kon krijgen, maar ik zei nee. 'Maar ik ben niet meer kwaad,' zei hij en hij ging op de rand van mijn bed zitten. 'Nou gaat het wel lukken, denk ik.'

'Het is te laat,' zei ik. 'Papa kan zo thuiskomen.'

'Nou en? Ik bedoel, wat maakt dat nou uit? Hij weet toch dat we vrienden zijn.'

'Maar zo is hij nu eenmaal,' zei ik.

'We doen niet eens wat.'

'Maakt niet uit.'

'En wat gebeurt er als je vader nu thuis zou komen en we gewoon zitten te praten?'

Ik dacht even na en zei toen: 'Dan gaat hij tekeer.'

'Is dat alles?'

'Ja.'

'Zou hij je slaan?'

'Nee.'

Thomas zei niets. Ik kon niet zien of hij me nou geloofde of niet. Misschien had ik te snel antwoord gegeven op zijn vraag. Uiteindelijk zei hij: 'Oké, dan ga ik.'

'Echt waar?' zei ik opgelucht.

'Ja,' zei hij, en hij stond op. 'Ik wil je niet in de problemen brengen.'

'Bedankt.'

Ik liep met hem mee naar de voordeur en hij kuste me. Hij stak zijn tong heel lang in mijn mond en ik deed dat bij hem. We bewogen onze tongen om elkaar heen, langs de zijkant en over de bovenkant en de onderkant. We drukten onze monden nog steviger tegen elkaar aan, zodat onze tongen nog verder kwamen. Het voelde op een bepaalde manier hard en ruw maar ook zacht, omdat we eigenlijk alleen maar dichter bij elkaar probeerden te komen.

Die avond klopten meneer Vuoso en Zack bij ons aan. 'Waar willen jullie dit keer je excuses voor komen maken?' zei papa, en hij lachte een beetje.

'We komen onze excuses niet maken,' zei meneer Vuoso. 'We willen alleen onze sleutel terug.'

'Welke sleutel?' vroeg papa.

'De sleutel die Jasira had toen ze nog op Zack paste.'

'Die heeft ze al teruggegeven,' zei papa. 'Aan je vrouw.'
'Nee, dat heeft ze niet gedaan,' zei meneer Vuoso.
'Heb je die sleutel teruggegeven?' vroeg papa me.
Ik knikte. Ik wist niet wat ik anders moest doen.
'Ze liegt,' zei Zack. 'Ze heeft vandaag bij mij ingebroken samen met iemand anders. Ze hebben mijn katje bang gemaakt.'
'Met wie dan?' zei papa.
'Met die zwarte,' zei Zack.
Papa draaide zich naar mij om. 'Was jij hier met een zwarte?'
Ik zei niets.
'Een jongen of een meisje?' wilde hij weten.
'Jongen,' zei ik.
Ik dacht dat hij me een klap ging geven en ik deinsde achteruit. Maar hij raakte alleen zijn voorhoofd aan met zijn hand. Maar meneer Vuoso had het gezien. 'We zijn hier niet gekomen om iemand in de problemen te brengen,' zei hij. 'Ik geloof niet dat daar reden voor is. We willen alleen de sleutel terug.'
Papa bleef me aankijken. Hij bewoog zijn hand weer en onwillekeurig deinsde ik opnieuw achteruit. 'Waarom doe je dat?' schreeuwde hij. 'Waarom blijf je dat steeds doen?'
'Ik weet het niet,' zei ik.
'Nou, hou er dan mee op!'
Ik keek naar meneer Vuoso. Ik wilde tegen hem zeggen dat hij niet weg moest gaan. Dat ik, zodra hij weg was, verschrikkelijk in de problemen zou komen.
Meneer Vuoso haalde diep adem. 'Ik geloof niet dat ze kwaad in de zin hadden,' zei hij kalm. 'Dat soort dingen doen kinderen nu eenmaal.'
'Hoe bedoel je?' zei Zack huilerig. 'Dat was inbraak, hoor!'
'Zack,' zei meneer Vuoso, 'ga nu maar naar huis.'
'Maar...' zei Zack.
'Ik zie je thuis wel,' zei meneer Vuoso tegen hem.
Zack keek zijn vader aan, toen draaide hij zich langzaam om en liep de voordeur uit. Toen hij weg was zei papa tegen me: 'Ga die sleutel halen.'

Ik deed wat hij zei. Maar toen ik terugliep naar de zitkamer hoorde ik hem en meneer Vuoso praten, dus ik bleef in de keuken staan luisteren.

'Als je haar slaat,' zei meneer Vuoso, 'dan bel ik Bureau Jeugdzorg.'

'De opvoeding van mijn kind gaat jou niets aan,' zei papa. 'Jij voedt jouw kind op; ik voed het mijne op.'

'Als je haar slaat,' zei meneer Vuoso, 'dan kom ik het te weten en dan bel ik Bureau Jeugdzorg. Begrepen?'

Toen liep ik naar binnen en gaf meneer Vuoso de sleutel.

'Bedankt,' zei hij.

'En nou wegwezen,' zei papa tegen hem.

'Vergeet niet wat ik heb gezegd,' waarschuwde meneer Vuoso hem, en hij keek mij aan en liep naar buiten.

Papa deed de deur dicht. Toen draaide hij zich om en bracht zijn hand omhoog alsof hij me ging slaan. Maar hij deed het niet. Hij zwaaide met zijn hand alleen rakelings langs mijn gezicht zodat ik dacht dat hij me ging slaan. Dat deed hij nog twee keer en iedere keer kromp ik in elkaar. Toen hield hij op. Hij zei: 'Je krijgt huisarrest. Je komt na school meteen naar huis en je blijft binnen. Ik bel om er zeker van te zijn dat je het ook doet. Als je het niet doet, dan vind ik wel een manier om je zo te slaan dat niemand het ooit ziet. Heb je dat goed begrepen?'

Ik knikte.

Toen draaide hij zich om en ging naar bed. Ik ook. In bed moest ik steeds maar denken aan wat meneer Vuoso had gezegd. Bureau Jeugdzorg. Wat was dat? Iets van het leger of zo? Ik had geen idee. Maar vanwege de naam had ik wel een idee wat het zou kunnen zijn, en ik was er heel zeker van dat het een plek was waar ze papa niet aardig zouden vinden.

ZES

Drie dagen voor kerst haalden we mijn moeder op van het vliegveld. Papa zei niets in de auto. Hij had nauwelijks tegen me gepraat sinds de avond dat meneer Vuoso de sleutel kwam halen. Ik wist niet goed wat hij nou dacht. Op een of andere manier was dat erger dan anders. Als hij tegen me schreeuwde of me een klap gaf, was het daarna tenminste over.

Ik was niet meer op het vliegveld geweest sinds ik afgelopen zomer in Houston was aangekomen. Toen we in de buurt kwamen, zag ik dat een heleboel reclameborden nu veranderd waren, maar dat ze nog steeds even sexy waren. Ik probeerde deze keer niet het gevoel te krijgen dat die reclameborden mijn schuld waren, maar dat was moeilijk. Ik wilde dat papa er gewoon iets over zou zeggen, zelfs al was het iets plats. Ik wilde dat we ze niet hoefden te negeren.

Papa parkeerde de auto in de garage van het vliegveld, zette de motor af en keek me aan. Hij zei: 'Als je met je moeder terug wilt naar Syracuse, dan vind ik dat best.' Hij maakte niet de indruk dat hij echt boos was, alleen maar moe.

'Ik wil niet terug,' zei ik tegen hem.

'Je verandert misschien nog van gedachten als je haar ziet.'

'Nee, dat doe ik niet.'

'Nou ja,' zei hij en hij deed zijn gordel af. 'Doe maar wat je wilt. Ik schijn niets over jou te zeggen te hebben.'

Op de monitor op het vliegveld stond dat mijn moeders

vlucht op tijd aankwam. We vonden haar aankomsthal en gingen buiten staan wachten met een heleboel andere mensen. Vlak daarop landde het vliegtuig en kwamen de passagiers naar buiten. Mijn moeder liep ergens in het midden. Toen ik haar zag, was ik een beetje verbaasd. Dat kwam niet doordat ze er anders uitzag – want dat was niet zo; ze zag er nog precies hetzelfde uit. Het drong alleen opeens tot me door hoe lang ik haar niet gezien had. En dat ik haar best wel miste.

Ik zwaaide naar haar en ze glimlachte en zwaaide terug. Toen ze bij ons was, boog ze zich voorover om me te knuffelen. Toen ze zich weer losmaakte zag ik dat ze een beetje moest huilen en daardoor moest ik ook een beetje huilen.

'Probeer even rustig te blijven,' zei papa tegen ons.

'Hou toch je kop, Rifat,' zei mijn moeder terwijl ze haar ogen depte; daarna omhelsde ze hem ook en gaf hem een kus. Hij legde zijn handen lichtjes om haar middel en deed net alsof hij het niet prettig vond, maar ik was er heel zeker van dat hij het wel prettig vond. Zijn gezicht ontspande zich een beetje, net als wanneer hij aan de telefoon Arabisch sprak met zijn moeder.

'Waar kunnen we de bagage afhalen?' vroeg mijn moeder, en papa ging ons voor. Mijn moeder liep naast me en had een handtas en een kleine aktetas bij zich. Ze droeg een lichtblauwe trui-jurk en een lange zwarte wollen jas. Ik had met haar te doen omdat ze het buiten bloedheet zou krijgen.

'Mijn god,' zei papa toen hij de drie grote koffers die mijn moeder aanwees van de bagageband trok. 'Je blijft maar een week, hoor.'

'Dat zijn kerstcadeautjes,' zei mijn moeder tegen hem. 'Niet zo zeuren.'

'Ik zeg het maar vast,' zei papa, 'Jasira en ik hebben besloten elkaar dit jaar geen cadeaus te geven.'

'Waarom niet?' vroeg mijn moeder.

'Omdat we daarmee willen protesteren tegen het feit dat Bush tot na de feestdagen wacht met oorlog voeren. Daar walg ik van.'

'Je moet maar doen wat je wilt,' zei mijn moeder.

Buiten nam hij haar jas aan en gaf die aan mij om te dragen. 'Dus dit is Houston,' zei ze, hoewel het donker was en je zowat niets kon zien.

'Ja,' zei papa.

'Nou,' zei ze glimlachend tegen me, 'ik kijk ernaar uit om een rondleiding te krijgen.'

'Hoor eens,' zei papa tegen haar, 'omdat jij op vakantie bent, wil dat nog niet zeggen dat ik ook vrij ben.' Hij duwde haar bagage op een karretje voort, dat hij voor een dollar had moeten huren.

'Je kunt Jasira en mij toch wel je auto lenen?'

Hij gaf geen antwoord.

'We geven onszelf wel een rondleiding.'

'Houston is een grote stad,' zei papa. 'Je komt er wel achter dat het niet zo makkelijk is om hier je weg te vinden.'

'We komen er wel uit,' zei mijn moeder.

Op weg naar huis had ik eindelijk het gevoel dat ik me kon ontspannen toen we langs de reclameborden voor herenclubs reden. En dat was voordat mijn moeder zei: 'Mijn god, hoeveel striptenten kun je hebben in een stad?'

'Een heleboel,' zei papa.

Ze lachte. 'Dat geloof ik graag.'

Thuis, toen we de oprit in reden, zei ze: 'Wat doet die vlag daar?'

'Ik ben een Amerikaans staatsburger,' zei papa. 'Ik kan de vlag uithangen als ik dat wil.'

'Waarom zou je dat willen?' vroeg ze.

'Om mijn steun aan de oorlog te betuigen.'

Ze lachte. 'Je zei net dat je tegen de oorlog protesteerde!'

'Ik protesteer tegen één aspect van de oorlog en steun een ander aspect van de oorlog,' zei hij. En hij voegde eraan toe: 'Weet je, een teken van intelligentie is het vermogen om tegelijkertijd twee conflicterende ideeën in je hoofd te hebben zitten.'

'Hm-hm,' zei mijn moeder alsof ze hem niet geloofde.

'Ik heb jouw toestemming niet nodig om de vlag uit te hangen.'

'Ik zei ook niet dat je die nodig had,' zei ze, en toen draaide ze zich naar mij om en trok een gezicht alsof papa niet goed bij zijn hoofd was.

Ik waakte ervoor om te doen alsof ik ook vond dat papa niet goed wijs was. En ik trok niet een gezicht terug. Ik begon me namelijk zorgen te maken dat papa van plan was om me terug naar huis te sturen met mijn moeder, ook al wilde ik dat helemaal niet. Dat zijn stilzwijgen betekende dat hij me spuugzat was.

Toen we binnenkwamen zei mijn moeder dat ons huis prachtig was. We lieten haar alles zien. Het enige wat ze niet mooi vond was de ficus met de kerstlichtjes erin. 'Morgen gaan we een echte boom kopen,' zei ze. 'Punt uit.'

'Nee,' zei papa. 'Dat gaan we niet doen. Dat maakt deel uit van het protest.'

'Hoor eens,' zei mijn moeder. 'Ik heb al die cadeaus gekocht en ik heb er een vermogen aan uitgegeven, en die ga ik onder een echte boom leggen. Niemand zegt dat jij ervoor moet betalen, dus maak je geen zorgen.'

'En dan wil je zeker mijn auto lenen voor die boom?'

'Wiens auto moet ik anders lenen?' wilde ze weten, en hij gaf geen antwoord.

Mijn moeder en ik deelden mijn badkamer. Ik had alle geheime zaken onder de wastafel vandaan gehaald en in mijn kamer verstopt, en dat was maar goed ook, want het eerste wat mijn moeder deed was onder de wastafel kijken. 'Prima opbergruimte,' zei ze, en ik knikte.

Die avond nadat we onze tanden hadden gepoetst en ons gezicht hadden gewassen, kwam ze mijn kamer binnen om me in te stoppen. 'Heb je er nog over nagedacht om met mij mee naar huis te gaan?' vroeg ze.

'Ja,' loog ik.

'En?'

'Ik moet het schooljaar afmaken,' zei ik.

Ze zuchtte.

'Sorry.'

'Ik heb niemand,' zei ze. 'Het is heel eenzaam voor me.'

'Ik kom volgende zomer terug,' zei ik, hoewel ik dat eigenlijk niet wilde. Maar ze was de hele avond zo lief voor me geweest. Ik had het gevoel dat ik iets moest zeggen.

'Volgende zomer?' zei ze. 'Dat is nog heel ver weg.' Toen stond ze op en ging naar haar kamer zonder me een kus te geven of me te knuffelen en zonder zelfs maar het licht uit te doen. Ik kwam na een paar minuten uit bed en klopte op haar deur. 'Ja?' zei ze.

Ik duwde de deur open. Ze zat rechtop in bed te lezen. 'Ben je boos?' vroeg ik.

Ze keek op van haar boek. 'Waarom zou ik boos zijn?'

'Omdat ik niet naar huis kom.'

'Ik overleef het wel,' zei ze.

Ik wist niet goed wat dat betekende. Ik wist niet goed of het echt waar was dat ze het zou overleven, of dat ik me nu schuldig moest voelen en uiteindelijk toch van gedachten moest veranderen.

'Welterusten, Jasira,' zei ze.

'Mag ik je een kus geven?' vroeg ik.

'Ja hoor.'

Ik liep naar het bed en boog me voorover. Ik wachtte tot ik haar armen om me heen voelde, maar dat gebeurde niet. Het werd een doodgewone kus terwijl zij haar boek bleef vasthouden.

De volgende ochtend vroeg mam aan papa of hij zijn speciale pannenkoeken wilde maken, maar hij zei nee, want hij had niet genoeg tijd. Ik had ze zelf ook niet meer gekregen sinds die dag dat ik Thena had leren kennen. 'Dan kun je ze op kerstochtend maken,' zei mijn moeder.

'Dat zien we nog wel,' zei mijn vader.

We stapten allemaal in de auto om papa naar zijn werk te brengen. Met mam erbij was het net alsof papa en ik even vakantie van elkaar hadden. Hij kon niet kwaad op me worden en me slaan waar mijn moeder bij was, en dat betekende dat ik me niet zoveel zorgen hoefde te maken over wat ik deed of zei. Ik kon gewoon lekker achterin zitten en de zwartgeschilderde huisnummers op het trottoir lezen terwijl we onze woonwijk uit reden.

Op een gegeven moment zette papa de radio wat zachter en zei: 'Als ik ook maar één kras op deze auto zie, dan ga ik heel kwaad worden.'

'Als er geen oorlog was geweest en je Kerstmis niet zou boycotten,' zei mijn moeder tegen hem, 'dan had je zelf een boom gehaald en de auto zelf bekrast. Dus hou je kop nou maar.'

Papa zei niets terug. Ik vond het spannend om haar zo tegen hem te horen praten en dat hij daar niets op terug wist te zeggen.

'Ik wil ook geen plakkerige hars op de auto,' zei hij. 'Dat krijg je er nooit meer af.'

'Kun je nou niet eens voor één seconde ophouden met mensen te koeioneren?' vroeg mijn moeder. Toen draaide ze zich om en keek naar mij op de achterbank. 'Hoe hou je het in godsnaam met hem uit?'

Ik wilde dat ze dat niet steeds deed. Me zover proberen te krijgen dat ik nare dingen over papa zei waar hij bij was. Ik werd er altijd gespannen van, vooral omdat papa me in zijn achteruitkijkspiegeltje een woeste blik toewierp en zat te wachten tot ik weer iets verkeerds zei.

Uiteindelijk zei ik: 'Ik weet het niet.'

Papa rolde met zijn ogen en richtte zijn blik weer op de weg. 'Haar standaardantwoord,' mompelde hij.

'Hoe kun je dat nou niet weten?' zei mijn moeder.

Ik haalde mijn schouders op.

'Best,' zei ze, en ze draaide zich weer om. 'Als jij hem kunt verdragen, dan mag je hem hebben.'

Ik zei niets. Staarde alleen maar naar de weg tussen hun twee rugleuningen door.

'Je zou er versteld van staan wie mij kan verdragen,' zei papa.
'O ja?' zei mijn moeder. 'Wie dan? Je vriendin?'
'Ja,' zei hij. 'Mijn vriendin.'
'Fijn voor haar,' zei mijn moeder.
'Precies,' antwoordde papa.

De rest van de rit zeiden ze niets meer tegen elkaar. Om te laten zien dat ze kwaad was toen we papa bij zijn kantoor afzetten, reed mijn moeder al weg terwijl hij haar nog iets door het raampje probeerde te zeggen. 'Klootzak,' mompelde ze in zichzelf. Ik zat nu voorin en dwong mezelf niet achterom te kijken naar papa. Ik was bang dat ik het zielig voor hem zou vinden.

We hadden een kaart mee die hij de avond daarvoor voor ons had getekend. Er stond op waar we volgens hem een goede boom konden kopen en ook waar de supermarkt was, want we hadden wat dingen nodig. Er waren drie biljetten van twintig dollar met een paperclip aan de kaart vastgemaakt, en mijn moeder zei dat ik het geld eraf moest halen en in haar tas moest stoppen. Toen ik haar portemonnee openmaakte zag ik een foto van Barry. 'Wat is dit?' zei ik.

Ze keek opzij. 'Wat bedoel je, wat is dit?'

'Ik dacht dat je hem niet meer leuk vond?'

'Hij vindt mij niet leuk,' zei ze. 'Dat zijn twee verschillende dingen.'

'O.' Ik had Barry in geen tijden meer gezien. Met zijn warrige bruine haar en het kuiltje in zijn kin. Eigenlijk had ik die foto moeten hebben, want ik was er behoorlijk zeker van dat hij mij nog wel leuk vond.

'Heb je het geld er ingestopt?' vroeg mijn moeder.

'Ja.'

'Doe de portemonnee dan dicht,' zei ze en dat deed ik.

Op de plek waar we bomen konden kopen koos ze een dure, een Douglasspar. De man zei dat de naalden niet zo snel zouden uitvallen. Hij bond de boom boven op de auto vast en daarna gingen we naar de supermarkt. Mam kocht alles wat op papa's lijst stond en vroeg toen of ik nog iets nodig had. 'Nee,' zei ik.

'Hoe zit je met spullen voor als je ongesteld bent? Maandverband?'

'Nee,' zei ik. 'Die heb ik niet nodig.'

We gingen in de rij bij de kassa staan. Mijn moeder pakte een *People* van het rek en bladerde er wat in. Ik voelde me nu al moe van het hele bezoek.

Op weg naar buiten zette mijn moeder ons winkelkarretje naast het fotokopieerapparaat. Ze deed haar tas open en haalde er een paar vellen papier uit, toen tilde ze het deksel van het apparaat op en legde de papieren op het glas.

'Wat moet je kopiëren?' vroeg ik.

Ze deed een paar muntjes in de gleuf en zei: 'Je vaders loonstrookjes.'

Ik zei niets en zag hoe de kopieën in de opvangbak gleden. Het waren er in totaal drie en toen het apparaat klaar was, pakte mijn moeder ze op en vouwde ze dubbel. Ze stopte ze in haar tas, tilde de deksel van het apparaat op en nam de originelen weer terug. 'Oké,' zei ze. 'Klaar.'

Op de parkeerplaats zetten we de boodschappenzakken op de achterbank van papa's auto. Ik bracht het lege karretje terug en mijn moeder stapte ondertussen in. Even later, toen ik mijn gordel omdeed, zei ze: 'Je hoeft dit niet aan je vader over te brieven. Ik wil maar zeggen, zo te zien zijn jullie erg dik met elkaar, maar ik zou het zeer op prijs stellen als je je mond hierover houdt.'

Ik wist dat ze me wilde horen zeggen dat ik niet zo dik was met papa, dus ik zei niets. In plaats daarvan zei ik: 'Waar heb je die loonstrookjes vandaan?'

'Uit zijn bureau,' zei ze.

'Maar zijn laden zitten allemaal op slot.'

'Nou,' zei ze, 'dan zijn het niet zulke goede sloten.' Toen ik geen antwoord gaf, zei ze: 'Hoor eens, Jasira, ik moet mezelf beschermen. Voor het geval je het nog niet had gemerkt, jouw vader is een gierigaard. Als je ooit besluit weer naar huis te komen, heb ik bewijzen nodig dat hij een hoop geld verdient. Tieners zijn duur.'

Ik knikte.

'Dus je houdt je mond?'

'Ja.'

Thuisgekomen maakten we de boom los en droegen hem naar binnen. We hadden ook een kerstboomstandaard gekocht en ik hield de stam onderaan vast terwijl mijn moeder hem recht probeerde te zetten. Toen we hem hadden vastgezet, haalden we de lichtjes van de ficus en hingen ze in de kerstboom. De rest van de middag maakten we popcorn en regen die aan een draad om de boom mee te versieren. Toen zei mijn moeder dat ze moe was en ging ze een dutje doen. Ik zat op de bank naar de boom te kijken en at de overgebleven popcorn op. Ik dacht aan de boom bij Thomas thuis, die zo veel groter en mooier was. Ik bedacht dat als onze boom gevoelens had, hij zich gekrenkt zou hebben gevoeld om bij ons de kerst door te moeten brengen.

Om een uur of vier werd er aangebeld en ik zette mijn schaal popcorn op de grond om open te doen. Het was Melina en ze had een cadeautje in haar hand. 'Hai,' zei ze. 'Ik wilde je iets voor de kerst komen brengen.'

'O,' zei ik. 'Dankjewel.' Ik vond het vervelend dat ik niets voor haar had. 'Ik leg het wel onder de boom,' zei ik, en ik nam het pakje aan.

'Nee,' zei ze. 'Niet doen. Maak het maar gewoon open.'

'Nu?' vroeg ik.

'Waarom niet?'

'Oké.' Ik begon het papier eraf te halen.

'Scheur het er toch gewoon af!' zei ze glimlachend, dus dat deed ik maar. Er zat een grote pocket in getiteld *Veranderende lichamen, veranderende levens.* Op de voorkant stond een foto van een hele groep glimlachende tieners.

'Daarin kun je lezen hoe je lichaam werkt,' zei Melina.

'Dank je,' zei ik, en ik bladerde er even in. Het leek me wel interessant.

'Jasira?' riep mijn moeder achter me.

Ik draaide me om.

Ze kwam slaperig de zitkamer binnenlopen. 'Met wie praat je?'

'Dit is Melina. Onze andere buurvrouw.'

'O,' zei Melina. 'Sorry. Ik dacht dat Jasira alleen thuis was.'

'Mijn moeder is op bezoek voor de kerst,' zei ik tegen haar.

'O,' zei Melina weer. Ze leek een beetje nerveus.

'Ik ben Gail,' zei mijn moeder, en ze stak haar hand uit.

'Melina,' zei Melina.

'Wat is dat?' vroeg mijn moeder, en ze keek onder mijn arm waar ik het boek had gestopt.

'Het is een cadeau. Van Melina.'

'Ik hoop dat het goed is,' zei Melina snel. 'Ik dacht dat het misschien wel van pas kon komen.'

'Mag ik het eens zien?' vroeg mijn moeder aan mij.

Ik verroerde me niet.

Mijn moeder stak haar hand uit en pakte het boek zelf. 'Hè?' zei ze, toen ze de omslag zag.

'Ik wil niet opdringerig lijken,' zei Melina. 'Absoluut niet. Maar ik weet dat Jasira soms met vragen zit.'

'O ja?' vroeg mijn moeder. Toen draaide ze zich naar me om en zei: 'Is dat zo?'

'Soms,' zei ik.

'Waarom bel je me dan niet?' zei ze.

'Ik weet het niet.'

'Volgens mij heb ik iets stoms gedaan,' zei Melina. 'Sorry, misschien had ik het niet moeten doen.'

'Nee, hoor,' zei mijn moeder, maar ik zag aan haar dat ze loog. 'Het is heel attent van je. Vind je ook niet, Jasira?'

'Ja,' zei ik.

'Heel attent,' zei mijn moeder nog eens.

'Nou, dan ga ik maar weer,' zei Melina.

'Wanneer ben je uitgerekend?' vroeg mijn moeder opgewekt.

'April,' zei Melina.

'O,' zei mijn moeder. 'Leuk voor je. Volgens mij ga je een geweldige moeder worden. Maar goed. Leuk om je ontmoet te hebben.' Toen draaide ze zich om en liep terug naar haar kamer.

'Geef dat boek eens,' zei Melina.

'Nee,' zei ik. Ik wilde het houden.

'Geef hier,' zei Melina, en deze keer pakte zíj het uit mijn handen.

'Maar het is mijn boek.'

'Ja,' zei Melina. 'Dat is ook zo. We gaan het alleen bij mij thuis bewaren. Je kunt altijd langskomen om er in te lezen. Afgesproken?'

Ik wist dat ze waarschijnlijk gelijk had. Ik was alleen teleurgesteld omdat haar boek veel leuker leek dan mijn *Playboy*. Niet de foto's maar wat erin geschreven stond. 'Oké,' zei ik uiteindelijk.

'Fijne kerst,' zei ze. Ze boog zich voorover en gaf me een kus op mijn voorhoofd, en zei daarna nog: 'Sorry.'

Toen Melina weg was ging ik kijken of mijn moeder nog wakker was. 'Ja?' zei ze toen ik op de deur klopte. Ik duwde de deur open en ze zei: 'Waar is je boek?'

'Melina heeft het meegenomen.'

'Waarom?'

'Ze zei dat het beter was als ik het bij haar thuis las.'

'Wat maakt het nou uit waar je het leest?' vroeg mijn moeder.

'Ik weet het niet.'

'Het maakt niets uit,' mompelde ze.

'Het is bijna tijd om papa op te halen,' zei ik.

Ze keek op haar horloge. 'We hebben nog wel even tijd.'

Aan de manier waarop ze weer in haar boek begon te lezen, zag ik dat ze liever alleen wilde zijn, dus ik ging maar weg.

Ik liep naar mijn kamer en ging op bed liggen. Het was bijna kerst en het kon me niets schelen. Kerstmis was voor mij even vreselijk als de weekenden, en de weekenden waren vreselijk omdat ik dan Thomas of meneer Vuoso niet op regelmatige tijdstippen kon zien. De weekenden waren de momenten waarop ik de hele dag binnen zat opgesloten met papa, of buiten met hem zat opgesloten.

En nu ik met mijn moeder samen was, was het niet veel beter. Het enige waar ze zin in had was op bed liggen en boeken lezen. Ze was zo saai. Ik wist eigenlijk niet meer waarom ik haar altijd zo aardig had gevonden. Misschien kwam het doordat ik alleen Barry aardig had gevonden en zij hem aan mij had voorgesteld.

Ik wilde dat ik Melina's boek kon terugkrijgen. Ik kon me niet voorstellen hoe het zou zijn om over mijn lichaam te lezen. Alles wat ik wilde doen – alles wat ik fijn vond – was altijd zo ver weg. Ik dacht aan Dorrie en hoe verschrikkelijk ik haar haatte en hoeveel geluk zij wel niet had omdat zij bij Melina en Gil zou worden geboren. Alles wat ze fijn vond zou daar zijn, in haar eigen huis. Als ze wat ouder werd kon ze zelfs dat stomme boek van mij lezen.

Na een tijdje hoorde ik mijn moeder opstaan en naar het toilet gaan. Toen kwam ze naar mijn kamer en zei: 'Ben je zover?'

'Hm-hm,' zei ik, en ik ging rechtop zitten.

'Wat een vreemde kamer heeft je vader je toch gegeven,' zei mijn moeder en ze keek rond, naar mijn kale muren, mijn ijzeren bed en mijn crèmekleurige luxaflex. Ze schudde haar hoofd. 'Dit is geen meisjeskamer.'

'Ik vind het niet erg,' zei ik.

Mijn moeder trok een gezicht. 'Weet je, Jasira, het wordt een beetje afgezaagd – dat "ik hou van papa"-deuntje. Hou er eens mee op, oké?' Ze draaide zich om en liep weg.

We zagen elkaar weer in de zitkamer en liepen door de achterdeur naar buiten om de auto te halen. Op datzelfde moment kwam meneer Vuoso naar buiten om zijn vlag naar beneden te halen. 'Wie is dat?' vroeg mijn moeder en ze bleef even naast het portier aan de chauffeurskant staan.

'Meneer Vuoso,' zei ik. 'Weet je nog? Ik heb een tijdje op zijn zoon gepast.'

'O ja,' zei mijn moeder. Ze bleef naar hem kijken. Hij droeg geen jasje en telkens als hij omhoog reikte om aan het touw te trekken spanden de spieren in zijn armen zich.

'Papa vindt hem niet aardig,' zei ik.

'Jouw vader laat zich snel intimideren.'

Net op dat moment zag meneer Vuoso dat we naar hem stonden te staren.

'Hallo!' riep mijn moeder.

Hij knikte en glimlachte even.

'Kom,' zei mijn moeder en ze liep van de auto vandaan. 'Dan kun je me even voorstellen.'

Ik wachtte even en liep toen achter haar aan over onze oprit en naar de voortuin van de familie Vuoso. 'Hoi,' zei ik. 'Dit is mijn moeder.'

Meneer Vuoso keek me aan. Sinds het Mexicaanse restaurant hadden we elkaar niet meer gesproken. Soms als we elkaar op de stoep tegenkwamen, zeiden we elkaar even gedag, maar dat was het wel zo'n beetje. Ik had hem echt gemist sinds die avond dat hij gedreigd had Bureau Jeugdzorg te bellen om papa aan te geven. Ik bleef hopen dat hij me nog een keer mee uit eten zou nemen.

'Gail Monahan,' zei mijn moeder nu, en ze stak haar hand uit.

'Travis Vuoso,' zei meneer Vuoso, en hij schudde haar de hand.

'Leuk om je te leren kennen, Travis,' zei ze, en ik was jaloers omdat zij oud genoeg was om hem bij zijn voornaam te noemen.

'Geheel wederzijds,' zei hij. Toen draaide hij zich naar me om en zei: 'Hallo, Jasira.'

'Hallo.'

'Hoe gaat het met je?'

'Goed, dank u.'

'Ja?' zei hij. 'Gaat het allemaal goed?'

Ik knikte.

Hij zweeg even en zei toen: 'Mooi. Fijn om te horen.'

'Ik ben hier voor de kerst,' zei mijn moeder, hoewel niemand haar iets had gevraagd.

'O ja?' zei meneer Vuoso, en hij draaide zich weer om.

Ze knikte. 'Jasira en ik hebben elkaar sinds afgelopen zomer niet meer gezien.'

'Je zult haar wel missen.'

Mijn moeder knikte. 'Ik probeer haar over te halen om met mij mee terug naar huis te gaan.'

Meneer Vuoso keek me aan. 'Ga je weer verhuizen?'

Ik schudde mijn hoofd. 'Ik moet eerst het schooljaar afmaken.'

'O,' zei hij.

'Alsof we geen scholen in Syracuse hebben,' zei mijn moeder.

'Nou ja,' zei meneer Vuoso, 'ik kan me wel voorstellen dat het lastig is om midden in het schooljaar over te stappen.'

Mijn moeder haalde haar schouders op. 'Dat gebeurt zo vaak.' Ze leek weer in haar ouwe ik te veranderen en dat luchtte me op. Als ze zo deed was het veel moeilijker om haar aardig te vinden.

'We komen te laat voor papa,' zei ik.

Mijn moeder keek op haar horloge. 'Oké, dan gaan we.'

'Leuk om kennis met je te maken,' zei meneer Vuoso.

'Met jou ook,' zei mijn moeder en toen draaide ze zich om en liep terug naar de auto.

Op weg naar de NASA wilde ze weten wat meneer Vuoso had bedoeld.

'Wanneer?' zei ik.

'Toen hij je wel een miljoen keer vroeg of het wel goed met je ging. Wat zou er niet goed moeten gaan?'

'Niks,' zei ik. 'Hij wilde gewoon vriendelijk zijn. De mensen in Texas doen heel vriendelijk.'

'Ik vond hem helemaal niet zo vriendelijk,' zei ze, en toen zette ze de radio aan. Na een minuut draaide ze aan de knop en stemde af op een klassieke muziekzender; ik hield me in en zei maar niet dat papa niet graag had dat iemand aan zijn radio zat.

Toen we bij papa's kantoor aankwamen stond hij buiten te wachten met Thena. Zodra hij ons zag, greep hij haar vast en kuste haar op de mond. Na een paar seconden liet hij haar los en ze zwaaide naar me. Ik wilde wel terugzwaaien, maar zelfs zonder te kijken voelde ik hoe kwaad mijn moeder was op de voorbank, dus glimlachte ik maar een beetje. Daarna draaide Thena zich om en liep terug naar het kantoorgebouw. 'Nou, dat zag er schattig uit, hoor,' zei mijn moeder toen papa naast haar in de auto kwam zitten.

'Wat?' zei hij, hoewel ik aan hem zag dat hij het best wist.

'Sodemieter toch op, Rifat.'

Hij lachte een beetje en zei toen: 'Doe niet zo onaardig, Gail. Ik weet zeker dat jij heel wat vriendjes hebt. Je bent een aantrekkelijke vrouw.'

Ze negeerde hem. Om haar weer in een betere stemming te brengen zei papa dat hij ons op pizza zou trakteren. 'Ik wil geen pizza,' zei mijn moeder. 'Ik wil Mexicaans eten. Waarom zou ik naar Texas komen en pizza eten als ik ook Mexicaans kan eten?'

'Ik ken geen Mexicaanse restaurants,' zei papa.

'Hoezo? Het wemelt ervan.'

'Jawel, maar misschien zijn die niet goed.'

'Ik ken wel een restaurant,' zei ik.

'Wat?' zei papa.

'Waar dan?' zei mijn moeder.

'Het heet Ninfa's,' zei ik. 'Het is wel een eind weg.'

'Ninfa?' zei papa, die de s wegliet. 'Hoe ken jij dat restaurant?'

'Ik heb erover gelezen. In de krant.'

'Welke krant?'

Ik dacht even na en probeerde me de naam van papa's krant te herinneren. 'De *Chronicle*.'

'In de kookrubriek?' vroeg hij.

'Ja.'

'Die heb ik je nog nooit zien lezen.'

'Wat boeit dat nou?' zei mijn moeder. 'Laten we nou maar gaan.'

'Stop daar eens,' zei papa, en hij wees naar een benzinestation. 'Ik moet even bellen voor het adres.'

Papa belde vanuit een telefooncel en kreeg het adres, toen kwam hij terug en zocht het restaurant op zijn plattegrond van Houston op. Hij zei dat het inderdaad ver was maar dat we er toch heen konden. Hij en mijn moeder ruilden van plaats zodat hij kon rijden.

Op weg naar het restaurant kwam mijn moeder in een wat beter humeur. Ze zei dat ze nou eindelijk een authentiek Texaanse ervaring ging opdoen. Toen begonnen zij en papa elkaar wat vragen te stellen over hun werk. Mam vertelde over een probleem dat ze met een andere docent had. Die man gaf slecht les aan zijn leerlingen, dus als mam ze dan kreeg, moest ze alles wat hij verkeerd had gedaan opnieuw uitleggen en dan ook nog haar eigen stof geven. Papa zei dat die kerel een achterlijke idioot moest zijn en dat mam de directeur ervan op de hoogte moest stellen. Mam zei dat dat niet zo eenvoudig lag en papa vroeg of ze zich soms het schompes wilde blijven werken of niet. Ze zuchtte en zei: 'Nee, eigenlijk niet.'

Toen vertelde papa haar dat hij in maart naar de lancering van een ruimteveer ging kijken, omdat hij daar een onderdeel voor had ontworpen. 'Rifat!' zei mijn moeder. 'Dat is fantastisch!' Ze leek het nog echt te menen ook. Daarna vroeg mijn moeder of Thena meeging en papa gaf geen antwoord. 'Dus ze gaat mee?' zei mijn moeder. En toen hij nog steeds geen antwoord gaf, schreeuwde ze: 'Ik heb jou door je studie heen geholpen en zíj mag godverdomme met jou mee om die lancering te zien?'

'Rustig nou maar,' zei papa tegen haar, en ze zei weer 'sodemieter op' tegen hem.

Toen we bij het restaurant aankwamen, was het happy hour en papa bestelde voor hem en mam twee echte margarita's en eentje zonder alcohol voor mij. Ik hoopte dat ze tegelijk zouden gaan plassen zodat ik een slokje uit hun glas kon nemen, maar ze gingen een voor een. 'Je moeder is echt een vreselijk mens,' zei papa toen ze naar het toilet was. 'Ik begrijp niet waarom ik ooit met haar getrouwd ben.' En toen papa naar het toilet was, zei mijn moeder: 'Ik zweer het je, als hij de rekening met mij probeert te delen, dan trek ik die loonstrookjes tevoorschijn.'

'Heb je ze dan nog niet teruggelegd in zijn la?' vroeg ik.

Ze schudde haar hoofd en nam een slokje van haar margarita. 'Maak je nou maar geen zorgen. Ik doe het vanavond wel.'

Toen kreeg ik echt de zenuwen voor als de rekening zou komen. Ik zou niet weten waarom papa de rekening zou proberen te delen als hij al had gezegd dat hij ons ging trakteren, maar misschien had hij dat alleen voor de pizza bedoeld.

Het eten werd gebracht en ik kon me er niet zo goed op concentreren. 'Wat is er met je?' vroeg papa. 'Vind je je eten niet lekker?'

'Jawel,' zei ik. 'Ik vind het wel lekker.' Ik had weer enchilada's met kip besteld, net als toen met meneer Vuoso.

'Eet dan,' zei hij, en ik knikte.

Een paar minuten later kreeg ik een ontzettend heet pepertje in mijn mond. Mijn ogen begonnen te tranen en het hield niet op. 'Drink dit maar,' zei mijn moeder, en ze gaf me mijn glas water aan; ik nam een slok maar het hielp niet. Ze gebaarde naar de ober dat hij nog meer water moest brengen, maar dat leek allemaal niet te helpen. Hoeveel ik ook dronk, het branderige gevoel in mijn mond ging niet weg.

Mijn ouders keken naar me. 'Hè, stel je niet zo aan, joh,' zei papa.

'Dat probeer ik ook,' zei ik. Mijn stem klonk schor.

'Het is maar een pepertje, hoor. Godsamme,' zei mijn moeder.

'Ik weet het,' zei ik. 'Maar ik kan er niets aan doen.'

Ze keken elkaar aan en trokken een gezicht. Op hun gezicht stond te lezen dat ze me allebei maar een baby vonden, dat ik overdreef, hoewel de ober de manager was gaan halen, die haar excuses kwam aanbieden. Ze was een wat oudere dame met zwart en grijs haar, en ik vroeg me af of zij soms de echte Ninfa was. 'Soms gebeurt dit,' legde ze mijn ouders uit. 'De koks gaan heel zorgvuldig te werk, maar het gebeurt wel eens.' Toen legde ze haar hand op mijn rug alsof ik aan haar toebehoorde omdat ze mij pijn had gedaan.

Toen de rekening kwam, stond ze erop dat we niet hoefden te betalen. 'Kijk eens aan,' zei papa en hij glimlachte.

'Wat aardig van ze,' zei mijn moeder en mijn vaders loonstrookjes bleven in haar tas zitten.

In de auto op weg naar huis hield ik mijn half opgegeten enchilada's in een zakje op schoot. Langzaam werd het branderige gevoel in mijn mond minder en daar had ik eigenlijk blij om moeten zijn, maar dat was ik niet. Ik merkte dat ik niet wilde dat het branderige gevoel wegging. Zolang het er nog was kon ik Ninfa's hand op mijn rug voelen, die me probeerde te troosten.

Op kerstochtend stonden we op en bakte papa pannenkoeken voor ons. Daarna maakte ik de cadeautjes open die mijn moeder voor me had meegebracht. Voor het merendeel waren het kleren – mooie kleren die me perfect pasten. Toen mijn moeder zag dat we echt geen cadeaus voor haar hadden, raakte ze van streek. Ze zei tegen papa dat ze had gedacht dat hij een geintje maakte, en hij vroeg waarom hij een geintje zou hebben gemaakt. Toen zei ze tegen mij dat ik op zijn minst op school iets voor haar had kunnen maken met handenarbeid. Ik wilde haar eraan herinneren dat ze tegen me had gezegd dat ik haar niets mocht geven, maar dat had ze geloof ik niet zo leuk gevonden.

Ik wist niet zo goed wat ik toen moest doen. Ik vond mijn nieuwe kleren mooi en wilde ze graag aantrekken, maar ik had het gevoel dat ze niet meer van mij waren omdat ik geen cadeau voor mijn moeder had gekocht. Ik had graag naar Melina willen gaan om in mijn boek te lezen, maar sinds de vorige avond stonden er een heleboel onbekende auto's op haar oprit, en ik durfde er niet zo goed heen te gaan om aan te kloppen.

Mijn moeder stond op en ging naar haar kamer. Ik dacht dat ze op bed in haar boek ging liggen lezen, maar ze kwam terug met wat papieren in haar hand. 'Je bent een gierige klootzak!' zei ze, en ze zwaaide ermee voor papa's gezicht. 'Ik heb jou godverdomme onderhouden zodat je kon studeren en later zoveel geld kon verdienen, en bij jou kan er niet eens een flesje parfum voor mij af!' Ze smeet de papieren op de grond en toen zag ik dat het de loonstrookjes waren.

Onmiddellijk bukte papa zich en raapte ze op. 'Waar heb je die vandaan?' vroeg hij op barse toon.

'Hoe bedoel je waar ik ze vandaan heb? Ik heb ze daar vandaan waar jij ze bewaart. Weet je soms niet meer waar je ze bewaart?'

'Mijn salaris gaat jou helemaal niets aan,' zei hij.

'Dat gaat mij wel degelijk iets aan! We hebben een kind! Ze kost geld!'

'Waar heb je de sleutel van mijn lade vandaan?'

'Ik had geen sleutel nodig.'

Toen keek hij mij aan. 'Heb jij die gegeven? Heb jij de sleutel gevonden en aan haar gegeven?'

'Nee,' zei ik. 'Ik weet niet eens waar die sleutel is.'

'Ik geloof je niet!' zei hij. 'Ik geloof je absoluut niet!'

'Welnee, ze heeft me de sleutel niet gegeven!' zei mijn moeder. 'Godsamme, ik heb een nagelvijl gebruikt.'

'Nee!' zei papa. 'Dat zijn prima sloten! Je kan geen nagelvijl hebben gebruikt.'

'Nou, dat heb ik wel gedaan. Dus laat dat kind met rust.'

'Het zou anders niet voor het eerst zijn dat ze heeft ingebroken, hoor.'

'Wat?' zei mijn moeder.

'Ze heeft bij de buren ingebroken samen met die zwarte jongen.'

Mijn moeder keek me aan. 'Waar heeft hij het over?'

'Papa,' zei ik tegen hem, 'ik heb haar de sleutel niet gegeven.'

'"Haar"?' zei mijn moeder. 'Wij zeggen niet "haar".'

'Ik heb mijn moeder de sleutel niet gegeven,' zei ik tegen papa.

'In welk huis heb je ingebroken?' vroeg mijn moeder.

'In dat van de familie Vuoso,' zei papa, en toen vertelde hij haar het hele verhaal, behalve het gedeelte waarin meneer Vuoso gedreigd had Bureau Jeugdzorg te bellen.

'Maar je mag helemaal niet omgaan met die jongen,' zei mijn moeder.

Ik zei niets.

'Ze doet gewoon wat ze wil,' zei papa. 'Ik kan haar niet aan.'

'Hoezo kun je haar niet aan? Daarom heb ik haar juist hierheen gestuurd.'

'Ik kan haar niet aan,' herhaalde papa. 'Punt uit. Zo is het. Ze is niet in de hand te houden.'

'Je bent een volwassen man!' zei mijn moeder.

Mijn vader zei niets en haalde alleen maar zijn schouders op.

'Nou, dan kan ze met mij mee terug en weer bij mij komen wonen,' zei mijn moeder.

'Nee,' zei ik. 'Ik moet het schooljaar afmaken.'

'Wat is dat nou steeds voor onzin met dat schooljaar?' zei ze.

Papa zuchtte. 'Laat haar nou wonen waar ze wil.'

'Ik wil hier wonen,' zei ik.

'Maar je haat je vader!' schreeuwde mijn moeder. 'Dat heb je me steeds over de telefoon gezegd.'

'Niet waar!' zei ik.

Ze draaide zich om naar mijn vader en zei: 'Ik kan het je net zo goed zeggen, maar ze heeft alleen maar over je zitten klagen toen ze hier net woonde.'

'Ik haat u niet,' zei ik tegen papa. 'Dat heb ik nooit gezegd.'

Hij keek me aan.

'Ze heeft last van selectief geheugenverlies,' zei mijn moeder.

Op dat moment dacht ik echt dat papa me eruit zou schoppen. Ik wist dat mijn moeder dat ook dacht. Maar hij deed het niet. Hij draaide zich naar haar om en zei: 'Je hebt inbreuk gemaakt op onze privacy.' Toen zei hij dat hij naar Thena ging en liep de deur uit. Mijn moeder ging naar haar kamer.

Ik had geen zin om met mijn moeder te praten. Ik was kwaad op haar omdat ze met die loonstrookjes voor de dag was gekomen, maar vooral omdat ze tegen papa had gelogen. Het was waar, ik haatte hem toen ik net naar Houston was verhuisd. Maar alleen in gedachten. Ik had het nooit hardop gezegd. En daarna was ik er anders over gaan denken. Het was niet zo dat ik nu echt van papa hield; ik kon me niet voorstellen dat ik ooit van hem zou houden of hem zelfs maar erg aardig zou gaan vinden. Het was iets totaal anders. Ik had geleerd dat papa het erg moeilijk vond om aardig te zijn, dus als hij het was dan zou het verkeerd zijn als ik dat niet probeerde te waarderen.

Ik wilde gewoon dat mijn moeder nou eens ophield met dat jaloers doen. Ik snapte best dat ze niet wilde dat Barry en ik elkaar aardig vonden, maar papa en ik? Hij was mijn eigen vader. Hij hóórde me juist aardig te vinden. Meestal vond hij me niet aardig maar vandaag, net toen het leek alsof hij me toch wel ietsepietsje aardig vond, toen hij zei dat ik mocht wonen waar ik wilde, moest zij het weer verpesten.

Ik wilde dat ik samen met papa bij Thena kon zijn. In plaats daarvan klopte ik op mijn moeders deur. 'Heb je zin om iets te gaan doen?' vroeg ik.

'Kom eens binnen,' zei ze.

Ik deed de deur open en zag dat ze haar koffer aan het pakken was. 'Waar ga je naartoe?' vroeg ik.

'Naar huis,' zei ze. 'Waar zou ik anders heen gaan?'

'Maar je vliegtuig gaat pas over twee dagen.'

'Ik ga het veranderen.'

Ik zei niets en keek alleen maar hoe ze haar kleren opvouwde.

'Je moet even een taxi voor me bellen. Denk je dat je dat kunt?'

'Natuurlijk.'

'Het gaat me een vermogen kosten,' zei ze, terwijl ze haar lichtblauwe trui-jurk in de koffer legde.

'Sorry,' zei ik.

'Dit is je laatste kans,' zei ze, 'als je met mij terug naar huis wilt.'

Ik probeerde iets anders te bedenken om te zeggen behalve dat ik het schooljaar moest afmaken, maar ik wist niets.

'Zal ik je eens wat zeggen?' zei ze. 'Laat maar zitten. Ik wil niet in één huis met iemand die niet bij mij wil wonen. Bel die klotetaxi nou maar.'

Ik ging naar de keuken en pakte het telefoonboek. In het goudengidsgedeelte zocht ik onder 'taxi'. Er stonden heel veel verschillende bedrijven dus koos ik er maar een die gespecialiseerd was in het vervoeren van mensen naar de luchthaven. Toen ik belde zette een man me een minuut in de wacht, toen kwam hij terug en vroeg: 'Wat is uw adres?' Dat gaf ik op en toen zei hij: 'Waar moet u heen?' en dat zei ik ook. 'Twintig minuten,' zei hij en toen hing hij op. Ik wilde dat ik mijn moeder kon vertellen wat ik net gedaan had, want ik had nog nooit voor iemand een taxi gebeld, maar ik wist dat het haar niet interesseerde. In plaats daarvan zei ik alleen dat het twintig minuten ging duren.

Ze bleef in haar kamer tot de taxi arriveerde en droeg haar koffer toen zelf naar buiten. De extra tassen waarin mijn cadeaus hadden gezeten waren van die nylon tassen geweest en ik vermoedde dat ze die had opgevouwen en in de ene koffer had opgeborgen. Ik probeerde te helpen en wilde haar handtas of aktetas pakken, maar ze zei: 'Laat maar, ik heb ze al.' Maar buiten liet ze zich wel uitgebreid helpen door de taxichauffeur.

Ik bleef op de stoep staan hoewel ik wist dat ze me geen knuffel of kus ging geven. Ze stapte gewoon in en sloeg het portier hard dicht. Het raampje stond een beetje open en ze draaide het niet dicht, maar draaide het ook niet verder open. Ze keek me ook niet aan. Ze staarde gewoon recht voor zich uit. Ik wist dat dat belangrijk voor haar was, dat ze me een rotgevoel probeerde te geven. Ik begreep dat en bleef op de stoep staan terwijl de taxi wegreed en zij zich niet omdraaide om nog even te zwaaien.

Toen ze uiteindelijk uit het zicht was ging ik weer naar binnen en paste mijn nieuwe kleren. Er zat een kakibroek bij en een rokje en een paar mooie shirtjes. Ik dacht er even over om papa te bellen en te zeggen dat mijn moeder was vertrokken, maar hij had me een keer gewaarschuwd dat ik Thena alleen maar in geval van nood mocht bellen. Toen rond etenstijd de telefoon ging dacht ik dat hij het misschien was, maar dat was niet zo.

'Jasira?' zei een vrouwenstem. Het was vreemd om mijn naam op die manier te horen uitspreken, met de *s* als een echte *s* in plaats van een *z*.

'Oui?' zei ik, haast zonder erbij na te denken.

'Bonne Noël, Jasira!' zei mijn oma.

'Merci,' zei ik.

'C'est votre grand-mère' zei ze.

'Oui,' zei ik, *'je sais.'*

Ze begon te lachen. *'Comment ça va?'*

'Je vais très bien.' Het was wel grappig om zinnen uit de dialogen in mijn *French in Action* leerboek te kunnen zeggen. Ik had dat soort gesprekjes wel geleerd maar niet gedacht dat ik ze ooit in de praktijk zou brengen.

'Bon, bon,' zei ze.

'Eh,' zei ik, *'mon père n'est pas ici maintenant.'*

'Ah non?' zei ze.

'Non.'

'Et ta mère?'

'Non,' zei ik weer. Toen raakte ik in de war en was er niet zeker van of mijn grootmoeder wist dat mijn moeder op bezoek was geweest of dat ze dacht dat mijn ouders nog steeds getrouwd waren. Ik begon me een beetje zorgen te maken en was bang dat ik de verkeerde dingen zou zegen.

'Mais, tu es seule à Noël?'

'Ze komen straks weer terug,' zei ik, en ik was te zenuwachtig om het in het Frans te zeggen.

'Eh?' zei mijn oma.

Ik dacht even na en zei toen: *'Vous pouvez téléphoner papa à...'* en toen las ik Thena's nummer van de lijst naast de telefoon. Ze schreef het op en zei toen dat ze niet begreep waarom papa met kerst niet thuis was. Ik loog en deed net alsof ik haar niet verstond. Ze herhaalde het nog een paar keer, maar ik bleef zeggen: *'Je ne comprends pas.'* Uiteindelijk gaf ze het op en zei ze dat ze papa zou bellen. Ze zei dat ze van me hield en ik zei hetzelfde tegen haar. Ik was er niet zeker van of ik het echt meende, maar ik was blij dat ik iemand had om mee te praten.

Nadat ze had opgehangen werd ik zenuwachtig. Een telefoontje van oma was geen noodgeval. Ik had haar nooit Thena's nummer moeten geven. Die nacht deed ik nauwelijks een oog dicht, bang voor wat papa met me ging doen. Maar toen hij de volgende middag thuiskwam, leek hij niet boos te zijn. Vooral niet toen hij zag dat mijn moeder was vertrokken. 'Die zijn we tenminste kwijt,' zei hij.

'Ze probeerde me nog één keer over te halen om met haar mee te gaan, maar ik zei nee.'

Hij knikte en bukte zich toen om zijn schoenveters los te maken.

'Heeft oma u gebeld?' vroeg ik.

'Ja,' zei hij.

'Sorry dat ik haar Thena's nummer heb gegeven.'

'Geeft niet,' zei hij, en hij ging rechtop staan. 'Ik weet dat ze een lastpak is.'

'Ik wist niet wat ik moest doen.'

'Het geeft niet,' zei hij nog eens.

Toen liep ik op hem af om hem te omhelzen. Ik kon het niet laten. Het kwam niet alleen door dat moment maar ook door de vorige dag, toen het leek alsof hij het een beetje voor me had opgenomen tegen mijn moeder. Maar toen ik mijn armen naar hem uitstak gaf hij me een klap in mijn gezicht. Ik viel achterover op de vloer van de ontbijthoek. 'Mensen die wij haten omhelzen wij niet,' zei hij, en toen ging hij naar zijn kamer en deed de deur dicht.

Toen ik de volgende ochtend wakker werd, had ik een blauw oog. Ik stond mezelf de hele tijd in de spiegel te bekijken. Ik vond het heel erg spannend. Op school had ik wel eens jongens met een blauw oog gezien, jongens die gevochten hadden. Iedereen kon aan hen zien wat hun overkomen was. Nu bedacht ik dat de mensen konden zien wat mij overkomen was.

Toen ik kwam ontbijten keek papa naar me maar zei niets. Halverwege het ontbijt zei hij echter: 'Het is maar dat je het weet, maar als iemand je zo ziet, dan kun je niet meer bij mij blijven wonen.'

Ik keek hem aan.

'Dan moet je bij je moeder gaan wonen,' zei hij.

Ik zei niets.

'Dus je mag het aan iedereen laten zien,' zei hij. 'Maar bereid je er dan op voor dat je weer bij je moeder gaat wonen.

De rest van de week bleef ik binnen. Toen de week daarop de school weer begon, meldde papa me ziek en haalde mijn huiswerk op als hij van zijn werk naar huis reed. Thomas belde op om te vragen waarom ik niet op school was, en ik zei dat ik griep had. 'Ik kom wel even langs,' zei hij.

'Nee,' zei ik. 'Dat gaat niet. Dan word je ziek.'

'Welnee. Ik word nooit ziek.'

'Je mag niet komen,' zei ik.

'Waarom niet?'

'Omdat je zwart bent,' zei ik.

'Haha.'

'Ik meen het,' zei ik. 'Mijn ouders willen niet dat ik met een zwarte jongen omga.'

Hij bleef heel even stil. 'Ik hoop echt dat je een geintje maakt.'

'Nee, ik maak geen geintje,' zei ik. 'Dat heb ik je net al gezegd.'

'Waarom zou je naar ze luisteren als ze zoiets zeggen?'

'Daarom. Het zijn mijn ouders.'

Daarna hing hij op zonder afscheid te nemen.

Ik voelde me afschuwelijk omdat ik hem de waarheid had moeten zeggen maar ik kon er niets aan doen. Ik was te bang dat papa boos zou worden. Ik wilde niet dat hij me zou terugsturen naar mijn moeder.

Er viel niet veel te doen nu ik aan huis was gekluisterd. Meestal keek ik naar CNN en zag hoe ze zich op de oorlog voorbereidden. Soms bekeek ik mijn blauwe oog in de spiegel en vond het jammer dat het alweer aan het genezen was. Het was het beste bewijs dat ik ooit had gehad van hoe papa eigenlijk was.

Aan het begin van de derde week kocht hij camouflagecrème voor me om de laatste sporen van de blauwe plek te bedekken. Ik ging terug naar school en probeerde in de kantine naast Thomas te gaan zitten, maar toen ik mijn blad op zijn tafel zette, pakte hij zijn blad op en liep weg.

Na school ging ik naar Melina om te kijken of ik wat in mijn boek kon lezen. 'Waar heb je gezeten?' zei ze. 'Ik heb wel een miljoen keer aangebeld.'

Dat was waar, maar ik had niet opengedaan. 'Ik was ziek,' zei ik.

'Wat had je?'

'Griep.'

'Hmm.'

'Mag ik in mijn boek lezen?' vroeg ik.

'Tuurlijk,' zei ze, en ze deed een stap opzij om me binnen te laten.

We gingen samen in de zitkamer zitten, Melina op de bank en ik op de grond. Zij las een boek over baby's en ik las over mijn lichaam. Toen ik bij het gedeelte kwam over het maagdenvlies en dat het pijn kon doen als iemand het verbrak, begon ik zomaar te huilen. Vooral bij het deel waarin stond dat als ik wilde dat het minder pijn deed, mijn partner zijn vinger naar binnen kon brengen en eerst kon proberen het zachtjes op te rekken. 'Wat is er?' vroeg Melina, en ze keek op van haar boek.

'Niks,' zei ik. Ik deed het boek dicht zodat ze niet kon zien op welke bladzijde ik zat.

'Is er iets?'

'Ik zat net aan mijn moeder te denken,' zei ik. 'Ik mis haar.'

'Hm-hm,' zei Melina alsof ze me niet geloofde. Ze pakte een papieren zakdoekje van het tafeltje naast haar en reikte me dat aan. Ik droogde mijn ogen een beetje en snoot mijn neus.

'Wat heb je daar?' vroeg ze.

'Wat?'

Ze tuurde naar de rechterkant van mijn gezicht. 'Dat lijkt wel een blauwe plek.'

'Waar dan?' zei ik, alsof ik het niet wist.

'Je hebt een blauw oog,' zei ze.

'Nee, nietwaar.'

'Jezus christus.'

'Dat is geen blauw oog,' zei ik tegen haar. 'Ik heb op school wat make-up uitgeprobeerd, en die heeft vlekken achtergelaten.'

Ze zei niets meer. Ze bleef me alleen strak aankijken.

'Bedankt dat je me dit boek hebt gegeven,' zei ik uiteindelijk. 'Ik vind het echt heel leuk.'

'Graag gedaan,' zei ze.

'Sorry dat ik niets voor jou had.'

'Dat geeft niet.'

Ik wist niet wat ik verder nog moest zeggen, dus ging ik maar weer lezen. Ik wist dat Melina niet verder ging met lezen, want ik hoorde haar de bladzijden niet omslaan. Ik hoorde alleen haar merkwaardige korte ademhaling; dat kwam door Dorrie, had ze me een keer uitgelegd, die tegen haar longen aan drukte.

ZEVEN

Op de dag dat de oorlog begon, had papa een prima humeur. 'Eindelijk!' zei hij die ochtend onder het ontbijt. Hij had de radio in de keuken aan en in de zitkamer stond CNN op, en hij kwam steeds van zijn stoel in de ontbijthoek als hij dacht dat er iets interessants op tv was te zien. 'Dit gaat niet lang duren,' zei hij. 'Over een paar dagen is Saddam dood.'

Op school waren alle kinderen behoorlijk opgewonden. Ze zeiden dat we die Jihad-gasten Koeweit uit zouden blazen. Ik probeerde tijdens de lunch weer naast Thomas te gaan zitten en deze keer liet hij het toe. 'Heb je het al gehoord over de oorlog?' vroeg ik hem.

'Ja, duh,' zei hij.

Ik pakte mijn vork en sneed een van mijn ravioli's doormidden. 'Papa zegt dat het over een paar dagen voorbij is.'

'Het kan me echt geen zak schelen wat jouw vader zegt.'

'Sorry,' zei ik.

De rest van de lunch zeiden we niets meer tegen elkaar maar ik was blij dat we in ieder geval weer bij elkaar konden zitten.

Een paar dagen later, toen Saddam scudraketten op Israël begon af te schieten, werd papa somber. Op CNN lieten ze al die Palestijnse mensen zien die er heel erg blij om waren, en papa zei dat er geen bal van klopte. 'Dat is een stelletje idioten!' schreeuwde hij. 'Ze laten alleen een stelletje idioten zien!' Hij werd nog kwader toen ze een video lieten zien waarop Yasser

Arafat Saddam omhelsde. 'Wat een verrader,' zei papa. 'Ik heb veel zin om je naam te veranderen.'

'Waarom?' zei ik.

'Waarom?' zei hij. 'Omdat je naar hem bent genoemd.'

'O,' zei ik. Dat had ik nooit geweten.

'Het was je moeders stomme idee. Ik wilde je Estelle noemen.'

'Dat is een mooie naam,' zei ik.

Papa knikte. 'Dat is Frans.'

'Kunnen we mijn naam nu nog veranderen?' vroeg ik.

Papa schudde zijn hoofd. Hij praatte tegen me en keek tegelijkertijd tv. 'Te laat.'

'Waarom?' zei ik.

Hij haalde zijn schouders op. 'Gewoon. De mensen onthouden niet dat ze je zo moeten noemen.'

Ik ging naar mijn kamer en pakte een vel papier. Ik schreef de naam Estelle keer op keer op en voelde me bedrogen. Het was leuk om op te schrijven. Het was Frans. Frans was normaler dan Arabisch.

Papa bleef maar tv-kijken en tegelijkertijd naar de radio luisteren. Op de zaterdag nadat de oorlog begonnen was, reden we naar de Kmart waar hij tv-tafeltjes voor in de zitkamer kocht. Je kon de tv ook vanaf de eetkamertafel zien, maar papa wilde dichterbij zitten zodat hij geen woord van de tekst op het scherm zou missen.

Ik at in de zitkamer samen met papa en keek ook naar het nieuws. Ik vond het soms een beetje saai, vooral als ze het over de verschillende typen vliegtuigen of verschillende soorten munitie hadden. Maar ik vond het wel leuk als Christiane Amanpour op tv kwam, omdat papa zei dat ze sexy was. Als hij dat zei dan had ik altijd zin om van de bank omhoog te springen en een dansje te doen. Het gaf me zo'n blij gevoel om hem waar ik bij was over volwassen zaken te horen praten.

Ik begon te denken dat ik eigenlijk wel journalist wilde worden. Die week werd er een vergadering voor de schoolkrant gehouden, en ik zei tegen papa dat ik erheen ging. 'Goed idee,' zei hij. 'De Arabische stem is ondervertegenwoordigd in de pers.'

Omdat de krant voor de onderbouw was bedoeld, kwam de *Lone Star Times* maar om de andere maand uit. Mijn leraar Engels, meneer Joffrey, gaf ons advies. Maar hij deed niet veel en zat alleen maar achter zijn bureau een broodje te eten en werk na te kijken. De hoofdredacteur was een jongen die Charles heette; hij had stug bruin haar en blauwe ogen. Toen de vergadering begon, ging hij voor het bord staan en vroeg aan verschillende mensen of ze hun artikel of recensie af hadden. Toen vroeg hij of de nieuwe mensen op de vergadering zich wilden voorstellen en zeggen wat voor soort werk ze graag wilden doen. Dat waren ik en nog een ander meisje, dat ik van Engels kende. Ze heette Denise en ze was knap en blond en een tikje mollig. Ze had een hoge stem en zei maffe dingen waardoor de andere kinderen in de klas volgens mij dachten dat ze dom was, maar als ik naar haar proefwerken en opstellen keek als die werden teruggegeven, had ze altijd een hoog cijfer.

Ik stak mijn hand op en Charles wees naar mij. 'Ik heet Jasira,' zei ik. 'Ik ben geïnteresseerd in oorlogsverslaggeving.'

Een paar kinderen begonnen te lachen, maar Charles niet. Hij zei: 'Wat voor soort oorlogsverslaggeving?'

'Nou ja,' zei ik, en ik probeerde iets te bedenken, want ik had er niet echt een antwoord op. 'Ik ben wel geïnteresseerd in reservisten en hoe het voelt om opgeroepen te worden.'

Charles dacht even na en zei toen: 'Oké, goeie invalshoek. Na de vergadering wil ik even met je praten.'

Denise stak daarna haar hand op en zei dat ze het wel leuk vond om boekrecensies te schrijven.

'We hebben al genoeg boekrecensenten,' zei Charles tegen haar.

'O,' zei ze. 'Eh, waar hebben jullie niet genoeg van?'

'We denken erover om een horoscooprubriek te beginnen. Zou je dat kunnen?'

'Ja hoor,' zei ze.

Na de vergadering bleven Denise en ik nog even om met Charles te praten. 'Wanneer kun je dat stuk over de reservisten klaar hebben, denk je?' vroeg hij me.

'Ik weet het niet,' zei ik. 'Over twee weken?'

'Als je het over anderhalve week af kunt hebben,' zei hij, 'kunnen we het nog in het maartnummer zetten.'

'Oké.'

'Hetzelfde geldt voor jouw horoscoop,' zei hij tegen Denise.

Ze knikte. 'Moet ik gewoon maar wat verzinnen?'

'Tuurlijk,' zei Charles. 'Maar zoek eerst even uit hoe het met die sterrenbeelden zit. Weet je wel, Maagden zijn altijd gespannen, dus dan schrijf je iets van dat ze zich misschien gestrest voelen maar dat er rond de veertiende iets gebeurt waardoor ze zich meer relaxed gaan voelen. Snap je wat ik bedoel?'

'Zo ongeveer,' zei Denise, en ze moest giechelen.

Toen we klaar waren met het gesprek liepen Denise en ik samen de school uit. Ik had er nooit aan gedacht om vriendin met haar te worden omdat ze zo'n raar stemmetje had en omdat iedereen haar altijd uitlachte. Bovendien was ik zelf ook al niet zo populair. Maar ik voelde me eigenlijk wel bij haar op mijn gemak. 'Waarom ben jij bij de schoolkrant gegaan?' vroeg ze.

Ik haalde mijn schouders op. 'Misschien wil ik later wel journalist worden.'

'O,' zei ze. Vlak daarop zei ze: 'Weet je waarom ik erbij ben gegaan?'

'Nee, waarom?' zei ik.

'Je mag het aan niemand vertellen,' zei ze.

'Dat zal ik niet doen.'

'Omdat ik verliefd ben op meneer Joffrey. Ik wil met hem vrijen.'

'Echt waar?' zei ik. Meneer Joffrey was kort van stuk en had kleine oogjes, en hij droeg zo'n brilletje met ronde glazen. Tijdens de vergadering had hij geen woord gezegd.

'Ik vind hem sexy,' zei Denise.

'Dat is me eigenlijk nooit echt opgevallen,' moest ik bekennen.

'Mooi,' zei ze, 'want ik wil geen concurrentie.'

We liepen naar buiten om daar op de late bus te wachten. Toen we de smalle straat wilden oversteken, zag ik niet dat er een auto aankwam en Denise greep mijn arm vast. 'Wacht!' gilde ze.

'Oei,' zei ik, en ik bleef staan.

'Oké, nou mag je,' zei ze toen de auto voorbij was. Ik merkte dat ze mijn arm nog een paar seconden langer vasthield, en dat gaf me het gevoel dat ik haar al heel lang kende.

Toen ik thuiskwam, was Zack buiten met zijn poesje. Hij had haar een tuigje omgedaan met een riem en liep met haar heen en weer over de stoep. Alleen kon ze niet echt lopen. Als hij aan de riem trok bleef ze staan of ging ze liggen.

'Kun je haar niet gewoon zonder riem laten rondlopen?' vroeg ik hem.

'Ik wil niet dat ze wegloopt,' zei hij.

'Dat doet ze heus niet,' zei ik. 'Ze is nog te klein.'

'Jij weet helemaal niets,' zei hij.

'Doe gewoon die riem af en laat haar loslopen, en als ze te ver gaat dan pak je haar weer.'

Hij dacht erover na en nam toen tot mijn verbazing mijn suggestie over. Het poesje begon nu eindelijk wat rond te lopen en overal aan te snuffelen. Ik wilde bijna zeggen: 'Zie je nou wel?' maar ik hield me in. In plaats daarvan vroeg ik: 'Is je vader al opgeroepen?'

'Nee,' zei Zack.

'O,' zei ik, 'want ik schrijf een artikel voor de schoolkrant over reservisten. Ik wil hem graag interviewen.'

Zack zei niets. Hij keek hoe het kopje van de poes snel heen en weer schoot om de bewegingen van een vogeltje te volgen.

'Denk je dat hij dat goed vindt?' vroeg ik.

'Misschien. Als hij het niet te druk heeft.'

'Te gek.'

Het poesje probeerde toen achter de vogel aan te gaan, maar Zack stapte op haar riem die daardoor even aan haar nek rukte.

‘Voorzichtig,’ zei ik. ‘Je doet haar nog pijn.’

‘Het is gewoon een stom idee,’ zei Zack, en hij pakte de riem weer op. Het poesje viel tegenspartelend in het gras en hij moest haar meetrekken.

Binnen ging ik aan de tafel in de eetkamer naar de oorlog op tv zitten kijken en stelde een lijst met vragen voor meneer Vuoso op.

Bent u bang om gedood te worden?
Denkt u dat u een Irakees zult doden?
Wat voor dingen neemt u allemaal mee van huis?
Komt uw vrouw u bezoeken?
Mag u pakjes ontvangen?
Denkt u dat het in deze oorlog om de olie gaat?

Terwijl ik bezig was kwam Christiane Amanpour op CNN, en ik bedacht dat het wel leuk zou zijn om net zo’n zandkleurig jack te hebben als zij, met al die zakken.

Toen papa thuiskwam en ik hem over de vergadering voor de schoolkrant vertelde, zei hij dat het goed klonk. Toen vertelde ik hem over mijn artikel over reservisten en werd hij kwaad. ‘Hoezo, daarmee geef je het Arabische standpunt toch niet weer?’ vroeg hij. ‘Je woont hier nota bene met een Arabier en dan wil je die klootzak van hiernaast interviewen? Wat is dat nou voor stom idee?’

‘Maar als meneer Vuoso nou wordt opgeroepen?’ zei ik. ‘Dan kan ik hem niet meer interviewen. Daarom wil ik het doen nu hij hier nog is.’

‘Je moet maar doen wat je wilt,’ mompelde mijn vader, en hij liep naar de koelkast en pakte een biertje.

‘Ik kan u daarna interviewen,’ zei ik.

‘Het Arabische perspectief,’ zei hij terwijl hij zijn flesje Heineken openmaakte. ‘Dat ontbreekt in het nieuws. Je had een ander geluid kunnen laten horen, maar in plaats daarvan kies je de gemakkelijkste weg.’

Die avond, terwijl we de tafel afruimden, ging de telefoon. Papa nam op. 'Het is voor jou,' zei hij, en ik liep naar de telefoon. Aan papa's boze gezicht te zien dacht ik dat het mijn moeder was, maar dat was niet zo. 'Jasira?' zei een mannenstem.

'Ja?'

'Met Vuoso.' Toen ik niets zei, voegde hij eraan toe: 'Je buurman.'

'Ja,' zei ik. 'Dat weet ik.' Ik durfde niet te praten omdat papa vlak naast me stond en me strak aankeek.

'Hoe gaat het?' vroeg hij.

'Goed, dank u.'

'Mooi,' zei hij. 'Ik maakte me een beetje ongerust. Ik heb je al een tijdje niet meer gezien.'

'Ik ben ziek geweest,' zei ik.

'Wat had je?'

'Griep.'

'O.'

'Ik ben nu beter,' zei ik tegen hem.

'Zeg,' zei hij, 'Zack zei dat je me wilde interviewen voor je schoolkrant, of zo?'

'Ja,' zei ik. 'Ik wilde een artikel over reservisten schrijven.'

'O, nou, dat is goed. Wanneer wilde je dat doen?'

'Ik weet het niet,' zei ik.

'Wat dacht je van zaterdag?' zei hij. 'Zack en zijn moeder gaan dan naar de dierenarts met het poesje. Dan zou je kunnen komen.'

'Oké,' zei ik.

'Zullen we rond de middag afspreken?'

'Goed.'

'Hopelijk word ik niet eerder opgeroepen,' zei hij, en hij lachte even.

'Dat hoop ik ook niet.'

'Wat hoop je?' vroeg papa zodra ik had opgehangen. Hij keek me strak aan.

'Dat meneer Vuoso niet wordt opgeroepen voordat ik het

interview heb gehouden,' zei ik. Ik liep om hem heen zodat ik weer bij de gootsteen kon.

'Je moet oppassen met de vragen die je hem gaat stellen,' zei papa.

'Ik ga hem alleen maar vragen stellen over hoe het is om reservist te zijn. Dat is alles.'

'Die vent vindt zichzelf een echt rechtschapen burger,' zei papa.

Ik wist niet wat een rechtschapen burger was, maar ik had geen zin om het te vragen.

De volgende dag op school vroeg Denise of ik zin had om dat weekend naar haar toe te komen om onze artikelen uit te werken. 'Ik kan niet,' zei ik, en ik legde uit dat ik die zaterdagmiddag meneer Vuoso ging interviewen.

'O, nou, dan kan ik naar jou toe komen,' zei ze. 'Na het interview. Dan kunnen we bij elkaar blijven slapen. Lijkt je dat leuk?'

'Eh,' zei ik, 'nou, dat moet ik eerst vragen.'

'Oké,' zei ze, en toen schreef ze haar telefoonnummer op en zei dat ik haar die avond moest bellen.

In de kantine ging ik tussen de middag weer bij Thomas zitten. 'Wat moet je?' zei hij en hij keek me aan toen ik mijn stoel naar achteren trok.

'Niks,' zei ik.

'Waarom zit je hier als je dat niet mag?'

'Mijn ouders weten niet wat ik op school doe.'

'Wauw,' zei Thomas. 'Dapper hoor. Ik bedoel tegen je ouders ingaan als ze je toch niet kunnen betrappen. Daar heb ik echt bewondering voor.' Hij stak zijn rietje in zijn melkpakje en nam een flinke slok.

'Ik kan ook ergens anders gaan zitten,' zei ik.

Thomas zette zijn melk neer. Hij gaf geen antwoord.

'Moet ik weg?' vroeg ik.

'Krijg de tering,' zei hij.

'Je moet niet zo tegen me schelden.'

'Hou je kop.'

Ik besloot te blijven zitten. Ik wist dat als mensen soms boos op je werden, je het over je heen moest laten komen. Net als toen mijn moeder me die taxi liet bellen om haar naar de luchthaven te brengen. Na afloop van de lunch, hoopte ik dat Thomas zich een beetje beter voelde omdat hij me had doodgezwegen.

Die avond vroeg ik onder het eten aan papa of er die zaterdag een klasgenoot mocht komen slapen.

'Wat voor klasgenoot?' zei papa. Hij zat in zijn leunstoel te eten met zijn tv-tafeltje voor zich. Hij had een paar biefstukken voor ons gegrild en een salade gemaakt. Mijn bord was bezaaid met brokjes grijzig kraakbeen dat ik niet fijn had kunnen kauwen, maar op papa's bord lag helemaal niets. Ik kon niet zeggen of hij beter kon kauwen dan ik of dat hij een betere biefstuk had gehad.

'Een meisje van de schoolkrant,' zei ik. 'Een blank meisje.'

'Doe toch niet zo stom,' zei papa. 'Het kan me niet schelen wat voor kleur ze heeft als het een meisje is. Waag het niet mij voor racist uit te maken terwijl ik alleen maar het beste met je voorheb.'

Het prettige van de tv-tafeltjes was dat ik op de bank zat en papa in zijn stoel, zodat we te ver van elkaar vandaan zaten en hij zich niet voorover kon buigen om me een klap te geven, wat hij misschien wel zou hebben gedaan als we aan tafel hadden gezeten.

'Je mag zoveel vriendinnen hebben als je wilt,' zei hij. 'Ik ben geen racist.'

'Oké,' zei ik. 'Sorry.'

De rest van de avond keken we naar het nieuws. Papa maakte zich steeds kwader over de scuds. Saddam bleef ze maar op de Israëli's afschieten en dat maakte de Palestijnen erg blij, en ze bleven maar blije Palestijnen op de televisie tonen. 'Dit is niet het Arabische perspectief!' schreeuwde papa.

Iedere dag hoopte hij dat de Amerikanen Saddam zouden vermoorden. Hij zei dat er dan geen scuds meer zouden worden afgeschoten en dan hadden de Palestijnen niets meer om blij over te zijn. Het begon er steeds meer op te lijken dat dat het enige was wat hij wilde van deze oorlog. Hij smeet zijn pistachedoppen naar de televisie als de dansende Palestijnen weer verschenen. Hij schreeuwde: 'Dit is niet het echte nieuws! Iedereen weet dat ze de Joden haten! Kom eens met het echte nieuws op de proppen!'

Ik snapte eigenlijk niet veel van de Palestijnen en de Joden. Ik wist dat de Joden de Holocaust hadden gehad, maar ik wist eigenlijk niet wat de Palestijnen hadden gehad. Toen ik het aan papa vroeg, zei hij: 'Nou, als je me zou interviewen, dan zou ik het je vertellen. Het is je eigen schuld dat je me niet interviewt.'

Op zaterdagochtend zei papa dat we boodschappen gingen doen zodat ik wat lekkere dingen voor mij en Denise kon uitzoeken. Op weg naar de winkel luisterde hij naar het oorlogsnieuws en steeds als ze iets zeiden wat hem kwaad maakte – bijvoorbeeld dat de Israëli's aan de oorlog mee wilden doen – zette hij de radio uit. Maar een minuut later zette hij hem dan weer aan. Waar hij ook een hekel aan had was als ze het over de Powell-doctrine hadden, die inhield dat we Saddam niet moesten vermoorden maar dat we de Irakezen alleen uit Koeweit moesten wegjagen en dan weer naar huis moesten gaan. 'Colin Powell,' zei papa, en hij zette de radio voor de tweede keer uit, 'is de allergrootste achterlijkste idioot die ooit op deze aardbol heeft rondgelopen. Hij gaat alles verpesten. Hij doet alles verkeerd.'

'Misschien kunt u de president een brief schrijven en hem dat zeggen,' zei ik.

'Nou,' zei papa, 'ik heb al een brief aan de president geschreven.'

'Hebt u een brief geschreven?'

Hij knikte.

'Wat hebt u geschreven?'

'Ben je me nou aan het interviewen?' zei hij. 'Ik dacht dat je de reservist ging interviewen.'

'Dat ga ik ook doen,' zei ik.
'Nou,' zei papa, 'als je ooit mocht besluiten om mij te interviewen, dan vertel ik je wat ik de president heb geschreven.'
Ik zei niets. Ik wilde dat hij hiermee ophield.
'Niet gaan zitten mokken,' zei hij.
'Dat doe ik ook niet.'
Voor Denise en mij koos ik cola, Dorito's, appelflappen, ijs, repen chocolade, Bugles, en macaroni met kaas. Papa zei dat we misselijk zouden worden, maar ik mocht het allemaal kopen. Toen we thuis de boodschappen aan het uitpakken waren, belde mijn moeder.
'Hallo, Gail,' zei papa. 'Wat is er?' Hij zweeg even terwijl zij aan het woord was en zei toen: 'Wil je soms met Jasira praten? Ze staat hier naast me. Zelf heb ik niet zoveel zin om met je te praten.'
Hij gaf me de telefoon en toen ik hem tegen mijn oor hield, hoorde ik haar nog steeds tegen papa praten. 'Ik ben het,' zei ik.
Ze bleef even stil en zei toen: 'Wat een klootzak is het toch.'
'Hoi, mam,' zei ik, en ik probeerde aardig te klinken.
'Hoi.'
'Heb je een goede terugreis gehad?'
'Ja, prima.'
Ze vroeg me niets over mezelf, dus zei ik maar: 'Ik zit nu bij de schoolkrant.'
'O ja?'
'Ik ga meneer Vuoso vandaag interviewen over hoe het is om reservist te zijn.'
'Die vent aan wie papa zo'n pesthekel heeft?'
'Eh, ja.'
Ze moest even lachen. 'Goed zo.'
'Misschien word ik later wel journalist,' zei ik tegen haar.
'O,' zei ze, 'nou, dat kan een heel nobel beroep zijn.'
'Ik stuur je wel een kopie van mijn artikel als het uitkomt.'
'Bedankt,' zei ze.
'Graag gedaan.'

'Ik heb een nieuwe vriend,' zei ze.

'Echt waar?'

'Hij heet Richard en hij is de decaan bij ons op school.'

'O,' zei ik.

'Hij kan heel goed met kinderen overweg. Op een goede manier.'

Een paar minuten later hingen we op en ging ik naar de zitkamer om tegen papa te zeggen dat ik nu naar meneer Vuoso ging. 'Doe maar wat je wilt,' zei hij.

Charles had me een bandrecorder van school geleend en die nam ik mee, samen met mijn vragenlijst. Hij had me ook een fototoestel van de audiovisuele afdeling geleend. Hij zei dat ik moest proberen een foto van meneer Vuoso in uniform te nemen, het liefst voor een vlag.

Op het moment dat ik naar het huis van de familie Vuoso liep, kwam Melina net naar buiten om de post te halen. Ze droeg een groene operatiebroek, teenslippers en een rood sweatshirt met een capuchon, dat strak om haar buik zat. 'Hai,' zei ze. Melina zei altijd *hai* in plaats van *hoi*.

'Hai,' zei ik terug en ik wenste dat ik net als zij een Texaanse was. Ik wilde net het paadje voor hun huis inslaan toen ze zei: 'O, ik geloof niet dat ze thuis zijn. Een paar minuten geleden zag ik hun busje wegrijden.'

'Dat waren waarschijnlijk mevrouw Vuoso en Zack,' zei ik. 'Ze gaan met zijn poesje naar de dierenarts.'

Ze trok haar wenkbrauwen op. 'O, ja?'

Ik knikte. 'Meneer Vuoso is nog thuis. Ik ga hem interviewen voor mijn schoolkrant. Over hoe het is om reservist te zijn.'

'Ga je hem helemaal alleen interviewen?'

'Eh, ja,' zei ik. Ik schudde even met mijn schoudertas en zei: 'Ik heb een bandrecorder.'

'Weet je vader ervan?' vroeg Melina.

'Ja.'

'Dus hij weet dat je naar de familie Vuoso gaat en dat Zack en zijn moeder niet thuis zijn?'

‘Dan komt het meneer Vuoso het beste uit om het interview te doen,’ zei ik. ‘Als het rustig is.’

‘Heeft hij dat tegen je gezegd?’ zei Melina.

Ik knikte hoewel ik me niet meer precies kon herinneren hoe het gesprek was gegaan. Zelfs als hij het niet had gezegd, dan was ik er bijna zeker van dat hij het wel zo bedoeld had.

‘Dus je vader weet het niet?’ zei Melina.

‘Hij weet dat ik meneer Vuoso ga interviewen,’ zei ik. ‘Waar maak je je nou druk over?’

‘Jasira,’ zei Melina, ‘meneer Vuoso is een volwassen man. Een volwassen man hoort niet alleen thuis te zijn met een dertienjarig meisje. Begrijp je dat?’

‘Het is gewoon een interview,’ zei ik. ‘Jezus.’

‘Een volwassen man, een viezerik die de *Playboy* leest.’

Ik zei niets.

‘Kun je hem niet gewoon via de telefoon interviewen?’ vroeg ze.

‘Nee,’ zei ik. Ik stond op het punt haar te vertellen dat ik ook een foto van hem nodig had, maar ik hield mijn mond. Ergens voelde ik aan dat als Melina wist dat ik ook nog een fototoestel in mijn tas had zitten, ze me absoluut niet verder zou laten gaan. In plaats daarvan zei ik alleen: ‘De bandrecorder werkt niet via de telefoon.’

Melina zuchtte. ‘Ik raak helemaal over mijn toeren van je.’

‘Hoezo?’ zei ik.

‘Omdat ik denk dat je tegen me liegt, daarom.’

‘Ik lieg niet.’

‘Als jou iets zou overkomen, zou ik het mezelf nooit vergeven.’

‘Er overkomt me helemaal niets,’ zei ik, hoewel dat allang was gebeurd.

Ik voelde Melina’s ogen in mijn rug toen ik me omdraaide en naar het stoepje van het huis van de familie Vuoso liep. Ik klopte aan en meneer Vuoso leek blij om me te zien toen hij de deur opendeed. Maar toen zag hij Melina achter mij op het trottoir staan en keek hij niet meer zo blij. 'Wat wil ze?' vroeg hij.

'Ik weet het niet,' zei ik, en ik draaide me om en keek naar haar.

'Hai, Travis,' riep Melina. 'Veel succes met het interview.'

'Dank je,' riep hij terug. Toen keek hij mij aan en zei: 'Kom nou maar binnen. Ik word nerveus van haar.'

Hij deed de deur achter me dicht en we stonden tegenover elkaar. Ik had altijd zin om mijn handen op meneer Vuoso's biceps te leggen zodat hij me kon optillen door eenvoudigweg zijn armen omhoog te brengen. Ik had hem dat een paar keer met Zack zien doen, alsof zijn zoon een soort halter was. Maar ik raakte zijn armen niet aan. Ik raakte hem nergens aan en hij raakte mij ook niet aan. Hij nam alleen heel lang de tijd om mijn lijf van top tot teen te bekijken.

Uiteindelijk zei hij: 'Wil je iets drinken? Of eten? Heb je honger?'

'Nee, dank u,' zei ik.

'Wat is je vader aan het doen?' vroeg hij.

'Die kijkt naar de oorlog.'

'Weet hij dat je hier bent?'

Ik knikte. 'Hij is jaloers. Hij vindt dat ik hem moet interviewen in plaats van u.'

Meneer Vuoso moest een beetje lachen. 'O, ja? Waarom dan?'

'Om het Arabische perspectief te laten horen.'

'Het Arabische perspectief?' zei meneer Vuoso. Hij schudde zijn hoofd. 'Dat is nou verdomme juist het probleem.'

'Waarom?' vroeg ik.

'Breek me de bek niet open,' zei hij.

'Waarom niet?'

'Ik dacht dat je wilde weten hoe het is om reservist te zijn.'

'Dat is ook zo.'

'Laten we daar dan over praten.'

'Oké,' zei ik, en ik ging aan de ene kant van de bank zitten.

'Wat zit daarin?' vroeg meneer Vuoso, en hij wees op mijn tas.

Ik haalde de bandrecorder, de microfoon en het fototoestel

eruit, en zette die allemaal op de smalle rechthoekige salontafel.

'Zo, zo,' zei hij, 'de attributen.'

'Ik wil straks nog een foto van u maken in uniform.'

'Geen probleem,' zei hij.

'Heeft u een stopcontact voor de bandrecorder?'

'Ja.' Hij liep naar me toe en pakte de adapter van me aan, ging op handen en knieën zitten en dook met zijn hoofd onder het bijzettafeltje naast me. Daarbij schuurde de zijkant van zijn lichaam langs mijn been. Voordat ik kon besluiten of ik wel of niet opzij zou gaan, trok hij zijn hoofd alweer terug. 'Eens kijken of dat werkt,' zei hij, en hij bleef op zijn knieën zitten.

Ik drukte tegelijkertijd op play en record en zei toen: 'Test een-twee-drie,' net zoals Charles op school had gedaan. Toen spoelde ik de band terug en speelde mijn eigen stem af.

'Klinkt goed,' zei meneer Vuoso terwijl hij opstond.

Ik knikte.

'Waar moet ik gaan zitten?' vroeg hij.

'Het snoer van de microfoon is niet zo heel lang.'

Hij knikte en kwam toen dicht naast me zitten op de bank.

'Zo kort is het nu ook weer niet.'

Hij schoof een stukje op.

Ik haalde mijn lijst met vragen tevoorschijn en bekeek ze nog een keer. Meneer Vuoso probeerde over mijn schouder mee te kijken en ik zei: 'Niet kijken, alstublieft.'

'Sorry,' zei hij, en hij leunde achterover.

'Bent u klaar?' vroeg ik hem.

'Ja.'

Ik leunde voorover en startte de bandrecorder. 'Bent u bang om de oorlog in te gaan?' vroeg ik, duidelijk in de microfoon sprekend. Toen hield ik hem voor meneer Vuoso's gezicht en wachtte op zijn antwoord.

Na een seconde zei hij: 'Nee, ik ben niet bang.'

Ik nam de microfoon terug en vroeg: 'Waarom niet?' en hield hem toen weer voor zijn gezicht.

'Omdat,' zei hij, 'ik niet in een gevechtseenheid zit.'

'Wat moet u dan doen?'

'Nou ja,' zei hij, 'meer humanitaire taken. Voedsel uitdelen en van die dingen.'

'Hoe zit het met het gas?' vroeg ik.

'Hoezo?'

'Saddam zegt dat hij alle troepen gaat vergassen.'

Meneer Vuoso haalde zijn schouders op. 'Dan gebruik ik mijn gasmasker.'

'En als dat nou niet werkt?'

'Dat werkt wel.'

'Papa zegt van niet,' zei ik tegen hem. 'Hij zegt dat het gas te krachtig is.'

'Ach,' zei hij, 'zo'n opmerking had ik eigenlijk wel verwacht van iemand die dol is op Saddam.'

'Papa is niet dol op Saddam.'

'Ook goed.'

'Als u zegt dat dat wel zo is,' zei ik, 'dan doet u een aanname over hem die gebaseerd is op zijn nationaliteit. Dat is racistisch. Net als toen u ons achterlijke theedoeken noemde.'

Meneer Vuoso leunde voorover en drukte op de stop-toets. 'Hoor eens,' zei hij, 'ik wist niet dat je me dit soort vragen ging stellen. Daarmee maak ik een slechte indruk.'

'Dat mag u niet doen,' zei ik, en ik boog me voorover en drukte weer op play en record.

Meneer Vuoso zat daar maar.

'Papa vindt Saddam niet aardig,' zei ik in de microfoon.

Ik hield hem voor meneer Vuoso's gezicht en hij zei: 'Best. Hij vindt Saddam niet aardig.'

'Hij wil waarschijnlijk nog liever dan u dat Saddam gedood wordt.'

'Best,' zei meneer Vuoso weer.

Ik wist eigenlijk niet zo goed waarom ik papa zo vurig verdedigde. Maar ik vond het vooral leuk om zo bazig te doen tegen meneer Vuoso omdat hij toch niets terug kon doen. 'Bent u klaar voor mijn volgende vraag?' vroeg ik.

Meneer Vuoso knikte. 'Ja. Ga je gang.'

'Oké,' zei ik. 'Waarom neemt u condooms mee in uw plunjezak als u getrouwd bent?'

Meneer Vuoso griste de microfoon uit mijn handen. Hij leunde voorover en drukte op de stop-toets. 'Hoe weet je dat, verdomme?'

'Ik heb in uw plunjezak gekeken.'

'Wie zei dat je dat mocht doen? In mijn spullen snuffelen?'

Ik gaf geen antwoord.

'Jezus,' zei hij. Hij leunde achterover op de bank en wreef met zijn handen over zijn gezicht.

'Waarom heeft u die ingepakt?' vroeg ik, hoewel de bandrecorder uit stond.

'Waarom denk je dat ik ze heb ingepakt?'

Ik keek hem aan. Hij had de microfoon nog steeds vast.

'Moet je eens horen,' zei hij, 'óf je stelt me fatsoenlijke vragen, óf we laten het zitten.'

'Oké,' zei ik. Ik nam de microfoon terug en startte de bandrecorder weer. Vanaf dat moment stelde ik hem alleen nog fatsoenlijke vragen, over hoe het was om je iedere dag af te moeten vragen of je zou worden opgeroepen, over wie de fotokopieerwinkel zou beheren als hij werd opgeroepen, over wie zijn vlag zou hijsen en strijken. Toen ik geen vragen meer had, zette ik de bandrecorder uit. 'Moet ik nu mijn uniform gaan aantrekken?' vroeg meneer Vuoso.

'Goed,' zei ik.

Hij zweeg even en zei toen: 'Wil je soms meekomen?'

'Waarom?'

'Ik weet niet,' zei hij. 'Laat maar zitten.' Hij stond op en liep naar boven.

In gedachten zag ik hem in zijn kamer staan en zich uitkleden. Ik vroeg me af wat we zouden hebben gedaan als ik met hem naar boven was gegaan; of we zijn condooms zouden hebben gebruikt nog voor hij naar Irak was vertrokken. In films had ik gezien dat voordat mannen de oorlog ingingen, de vrouwen die zij leuk vonden seks met hen hoorden te hebben. Dat hoorde je te doen omdat de mannen misschien nooit meer terug zouden komen, en het was prettig voor hen om eraan terug te denken voordat ze gedood werden. Aan de andere kant had meneer Vuoso zelf gezegd dat hij niet in een gevechtseenheid zat.

Ik trok de stekker van de bandrecorder uit het stopcontact en deed hem in de tas, en daarna pakte ik het fototoestel. Het was een 35 mm-camera, en daar had ik nooit eerder mee gewerkt. Er zat een belichtingsmeter in en als je een rood knipperlichtje zag, moest je de flitser gebruiken.

Terwijl ik bezig was de film erin te doen kwam meneer Vuoso naar beneden, piekfijn gekleed in zijn groene uniform. Hetzelfde dat ik in de kast in de logeerkamer boven de *Playboys* had zien hangen. 'Hoe zie ik eruit?' zei hij.

'Schitterend,' zei ik, en ik klikte het klepje van de camera dicht.

'Schitterend,' zei hij. 'Wauw.' Hij lachte even.

'Bent u klaar om naar buiten te gaan?'

Hij knikte. 'Kom.'

Toen we naar buiten liepen het stoepje op, zat Melina op het grasveld voor meneer Vuoso's huis, met haar benen voor zich uitgestrekt en bij de enkels gekruist. Ze was iets opgeschoven van waar we haar het laatst gezien hadden op het trottoir. 'Hai,' zei ze. 'Hoe ging het interview?'

'O,' zei ik, want ik was een beetje verrast haar daar te zien. 'Goed.'

Meneer Vuoso zei niets, hij keek haar alleen even aan en liep toen naar de vlag. Die stond op het andere stuk grasveld, tegenover de plek waar Melina zat.

'Nu moet ik een foto van meneer Vuoso nemen,' zei ik.

'O, ik snap het,' zei Melina.

'Hier, Jasira?' vroeg meneer Vuoso. Hij was recht voor de vlaggenstok gaan staan.

'Ja,' zei ik. 'Dat ziet er goed uit.'

'Mooie camera,' zei Melina.

'Die mocht ik van school lenen.'

Ze knikte. 'Cool.'

Ik ging op straat staan, vlak voor het trottoir, zodat ik ver genoeg stond om zowel de vlag als meneer Vuoso erop te krijgen. 'Ik tel tot drie,' zei ik en ik begon te tellen, en meneer Vuoso zag er bij één precies hetzelfde uit als bij drie: de armen kaarsrecht langs zijn zij, de mond strak, de benen naast elkaar. Ik nam nog een paar foto's en liep toen het grasveld weer op en zei: 'Oké, ik ben klaar.'

Toen ontspande meneer Vuoso zich een beetje en ik wilde dat ik op dat moment een foto had genomen. 'Bedankt,' zei hij, en hij maakte aanstalten om naar binnen te gaan.

'Tot ziens, Travis,' zei Melina. Ze zat nog steeds op zijn grasveld.

Meneer Vuoso bleef staan en keek op haar neer. 'Kan ik soms iets voor je doen?'

'Ik zit op Jasira te wachten,' zei Melina.

'Ik kom zo,' zei ik tegen haar. 'Ik moet mijn bandrecorder nog even pakken.'

'Doe maar rustig aan,' zei ze. 'Ik kan toch niet omhoog komen zonder jouw hulp.'

Meneer Vuoso liep naar de voordeur en ik kwam achter hem aan. Toen we binnen waren, draaide hij zich boos naar me om. 'Wat heeft dat mens?' zei hij. 'Heb je haar soms iets verteld?'

'Nee.'

'Waarom zit ze me verdomme dan zo op mijn nek?'

'Ik weet het niet.'

'Als je haar maar niks verteld hebt!'

'U moet niet zo tegen me schreeuwen.'

Hij zweeg.

'Ik heb haar niets verteld,' zei ik. 'Ik heb het aan niemand verteld. Dat had ik wel kunnen doen, maar ik heb het niet gedaan. U moet niet tegen me schreeuwen.'

Hij zuchtte en wreef over zijn voorhoofd. 'Oké,' zei hij. 'Sorry.'

'Ik ga naar huis,' zei ik, en ik stopte de camera terug in mijn tas.

'Die trut heeft het helemaal verpest.'

'Ze is geen trut,' zei ik.

'Dat is ze wel.'

'Ik vind haar aardig. Ze is mijn vriendin.'

'Ik krijg nauwelijks de kans eens met jou alleen te zijn,' zei hij. 'En als ik dan een kans krijg, moet zij het weer verpesten.'

Ik keek hem aan. 'Waarom wilt u met mij alleen zijn?'

'Jezus,' zei hij. 'Ik weet het niet.'

'Zodat u me weer pijn kunt doen?'

'Nee. Natuurlijk niet.'

Toen kreeg ik dat prettige gevoel weer. Het gevoel dat hij heel goed wist hoe verkeerd hij was geweest. Het maakte dat ik aardig voor hem wilde zijn en ik zei: 'Papa gaat in maart naar Cape Canaveral.'

'O ja?'

Ik knikte.

'Ga jij dan op jezelf passen?' vroeg hij.

'Ik denk het.'

'Nou,' zei hij, 'tegen die tijd ben je al groot genoeg.'

'Ik ben nu al groot.'

Hij zei niets.

'Herinnert u zich dat nog?' vroeg ik.

'Ja,' zei hij zachtjes. 'Ja, dat herinner ik me maar al te goed.'

'Ik moet gaan,' zei ik, en ik pakte mijn tas op. 'Bedankt voor het interview.'

We keken elkaar heel lang aan. Het leek net een wedstrijdje staren tot de ander de ogen neerslaat. Uiteindelijk nam hij zijn baret af en hield hem in zijn hand. 'Ik hoop dat ik niet voor maart word opgeroepen,' zei hij.

'Dat hoop ik ook niet,' zei ik, en ik draaide me om en liep weg.

Melina zat op het grasveld voor het huis op me te wachten, zoals ik al had gedacht. 'Zie je nou wel?' zei ik. 'Ik zei toch dat ik zo terug was?'

'Help me eens overeind,' zei ze, en ik zette mijn tas op het gras zodat ik haar beide handen kon vastpakken. Toen ik haar overeind trok, ontstond er heel even een moment waarop het voelde alsof zij me weer naar beneden trok, maar in plaats daarvan bleven we zo'n beetje hangen, als een wip in evenwicht. Ik zette wat meer kracht, of misschien deed zij dat wel, en toen kwam ze helemaal overeind. 'Dankjewel,' zei ze, en ze klopte het stof van haar achterste.

'Graag gedaan.'

'Ik heb daar heel lang gezeten,' zei ze.

'Zo lang heeft het niet geduurd.'

'Maar het voelde wel zo.'

'Nou,' zei ik, 'ik moet eens gaan. Ik krijg iemand op bezoek.'

'Thomas?' vroeg ze.

'Nee,' zei ik. 'Denise.'

'Leuk,' zei ze. 'Een meisje.'

'Oké,' zei ik, 'tot ziens,' en ik draaide me om en liep naar huis.

'Wat voor lulverhalen heeft hij allemaal verteld?' wilde papa weten zodra ik binnenkwam. Hij zat in zijn stoel met zijn tv-tafeltje voor zich en wat nootjes.

'Ik weet het niet,' zei ik. 'Ik stelde hem gewoon de vragen en hij gaf antwoord.'

'Geef me die band eens,' zei papa. 'Ik wil hem afluisteren.'

'Wat?'

'Ik wil weten wat voor lulpraatjes hij je allemaal heeft verkocht.'

'Nee,' zei ik, 'dat mag u niet.'

'Hoe bedoel je, dat mag ik niet?'

'Dat mag niet,' zei ik. 'Het is privé.'

'Privé?' zei hij. 'Van jou is er niks privé.'

'Het is vertrouwelijk,' zei ik. 'Dat bedoel ik. Omdat ik journalist ben.'

Papa begon te lachen. 'Jij bent geen journalist. Je bent een kind. Nou, geef me die band.'

Ik keek naar mijn tas. Ik kon me niet indenken dat ik die

band voor hem zou afspelen. Het kwam niet alleen door de woorden die ik hem niet durfde te laten horen, maar ook door de manier waarop ik tegen meneer Vuoso had gesproken. Alsof ik de baas was.

'Geef eens,' zei papa, en hij schoof de nootjes op zijn tafeltje opzij. 'Hier is een stopcontact.'

Toen ik geen aanstalten maakte, schoof hij het tafeltje opzij en wilde opstaan. Ik deed een stap achteruit en op dat moment ging de deurbel.

'Ik doe wel open,' zei ik, en ik nam de tas met me mee naar de deur.

Het was Denise. 'Hoi,' zei ze. 'Hopelijk vind je het niet erg dat ik wat vroeger ben. Mijn moeder moest een paar boodschappen doen, dus ze heeft me hier afgezet.'

'Nee hoor,' zei ik, 'dat is goed.' Ze stond daar op de stoep met een kleine plunjezak. Ik vond het mooi dat ze altijd make-up op had: blusher, lippenstift en crèmekleurige oogschaduw. Als ze eyeliner aanbracht, liet ze altijd een piepklein beetje ruimte tussen het blauwe potlood en het randje van haar ooglid. Het leek alsof ze dat met opzet deed, hoewel ik geen flauw idee had waarom. 'Kom binnen,' zei ik, en ik deed een stap opzij.

'Bedankt,' zei ze.

'Pap,' zei ik terwijl ik de voordeur dichtdeed, 'dit is Denise.'

'Hoi,' zei ze en ze zwaaide even.

Hij stond daar nog steeds midden in de kamer te wachten om mijn tas te pakken. 'Heel leuk om kennis met je te maken,' zei hij. Toen glimlachte hij op een manier die ik nog nooit bij hem had gezien. Alsof hij net zo vrolijk als Denise probeerde te doen. 'Mag ik een glas water?' vroeg ze aan me. 'Ik ben gaan joggen voordat ik hierheen kwam en ik heb echt dorst.'

Ik wilde net 'tuurlijk' zeggen, maar toen zei papa al 'Natuurlijk,' en hij liep naar de keuken. Toen hij terugkwam met het water dronk Denise het glas in één keer leeg. Ze had crèmekleurige nagellak op.

'Dank u wel,' zei ze, en ze gaf papa het glas terug.

'Zit je in het atletiekteam?' vroeg hij haar.

'Nee!' zei ze op een toon alsof dat de achterlijkste vraag was die ze ooit had gehoord. Ik was bang dat papa kwaad zou worden omdat hij er niet van hield als mensen deden alsof hij niet goed bij zijn hoofd was, maar hij keek alleen een beetje gegeneerd en zei: 'O, sorry.'

'Ik probeer alleen maar af te vallen,' zei Denise. 'Vandaar.'

'Ah,' zei papa, en hij knikte. 'Nou, ik vind dat je er goed uitziet.'

Ze begon te giechelen. 'Dank u.' Toen keek ze om zich heen en zei: 'Dit is een leuk huis.'

'Leid Denise maar even rond, Jasira,' zei papa.

Tijdens de ronde door het huis hield ik mijn tas bij me en Denise stak overal haar hoofd naar binnen. We eindigden in mijn kamer, die Denise oersaai vond. 'Je moet het leuk inrichten,' zei ze. 'Hang een paar posters op.'

'Oké,' zei ik, hoewel ik er eigenlijk wel zeker van was dat ik dat niet zou doen.

'Je vader lijkt me wel aardig,' zei ze, terwijl ze haar plunjezak op de grond liet vallen en op de rand van mijn bed ging zitten.

Ik zette mijn tas naast de hare en ging ernaast op de grond zitten. 'Zo aardig is hij anders niet.'

'Waarom niet?'

Ik haalde mijn schouders op. 'Ik weet het niet. Hij wordt soms heel boos.'

'Nou en?' zei Denise. 'Mijn pa ook.'

Ik wist niet goed wat ik daarop moest zeggen. Ik wist niet of Denises vader op dezelfde manier kwaad werd als mijn vader.

'Maar het gaat wel over, hoor,' zei ze.

''t Zal wel,' zei ik, hoewel ik er vrij zeker van was dat er bij papa nooit iets overging.

'Mijn vader stelt zich altijd aan de serveerster voor als we ergens gaan eten. Zo van: "Hoi, mijn naam is Porter en dit is mijn dochter Denise. Hoe heet jij?" Dat vind ik echt vreselijk. Het is zo gênant.'

Ik knikte. Ik probeerde iets gênants te bedenken dat papa wel eens deed, maar ik wist niets. Het leek me eigenlijk wel leuk als hij iets gênants zou doen.

'Bovendien praat hij heel hard,' zei Denise. 'Zo van: "HOI, MIJN NAAM IS PORTER EN DIT IS MIJN DOCHTER, DENISE. HOE HEET JIJ?" Hij heeft een gehoorapparaat in zijn rechteroor zitten.'

'O,' zei ik.

'Jouw vader is tenminste niet doof.'

'Nee,' zei ik. Maar plotseling voelde ik me teleurgesteld. Alsof ik liever had dat Denise er niet was. Ze leek niet te snappen wat ik haar over papa probeerde te vertellen. Ik was er niet eens zeker van wat ik haar nou probeerde te vertellen. Maar ik wilde vooral niet dat ze hem zo aardig vond terwijl ze hem helemaal niet kende. 'Is jouw vader een racist?' vroeg ik.

'Wat?'

'Een racist,' zei ik weer.

'Nee,' zei ze. 'Hoezo?'

'Mijn vader wel.'

Ze keek een beetje bedenkelijk. 'Echt waar?'

Ik knikte. 'Hij zei dat ik niet meer met Thomas uit mocht omdat dat mijn reputatie zou schaden.'

'Je lult.'

'Echt niet.'

'Maar jouw vader is zelf een Arabier.'

'Weet ik.'

'Hij behoort ook tot een minderheid.'

'Het heeft mijn moeders reputatie ook geschaad toen ze met mijn vader omging, en nu wil hij dat de mijne niet geschaad wordt als ik met Thomas omga.'

'Jeetje,' zei Denise.

'Ik mis Thomas heel erg,' zei ik tegen haar.

'Ik zag wel dat jullie niet meer zoveel met elkaar omgingen.'

'Hij is kwaad op me omdat ik me aan de regels van mijn vader houd.'

'Ik zou ook kwaad op je zijn.'

'Echt waar?'

'Zeker weten,' zei ze. 'Je vader zit fout. Dus als jij doet wat hij zegt, zit jij ook fout. Dan ben jij ook een racist.'

'Nietwaar, dat ben ik niet.'

'Jawel, dat ben je wel.'

'Je snapt het niet,' zei ik. 'Als ik niet doe wat hij zegt, stuurt hij me terug en moet ik bij mijn moeder gaan wonen.'

'Nou en?'

'Ik wil niet bij mijn moeder wonen.'

'Zou je niet liever bij haar wonen dan een racist zijn?'

'Nee,' zei ik.

'Nou, ik wel,' zei Denise.

'Ik kan niet weg uit Houston,' zei ik. 'Nooit.'

'Waarom niet?'

Ik dacht heel even na en vertelde haar toen de waarheid. 'Ik ben verliefd op iemand.'

'Op Thomas?' vroeg ze.

'Nee. Op meneer Vuoso.'

'Wie is dat?'

'De reservist. Die ik heb geïnterviewd.'

'O.'

'Hoe zou jij je voelen als je moest verhuizen en meneer Joffrey niet meer zou zien?' zei ik.

'Nou, dat zou ik niet leuk vinden,' zei ze.

'Zie je nou wel?'

'Vindt hij jou ook leuk?' vroeg Denise. 'Meneer Vuoso?'

'Ja.'

'Hoe weet je dat?'

Ik wist niet zeker hoe ik die vraag moest beantwoorden. Uiteindelijk zei ik: 'Omdat hij met me uit eten is gegaan.'

'Echt waar?' zei Denise. 'Alsof jullie een afspraakje hadden?'

Ik knikte.

'Wauw,' zei ze. 'Waar was je vader dan?'

'Bij zijn vriendin.'

Denise zuchtte. 'Jij hebt echt geluk. Ik wou dat meneer Joffrey eens een keer met mij uitging.'

'Je mag tegen niemand zeggen wat ik je net heb verteld,' zei ik.

'Nee, natuurlijk niet,' zei ze.

'Meneer Vuoso kan er problemen mee krijgen.'

Denise knikte. 'Hij kan er enorme problemen mee krijgen.'

'Dan zou ik heel zeker weer bij mijn moeder moeten gaan wonen,' zei ik.

'Maak je maar geen zorgen,' zei Denise. 'Ik wil niet dat je bij je moeder gaat wonen. Want dan zou ik geen enkele vriendin meer hebben!'

Ze glimlachte tegen me en ik vroeg me af of dat echt waar was, dat ik haar enige vriendin was.

Papa klopte toen op de deur en vroeg of we zin hadden om naar de film te gaan. Hij heette *Vincent & Theo* en we zaten op dezelfde rij als papa maar aan de andere kant van het gangpad, zodat het leek alsof we daar alleen waren. De film ging over de schilder Vincent van Gogh en zijn broer Theo, die voor hem zorgde. Ik geloof dat papa dacht dat het een educatieve film zou zijn, maar er bleken een heleboel scènes in voor te komen waarin naakte vrouwen voor Vincent poseerden. Telkens als er zo'n scène kwam, begon Denise te lachen. 'Sst!' zei ik, bang dat papa haar zou horen en zou denken dat ik het was.

Op de terugweg in de auto zei hij: 'Ik wist echt niet dat er naaktscènes in die film zouden zitten. Mijn excuses daarvoor, Denise.'

'O, dat maakt mij niet uit, hoor,' zei ze.

'Maar je ouders misschien wel.'

'Nee, hoor. Ze maken zich alleen druk over geweld. Niet over seks.'

'Tja,' zei papa, 'misschien moet ik ze toch even bellen om het hun te zeggen.'

'Ik zeg toch dat het niet uitmaakt?' zei Denise, en ze begon te lachen.

Ik dacht dat papa kwaad zou worden omdat een meisje van

mijn leeftijd op die toon tegen hem praatte, maar dat gebeurde niet. Hij zei: 'Oké. Als jij het zegt.'

Het zat me eigenlijk dwars dat Denise zo tegen hem kon doen en ik niet. Zelfs als ik nu op dit moment net als zij begon te praten, wist ik dat hij kwaad op me zou worden en zou zeggen dat ik moest kappen. Ik wist dat het voor mij te laat was om nog iets nieuws met hem te proberen.

Thuis stond meneer Vuoso in zijn tuin de vlag naar beneden te halen. 'Is dat hem?' vroeg Denise me.

'Wie?' vroeg papa.

Ik wist niet wat ik moest zeggen. Ik kon niet geloven dat ze mijn geheim nu al verraadde. Toen drong tot haar door wat ze had gedaan en herstelde ze zich.

'De reservist,' zei Denise, 'die door Jasira is geïnterviewd.'

Papa knikte. Toen keek hij mij in het achteruitkijkspiegeltje aan en zei: 'Jasira, ik wil dat bandje nog horen als we binnen zijn.'

'Welk bandje?' vroeg Denise.

'Het bandje met het interview,' zei hij.

'U mag Jasira's bandje niet afluisteren!' zei ze.

'O, nee?' zei papa. Hij keek haar aan alsof hij vond dat ze iets grappigs had gezegd. 'Waarom niet?'

'Omdat ze journalist is,' zei Denise. 'Ze moet haar vertrouwelijke bronnen beschermen. Als u dat bandje afluistert, schendt u die vertrouwelijkheid.'

'O,' zei papa. 'Ik begrijp het.'

Ik vond het echt onvoorstelbaar dat hij Denise wel geloofde als ze het over vertrouwelijkheid had, en mij niet.

'U zult moeten wachten tot het artikel verschijnt,' zei Denise tegen hem.

'Maar dat duurt te lang,' zei papa.

'Nou ja,' zei Denise, 'dan heeft u pech.'

'Ze is wel een harde tante, die vriendin van je,' zei papa, en hij keek me weer aan in het achteruitkijkspiegeltje. Ik knikte.

Die avond, nadat we lekker ongezond hadden gegeten, gingen Denise en ik aan haar horoscopen werken. Voor papa's sterrenbeeld Steenbok schreef ze: *Er gaat iets heel ergs met je gebeuren als je je niet fatsoenlijker gedraagt! Wees aardiger tegen andere mensen en wees geen racist. Het leven zal er leuker uit gaan zien voor jou als je je anders opstelt.* Voor meneer Joffreys horoscoop schreef ze: *Je zult verliefd worden op een mooie vrouw die net zo slim is als jij maar wel een stuk jonger is. Geef haar een kans. Laat je verrassen!*

'En als die horoscoop nou door een vrouw gelezen wordt?' vroeg ik Denise.

'Wat?' zei ze.

'Dan wordt een vrouw dus verliefd op een vrouw.'

'O,' zei ze, 'ik snap het,' en ze veranderde 'vrouw' in 'persoon'. Ze was bang dat de boodschap die ze meneer Joffrey wilde sturen daardoor te vaag klonk, maar ze was het er wel mee eens dat het anders heel gek zou zijn.

Die avond sliep ik in een slaapzak op de grond en Denise sliep in mijn bed. Ik dacht er nog over om haar mijn *Playboy* te laten zien voordat we het licht uitdeden, maar ik deed het toch maar niet. Ik was bang dat ze het smerig zou vinden, net als Melina.

De volgende ochtend maakte papa pannenkoeken voor ons. Na een hele tijd had Denise hem nog steeds geen compliment over de pannenkoeken gemaakt, dus uiteindelijk vroeg ik haar maar: 'Vind je ze lekker?'

'O, ja hoor,' zei ze. 'Ze zijn heerlijk.'

'Het zijn de lekkerste die ik ooit heb gehad,' zei ik.

Ze knikte en nam nog een hap. Ik keek naar papa, die met zijn schort aan achter het fornuis stond, maar ik was er niet zeker van of hij ons gehoord had.

Om elf uur kwam Denises moeder haar ophalen. Ze belde aan en stelde zich aan papa en mij voor, en maakte ons toen een compliment over de cyclamen die we in de voortuin hadden geplant. Papa pakte daarop zijn schaar en knipte een boeketje voor haar af. Nadat Denise en haar moeder in hun auto waren weggereden, gingen we weer naar binnen. Zodra hij de deur dicht had gedaan, zei papa: 'Oké, geef me dat bandje eens.'

'Wat?' zei ik.

'Ik wil dat bandje horen.'

'Maar u zei tegen Denise dat u zou wachten tot het artikel verscheen.'

'Dat heb ik niet gezegd. Zij zei dat ik moest wachten en ik zei dat dat te lang duurde.'

Ik keek hem aan.

'Geef me dat bandje.'

Ik ging naar mijn slaapkamer om het te pakken. Ik had geen keus. Toen ik terugkwam stond papa te wachten in de doordeweekse zitkamer waar de stereo-installatie stond. Ik gaf hem het bandje en hij stopte het in het tapedeck. Hij stond naast de stereo-installatie terwijl het bandje werd afgespeeld, alsof hij het bewaakte of zo.

Bij het eerste gedeelte over de gasmaskers moest hij ontzettend lachen. 'Goed zo!' zei hij. 'Je hebt hem flink in de tang genomen.' Toen het gedeelte over de condooms kwam, zei hij niets. Toen hoorde je het geluid van meneer Vuoso die de bandrecorder afzette en daarna het geluid waarmee de bandrecorder weer werd aangezet en waarna ik alleen nog fatsoenlijke vragen stelde. Op dat moment drukte papa op stop. 'Wat heb ik nou net gemist?' vroeg hij.

'Niks,' zei ik.

'Waarom zette hij de bandrecorder af?'

'Meneer Vuoso werd kwaad omdat ik hem die vraag stelde. Toen drukte hij op stop.'

'En wat gebeurde er toen?'

'Hij vroeg hoe ik dat wist van zijn condooms.'

'En hoe wist je dat?'

'Ik had ze in zijn plunjezak gevonden.'

'Zit je me nou voor de gek te houden?'

Ik schudde mijn hoofd.

'Hoe haal je het in je hoofd om in andermans spullen te snuffelen?'

Ik gaf geen antwoord.

'Snuffel je ook in mijn spullen? Als ik er niet ben?'

'Nee,' zei ik.

'Condooms,' zei papa hoofdschuddend. 'Jij bent een vuilbek en je hebt een verdorven geest.' Toen liep hij op me af en sloeg me op mijn mond alsof hij dat deel van mij wel even in orde zou maken. Toen ik weg wilde lopen, greep hij mijn arm vast en kneep heel hard. Dat deed nog meer pijn dan die klap. Met die arm voelde het als de bloeddrukmeter bij de dokter, als je denkt dat je arm elk moment kan openbarsten, maar dan draait de zuster het ventieltje weer open en vraag je je af hoe het komt dat ze dat precies op het goede moment doet. Alleen liet papa niet los.

De volgende ochtend zaten er paarse afdrukken op mijn arm die net zo groot waren als papa's vingertoppen. Ik trok een shirt met lange mouwen aan en ging beneden aan de ontbijttafel zitten. Papa was al aan zijn Cheerios begonnen. 'Mag ik het bandje alstublieft?' vroeg ik. 'Ik moet het nog uitschrijven voor mijn artikel.'

'Nee,' zei hij. 'Het is nu mijn bandje.'

'Maar hoe moet het dan met mijn interview?'

Hij haalde zijn schouders op. 'Je kunt mij interviewen.'

'Ik wil u niet interviewen.'

Hij stopte met eten en keek me aan. 'Best. Dan niet.'

We aten ons ontbijt op en ik keek hoe papa de melk uit zijn schaaltje opdronk. Toen hij klaar was, stond hij op en bracht zijn spullen naar de gootsteen. Hij spoelde ze alleen om met water en zette ze toen in het droogrek. Hij wist niet dat ik ze iedere dag als ik thuiskwam van school opnieuw afwaste met zeep.

ACHT

Ik schreef het interview met meneer Vuoso alsnog. Ik had al mijn vragen op een vel papier staan en door ze opnieuw te lezen herinnerde ik me zijn antwoorden. Soms, als ik het niet meer wist, verzon ik iets wat hij gezegd zou kunnen hebben. Bijvoorbeeld bij de vraag: 'Mag u pakjes in Irak ontvangen?' liet ik hem zeggen: 'Ja, dat mag. Als familie, vrienden en buren me pakjes sturen, dan weet ik dat de mensen thuis nog aan me denken.' Op het eind, toen het interview iets te kort bleek, voegde ik nog een vraag toe: 'Wat zou u willen zeggen tegen mensen die van Saddam houden?' 'Nou,' liet ik meneer Vuoso zeggen: 'Ik zou tegen ze zeggen dat ze op moeten letten, want ik hou ze in de gaten.'

'Goed einde,' zei Charles toen ik hem de maandag daarop het interview liet zien, en ik bedankte hem.

Die dag vertelde ik tijdens de lunch aan Thomas wat ik had gedaan. 'Probeer je soms indruk op me te maken of zo?' vroeg hij. Het was spaghettidag en er zat rode saus in zijn mondhoeken.

'Ja,' zei ik.

'Nou,' zei hij, 'ik ben niet onder de indruk.'

'Wat zou wel indruk op je maken?'

'Niks,' zei hij. 'Het is al te laat. Jij kunt nooit meer indruk op me maken.' Hij stopte een vork vol in elkaar gedraaide spaghetti in zijn mond.

Later, tussen twee lesuren in, bleef ik bij Denises kluisje staan om haar te vertellen over mijn gesprek met Thomas. 'Hij wil me niet eens een tweede kans geven,' zei ik.

'Kun je hem dat kwalijk nemen?' vroeg ze.

'Ik denk het niet.'

Denise had een rond spiegeltje aan de binnenkant van het deurtje van haar kluisje zitten, en nadat ze er even in gekeken had, deed ze haar tasje open en haalde er een vierkant wasachtig papiertje uit. Ze drukte het tegen haar voorhoofd en toen ze het weghaalde zat er een vetvlek van haar make-up op. 'Hè, getver,' zei ze, en ze liet het me zien.

'Ik ben geen racist,' zei ik. 'Het kan me niet schelen wat jij en Thomas zeggen. Ik moet doen wat mijn vader zegt.'

'Waarom?' vroeg Denise.

'Dat moet ik gewoon.'

'En als je het niet doet?'

'Dan wordt hij kwaad.'

'Nou en?'

'Hij is echt heel gemeen als hij kwaad wordt.'

'Ik heb je al gezegd,' zei ze, 'het gaat wel over.'

'Niet waar,' zei ik. 'Je kent hem niet.'

'Je moet niet zo bang voor hem zijn.'

'Ik kan het niet helpen.'

'Doe maar net alsof hij een hond is,' zei ze. 'Je weet toch dat je niet moet laten merken dat je bang bent voor honden omdat ze angst kunnen ruiken?'

Ik knikte.

'Nou,' zei ze, 'het is hetzelfde met je vader. Als je hem gewoon negeert, laat hij je wel met rust.'

De rest van de dag voelde ik me echt rot, alsof het mijn eigen schuld was dat papa kwaad op me werd. Alsof het niet zou gebeuren als ik me maar op een bepaalde manier gedroeg. Misschien had Denise wel gelijk, maar het probleem was dat ik niet wist hoe ik me moest gedragen zoals zij had beschreven.

Toch probeerde ik die avond te oefenen om iets dapperder te zijn terwijl we aan ons tv-tafeltje naar de oorlog zaten te kijken.

Colin Powell gaf net een persconferentie op CNN en papa werd steeds kwader. Hij had het voortdurend over Colin Powells ongeschiktheid voor de functie van hoofd van de gezamenlijke stafchefs. 'Waarom is hij ongeschikt?' vroeg ik. De gedachte was bij me opgekomen dat papa hem niet moest omdat hij zwart was.

'Hoe bedoel je, "waarom is hij ongeschikt?" Moet je die man inzien! Hij wil Saddam mee naar huis nemen en hem lekker instoppen!'

'Maar waarom is hij ongeschikt voor die baan?'

'Dat zeg ik je net,' zei papa.

'Maar hij is heel intelligent.'

'Hoe weet jij dat nou? Heb je soms met hem gesproken?'

'Nee.'

'Nou, hou je mond dan.'

Ik probeerde iets anders te bedenken om te zeggen zodat het niet leek alsof ik bang was om mijn mond open te doen als papa zei dat ik moest zwijgen, maar ik kon niets verzinnen. Hoe dan ook, dat dapper zijn kon me gestolen worden. Als papa zei dat je je mond moest houden was dat eigenlijk een soort cadeautje. Een belofte dat hij je niet zou slaan als je nu onmiddellijk je mond hield. Het was gewoon niet handig om dat te negeren.

De volgende dag tijdens de lunch zei Thomas: 'Ik heb iets bedacht wat je kunt doen om indruk op me te maken.'

'Wat dan?' vroeg ik. Het was hamburgerdag en ik scheurde een zakje mosterd open.

'Met me naar bed gaan.'

'Oké,' zei ik.

'Echt waar?' zei hij. Voor het eerst sinds lange tijd klonk hij wat vriendelijker.

'Ja.'

'Te gek,' zei hij. 'Wanneer?'

'Wanneer je maar wilt.'

'Nou,' zei hij, 'dan moeten we eerst bedenken waar we het gaan doen.'

'We kunnen het niet bij mij thuis doen,' zei ik. Ik wilde niet het risico lopen dat meneer Vuoso en Zack me weer zouden verraden.

Thomas knikte. 'We kunnen het bij mij thuis doen.'

'En je ouders dan?' vroeg ik.

'Die werken.'

'En als ze nou thuiskomen?'

'Dat doen ze niet. Ze komen nooit vroeg naar huis.'

'Dan moet ik naar huis lopen,' zei ik.

'Je kunt een taxi nemen,' zei Thomas. 'Ik betaal wel.'

Ik dacht daarover na en zei toen: 'Goed dan.'

'Kunnen we het vandaag doen?' vroeg hij.

'Heb je een condoom?'

'Nee.'

'Dan moeten we tot morgen wachten. Ik heb er thuis een, die kan ik wel meenemen.'

'Waar heb je die vandaan?'

'Uit de plunjezak van meneer Vuoso.'

'Ik wil geen condoom van die racist gebruiken.'

'Je moet wel,' zei ik. 'Het is het enige wat we hebben.'

Hij stemde toe, hoewel het hem niet leek te bevallen.

Toen ik Denise later bij haar kluisje zag en haar over mijn deal met Thomas vertelde, zei ze: 'Dat moet je niet doen! Hij gebruikt je gewoon!'

'Nee, dat doet hij niet,' zei ik.

'Hij maakt misbruik van je. Je kunt geen seks met hem hebben om in ruil daarvoor geen racist meer te zijn. Dat is belachelijk.'

'Maar ik wil zelf seks met hem hebben.'

Ze keek me aan. 'Dat heb je me nooit verteld. Je zei dat je verliefd was op die buurman van je.'

'Ben ik ook,' zei ik, 'maar ik wil ook seks met Thomas hebben.'

'Maar dan ben je geen maagd meer.'

'Nou en?' zei ik.

'Nou en?' zei ze. 'Het is belangrijk dat de eerste met wie je seks hebt iemand is die heel speciaal is. Niet iemand die jou gewoon gebruikt.'

'Nou,' zei ik, 'ik ga het waarschijnlijk toch doen.'

'Je bent echt ongelooflijk,' zei ze, en ze deed haar kluisje dicht en liep weg. Ik dacht er even over om achter haar aan te gaan en tegen haar te zeggen dat ze zich geen zorgen moest maken, dat ik allang geen maagd meer was, dat degene met wie ik het gedaan had speciaal was, ook al was hij dat later pas geworden. Maar dat deed ik natuurlijk niet. Afgezien van het feit dat ik meneer Vuoso niet in de problemen wilde brengen, dacht ik niet dat Denise het zou begrijpen. Als ik haar niet kon uitleggen waarom papa slecht was, dan kon ik haar waarschijnlijk ook niet uitleggen waarom meneer Vuoso goed was.

Op weg naar huis dacht ik de hele tijd aan vrijen met Thomas. Ik was het oneens met Denise. Volgens mij gebruikte hij mij niet. Ik vond dat hij een eerlijke ruil deed. Bovendien miste ik hem. Ik wilde zijn vriendin weer zijn.

Nadat ik uit de bus was gestapt ging ik naar Melina. 'Mag ik een tijdje in mijn boek gaan lezen?' vroeg ik.

'Tuurlijk,' zei ze.

Ik liep achter haar aan naar binnen en het viel me op hoe slank ze er altijd van achteren uitzag. Dat was wel leuk want dan kon ik een paar seconden doen alsof ze niet zwanger was.

In de zitkamer ging Melina op de bank zitten naast een bol gele wol en een piepklein truitje dat aan breinaalden vastzat. 'Dat lijken net poppenkleertjes,' zei ik.

'Klopt,' zei ze.

'Als je baby ouder is kun je haar die kleertjes misschien geven om haar poppen mee aan te kleden.'

Melina haalde haar schouders op. 'Als ze daarmee speelt.'

Mijn boek lag op de salontafel, waar ik het de laatste keer had laten liggen. Ik vroeg me af of Melina en Gil wel eens bezoek hadden en of dat bezoek zich dan niet afvroeg wat dat boek daar deed. 'Zou je dit niet beter ergens anders kunnen bewaren?' vroeg ik, terwijl ik het pakte.

Melina keek op van haar breiwerk. 'Waarom?'
'Ik weet niet.'
'Er is niets mis met dat boek,' zei ze. 'Iedereen die bij mij thuis komt mag het zien.'

Ze ging verder met haar breiwerk en ik zocht een plekje om te zitten. Er stond een stoel, maar ik besloot op de grond te gaan zitten. Ik wilde ver genoeg van Melina vandaan zitten, zodat ze niet kon zien wat ik aan het lezen was. Bovendien zat ik graag lager dan zij. Dat gaf me het gevoel dat ik jong was.

In het boek stond dat als ik aan seks wilde doen, ik een heleboel ziekten kon oplopen en dat ik een condoom moest gebruiken. Er stond in dat het deel van mij waar de orgasmen vandaan kwamen een vibratie zou voelen als Thomas' penis in me zat. Er was ook een hoofdstuk waarin stond dat maagdelijkheid werd beschouwd als iets wat een meisje zuiver maakte, maar dat een meisje eigenlijk kon doen wat ze wilde en dat ze niemands bezit was. Ergens vond ik dat leuk, maar aan de andere kant vond ik het ook wel jammer. Meestal wilde ik heel graag bij iemand horen.

'Jasira,' zei Melina.
Ik keek op. 'Ja?'
'Ik heb iets voor je.'
'Wat dan?'
'Even wachten.' Ze liet haar breiwerk op de bank liggen en liep naar de keuken. Toen ze terugkwam gaf ze me een sleutel.
'Waar is die van?' vroeg ik.
'Van mijn huis. Als je ooit hierheen wilt komen – het doet er niet toe hoe laat of om welke reden – dan kun je jezelf binnenlaten.'
'Echt waar?'
'Ja. En je hoeft me niet eens te zeggen waarom. Je kunt hier gewoon binnenkomen, tv-kijken, in je boek lezen – wat je maar wilt.'
'En als jij nou niet thuis bent en Gil wel?' vroeg ik.
'Dat maakt niet uit,' zei ze. 'Hij weet dat ik jou een sleutel geef

en dat je die misschien zult gebruiken.'

Ik dacht eraan hoe het zou zijn als ik Melina's huis binnen zou komen en alleen Gil zou aantreffen, en dat ik dan niet zou weten wat ik moest zeggen. Dat zou ik gênant vinden. 'Goh,' zei ik, 'bedankt.'

'Graag gedaan,' zei ze, en ze ging weer op de bank zitten.

'Waarschijnlijk zal ik hem niet nodig hebben,' zei ik.

Ze pakte haar breiwerk op. 'Je weet maar nooit.'

Ik probeerde weer verder te lezen, maar ik kon me niet concentreren. Ik moest er steeds aan denken dat ik Melina's huis zou binnenkomen en nooit meer weg zou gaan.

Die avond voordat ik ging slapen zei ik tegen papa dat ik een douche ging nemen, maar eigenlijk wilde ik mijn schaamhaar scheren. Ik gebruikte een van de scheermesjes die Thomas me had gegeven en ik deed het precies zoals hij het graag had, met het dunne streepje in het midden. Toen ik klaar was, verzamelde ik alle zwarte haartjes uit het putje, wikkelde ze in een stuk toiletpapier en gooide dat weg.

Toen ik de volgende ochtend wakker werd, trok ik mijn mooiste beha en slipje aan. Voor het eerst zag ik dat ze niet bij elkaar pasten. De beha was zo'n grijze die papa voor me had gekocht en het slipje was van wit katoen. Ik trok mijn spijkerbroek en trui aan, nam toen mijn rugzak mee naar de badkamer en stopte het condoom van meneer Vuoso in het kleine ritsvakje.

Toen ik op school kwam, stond Denise me op te wachten bij mijn kluisje. 'Je gaat het toch niet doen, hè?' zei ze.

'Ja,' zei ik. 'Ik ga het wel doen.'

'Maar waarom dan?'

'Maagdelijkheid maakt me niet zuiver,' zei ik.

'Wat?'

'Ik ben niemands bezit.'

'Ik heb nooit gezegd dat je dat was,' zei ze. 'Ik vind het alleen niet eerlijk van Thomas om jou je maagdelijkheid te laten ruilen tegen zijn vergeving.'

'Zo is het niet,' zei ik.

'Hoe is het dan wel?'

'Dat heb ik je gezegd,' zei ik. 'Ik wil seks met Thomas. Als dat hem ook helpt om mij te vergeven, dan is dat goed, niet slecht.'

'Dit is zo dom,' zei Denise. 'Ik baal er echt van dat ik dit weet.' Ze liep weg en ik zag de achterkant van haar haar op en neer bewegen omdat ze zo zwaar liep te stampen.

Tijdens de lunch wilde Thomas weten of ik aan het condoom had gedacht, en ik zei ja. 'Eentje maar?' vroeg hij, en ik knikte.

Na school liep ik langs mijn bus en trof Thomas voor de zijne. We stapten samen in en gingen achterin zitten. De hele weg hield hij mijn hand vast, net als vroeger in de gang op school. Zo nu en dan leunde hij naar me toe en fluisterde in mijn oor: 'Ik ga straks met je naar bed.' Ik wist niet zo goed wat ik terug moest zeggen, dus knikte ik maar.

Toen we bij Thomas' huis kwamen, stak hij zijn hand in zijn shirt om de sleutel te pakken die hij aan een ketting om zijn hals droeg. Hij deed de ketting niet af maar boog voorover zodat zijn hals ter hoogte van de deurknop kwam en de sleutel in het slot kon.

Het eerste wat ik zag toen we binnenkwamen was dat de zitkamer er veel groter uitzag zonder de kerstboom. Er hing nog steeds een dennengeur. Thomas legde de post die hij buiten had opgeraapt op een tafeltje naast de voordeur. 'Wil je soms eerst iets eten?' vroeg hij.

'Oké,' zei ik. Ik was een beetje zenuwachtig.

Ik liep achter hem aan naar de keuken met het schone aanrecht en de vuile ontbijtbordjes in de gootsteen. Papa zei altijd dat we nooit ofte nimmer borden in de gootsteen mochten laten staan, anders kregen we kakkerlakken, maar bij Thomas zag ik geen ongedierte.

'Waar heb je zin in?' vroeg hij, terwijl hij de koelkast opendeed en er lichtjes tegenaan leunde.

Ik pakte een stoel en ging zitten. 'Wat neem jij?' vroeg ik.

Hij haalde zijn schouders op. 'Ik heb niet echt honger.' Toen ging hij op zijn hurken zitten en trok de groentela open. 'Heb je zin in een appel?'

'Best.'

Hij pakte twee appels en nam een hap van de zijne zonder die eerst te wassen. Ik deed hetzelfde, hoewel papa me altijd waarschuwde voor bestrijdingsmiddelen op fruit en groente.

'Ik begin al helemaal geil te worden,' zei Thomas na een paar happen.

'Echt waar?'

Hij stond op en kwam voor me staan. Hij pakte mijn hand en legde die op zijn broek. 'Voel maar.'

Ik voelde zijn erectie en knikte.

'Ben je klaar?' vroeg hij.

'Mag ik mijn appel niet eerst opeten?'

'Tuurlijk,' zei hij, en hij ging weer zitten.

Thomas had zijn appel het eerst op en at het klokhuis en de zaadjes ook op. Net als papa deed met zijn kippenbotjes. 'Waarom eet je het klokhuis?' vroeg ik.

'Dat zijn gewoon voedingsvezels.'

'Wil je die van mij ook?' zei ik en ik hield hem mijn klokhuis voor. Papa had altijd graag dat ik hem mijn kippenbotjes gaf als ik klaar was zodat hij op het kraakbeen kon knagen.

'Nee, dank je,' zei Thomas, maar hij pakte mijn klokhuis wel aan en smeet het in de afvalbak onder de gootsteen. Toen zei hij: 'Kom, dan gaan we naar mijn kamer.'

We liepen de trap op. Ik ging eerst en Thomas kneep in mijn billen terwijl ik naar boven liep. Op weg naar zijn kamer bleef hij stilstaan bij een gangkast, deed die open en pakte er een handdoek uit. 'Die zullen we waarschijnlijk wel nodig hebben,' zei hij tegen me. 'Want het gaat bloeden.'

Toen we in zijn kamer waren zei hij: 'Ik ga me uitkleden,' en een paar seconden later was hij naakt. Hij had mooie brede schouders, van het zwemmen zeker, en een gespierde buik. Zijn penis stak recht omhoog en raakte bijna zijn buik. Hij vouwde de handdoek open en spreidde die over het bed uit. Toen ging hij erbovenop liggen. 'Nou moet jij je uitkleden,' zei hij.

Het duurde bij mij langer dan bij Thomas. Ik had nog nooit

strippoker gespeeld maar ik kleedde me uit alsof we dat nu aan het doen waren. Waarbij je je beha en slipje pas op het allerlaatste moment uittrok.

'Je hebt je geschoren,' zei Thomas toen ik uiteindelijk helemaal naakt was.

Ik knikte.

'Dat ziet er mooi uit,' zei hij. 'Kom es hier.'

Ik liep naar de kant van het bed waar hij lag. Hij legde zijn hand op het beetje haar dat ik had laten zitten. 'Ga eens liggen,' zei hij, en hij schoof op om plaats voor me te maken.

Ik ging op mijn rug op de handdoek liggen. Ik maakte me zorgen dat er helemaal geen bloed te zien zou zijn en wat Thomas daarvan zou vinden.

Hij rolde op zijn zij en liet zijn hand toen over mijn buik glijden. 'Je hebt een zachte huid,' zei hij.

'Dank je.'

Hij bracht zijn hand naar mijn borsten en kneep in een van mijn tepels. 'Au,' zei ik.

'Echt?' zei hij. 'Voelt dat niet lekker?'

'Nee.'

Hij keek onthutst. 'Dat zou lekker moeten voelen.'

'Dat voelt het niet,' zei ik tegen hem.

Hij raakte mijn tepel wat zachter aan en vroeg: 'Hoe voelt dat?'

'Beter.'

Ik wist niet zo goed wat ik met mijn benen moest doen – of ik ze van elkaar moest doen of tegen elkaar aan moest houden. Maar Thomas ging voor me zitten en deed ze zelf uit elkaar. Ik dacht dat we het toen gingen doen, maar in plaats daarvan boog hij mijn benen bij de knieën en duwde ze zo ver mogelijk uit elkaar. Daarna staarde hij alleen maar. Hij bleef maar staren. Hij hield niet op. Hoewel hij me niet aanraakte vond ik het wel spannend. Het was net als de meisjes in *Playboy* die zich lieten fotograferen door mannelijke fotografen die hen geen pijn zouden doen.

Daarna legde hij zijn hoofd tussen mijn benen. Hij begon me te likken of te kussen – ik wist het niet precies. Maar het voelde lekker. Warm. Hij ging er heel lang mee door tot hij zijn hoofd optilde en zei: 'Ik denk dat je klaar bent.'

'Oké,' zei ik.

'Waar is het condoom?'

'In mijn zak.'

Hij pakte mijn spijkerbroek die ik over zijn bureaustoel had gehangen en haalde het met folie omhulde pakje eruit. Ik keek hoe hij het openscheurde en het condoom om zijn penis rolde. Het leek een beetje strak te zitten. 'Deze zijn voor mannen met kleine pikken,' zei Thomas.

Ik vroeg me af hoe dat met meneer Vuoso zat, of hij een kleine pik had. 'Doet het pijn?' vroeg ik Thomas.

'Het is goed,' zei hij. 'Zit er maar niet over in.'

Ik had mijn benen weer tegen elkaar aan gedaan terwijl hij het condoom omdeed, en nu schoof hij ze weer uit elkaar. Hij ging ertussen liggen, deze keer met zijn gezicht tegen het mijne aan. Ik rook mezelf rond zijn mond. De geur die aan mijn handen zat als ik in mijn eentje een orgasme had.

'Hoor eens,' zei Thomas, 'ik beloof je dat ik heel voorzichtig zal zijn. Ik zal je geen pijn doen.'

'Weet ik,' zei ik.

'Zeg me wanneer ik moet stoppen en dan stop ik.'

'Maar dan ga je denken dat ik nog steeds een racist ben.'

'Wat?' zei hij.

'Je zei dat als ik seks me je had, ik indruk op je zou maken en dan zou je niet meer denken dat ik een racist ben.'

Dat leek hij niet leuk te vinden. 'Vergeet dat nou maar.'

'Goed,' zei ik.

Toen pakte hij zijn penis en begon die in mij te stoppen. 'Probeer je maar te ontspannen,' zei hij.

'Oké.'

Hij duwde nu iets harder. 'Het doet maar een paar seconden pijn.'

Ik knikte. Het was waar. Het deed pijn. Niet van het gevoel dat er iets scheurde, zoals met meneer Vuoso, maar van het gevoel dat er niet genoeg ruimte was. Maar Thomas bleef toch door duwen. 'O, mijn god,' fluisterde hij.

'Wat?' fluisterde ik terug.

'Niks,' zei hij. 'Het voelt gewoon zo ontzettend lekker.'

'O.'

'Sorry als het pijn doet,' zei hij.

'Het is niet erg.'

'De eerste keer doet het altijd pijn bij meisjes.'

'Ja,' zei ik.

Daarna kreeg hij eigenlijk heel snel een orgasme. Ik wist niet zo goed wat ik moest doen om er zelf eentje te krijgen, dus ik bleef maar liggen. Toen hij klaar was, rolde hij van me af en ging aan zijn kant van het bed liggen. We lagen daar een hele tijd, zonder iets te zeggen. Uiteindelijk keek hij me aan en zei: 'Is er veel bloed?'

Ik rolde naar de ene kant van de handdoek zodat hij het kon zien. Er was geen bloed.

'Waar is het?' vroeg hij.

'Ik weet het niet,' zei ik. 'Misschien hebben sommige meisjes dat niet.'

Hij zweeg even en zei toen: 'Maar het deed wél pijn, hè?'

'Ja,' zei ik.

'Je keek anders niet alsof het echt pijn deed.'

'Het deed wel pijn.'

'Ik bedoel, het is nou niet zo dat ik een kleine pik heb, of zo.'

'Nee,' zei ik, 'dat heb je niet.'

'Hmm.'

'Misschien heb je wel heel voorzichtig gedaan,' zei ik.

'Dat zal dan wel.'

'Hoe dan ook,' zei ik, 'ik ben blij dat het niet zoveel pijn deed.'

'Ja,' zei Thomas, 'dat is fijn.'

'Dus je vindt me nu geen racist meer?' vroeg ik hem.

'Hou daar nou eens over op,' zei hij. 'Ik heb toch al gezegd dat je het moest vergeten.'

'Sorry.'

'Het had echt veel meer pijn moeten doen,' zei hij.

Ik zei niets.

'Waarom deed het geen pijn?' vroeg hij. Hij rolde op zijn zij en keek me aan. 'Met wie heb je het vóór mij gedaan?'

'Met niemand.'

'Heb je het nog nooit met iemand gedaan?'

'Nee.'

'Maar hoe zit het dan met dat bloed?'

'Ik weet het niet, Thomas.' Ik kwam van het bed af en begon me aan te kleden.

'Ik word echt niet boos als je al met iemand anders seks hebt gehad,' zei hij. 'Ik ben alleen maar nieuwsgierig.'

'Ik heb het nooit eerder gedaan,' zei ik, en ik stapte in mijn slipje.

'Is het in Syracuse gebeurd?'

'Het is nergens gebeurd.'

'Er is niets gescheurd,' zei hij. 'Het hoort te scheuren.'

'Wil je alsjeblieft een taxi voor me bellen?'

Hij zuchtte en liep naar de badkamer terwijl het condoom nog losjes om het topje van zijn penis hing. Toen hij terugkwam was het weg. Nadat hij zijn kleren weer had aangetrokken liep hij de slaapkamer uit en stampte met dreunende stappen de trap af. Ik kwam daarna ook naar beneden. Hij stond bij het aanrecht in de keuken en maakte een pot pindakaas open. 'De taxi komt over een kwartier,' zei hij.

'Bedankt,' zei ik.

'Voel jij je nou een vrouw?'

'Hm-hm.'

'Ik voel me een man,' zei hij en hij lepelde wat pindakaas in zijn mond.

Toen de taxi toeterde, liep Thomas met me mee naar buiten en deed het portier open. Hij gaf de chauffeur tien dollar en noemde mijn adres. Nadat hij het portier had dichtgeslagen bleef de chauffeur me aankijken in zijn binnenspiegel. Hij bleef dat de hele weg doen. Hij had donkerbruine ogen en donker haar. Volgens mij was hij een Mexicaan.

Eerst probeerde ik strak terug te kijken, maar toen begon ik me ongemakkelijk te voelen en keek ik weg. Het leek wel alsof hij kwaad op me was hoewel hij me niet eens kende. Toen we bij mijn huis waren en ik het portier opendeed om uit te stappen, zei hij iets in het Spaans. Ik verstond het niet, behalve het woord 'negro'.

Die avond, terwijl papa en ik aan onze tv-tafeltjes zaten te eten, bedacht ik dat ik nu een vrouw was en dat mijn vader dat niet wist. Hij zat daar maar naar de oorlog te kijken. Hij dacht dat ik geen enkele privacy had, maar die had ik wel. Ik had een heleboel privacy. Hoe meer privacy ik had, hoe stommer ik hem begon te vinden.

Na het eten ging de telefoon. Het was oma, die uit Libanon belde. Sinds het begin van de oorlog had ze al heel vaak gebeld. Papa ergerde zich wild aan haar. Ik hoorde hem in het Arabisch tegen haar tekeergaan. Soms hoorde ik hem tussen het Arabisch door het woord 'scud' zeggen. Dat kwam omdat oma dacht dat Saddam haar ging bombarderen. Telkens als er een aanval op Israël was uitgevoerd, belde ze op. Als hij had opgehangen zei papa altijd dat ze zo stom was. Hij zei dat hij haar al tig keer had gezegd dat Saddam geen reden had om Beiroet te bombarderen, en dat ze nooit per ongeluk door een scud kon worden geraakt. Maar ze wilde niet luisteren. Dan begon ze te huilen en zei dat hij niet van haar hield.

Toen ik de volgende dag op school kwam wilde Denise weten of het pijn had gedaan. 'Niet zo erg,' zei ik. Ze was naar mijn kluisje gekomen voordat het mentoruur begon.

'Echt niet?' zei ze. 'Dus het deed niet zoveel pijn?'

'Nee.'

'En het bloed?' zei ze. 'Was er veel bloed?'

Ik schudde mijn hoofd.

'Wauw,' zei ze. 'Je hebt echt geluk gehad.'

‘’t Zal wel.’ Ik voelde me een beetje kwaad worden omdat ze opeens van alles wilde weten, terwijl ze de dag daarvoor nog had gezegd dat ze ervan baalde dat ze zoveel wist.

‘Heb je het veilig gedaan?’

Ik knikte.

‘Wat dan?’

‘Met een condoom.’

‘Is het gescheurd?’

‘Nee.’

‘De man moet het vasthouden als hij zich terugtrekt zodat het niet loskomt en er alsnog wat in je terechtkomt. Heeft hij dat gedaan?’

‘Dat weet ik niet meer,’ zei ik. ‘Ik geloof van wel.’

‘Je kan zwanger worden als hij dat niet heeft gedaan.’

‘Ik geloof dat hij het wel heeft gedaan,’ zei ik, maar vooral omdat ik wilde dat ze ophield.

Na een seconde zei ze: ‘Dus dat is het? Hij vindt je nou geen racist meer?’

‘Nee.’

‘Nou ja, dat wilde je ook.’

‘Ja,’ zei ik. ‘Inderdaad.’

Het eerste wat Thomas vroeg toen ik tussen de middag bij hem kwam zitten, was: ‘Schrijnt het?’

‘Niet echt,’ zei ik.

‘O.’ Hij leek teleurgesteld.

‘Je hebt heel voorzichtig gedaan,’ hielp ik hem herinneren.

‘Zo voorzichtig ben ik nou ook weer niet geweest.’

‘De taxichauffeur heeft me de hele weg vuile blikken toegeworpen,’ zei ik. ‘Volgens mij was het een racist.’

‘Klootzak,’ zei Thomas, en we bespraken hoe we hem zouden kunnen aangeven.

Toen ik die dag thuiskwam, belde ik mijn moeder. Op een of andere manier miste ik haar nu ik een vrouw was geworden. ‘Hoi,’ zei ik toen ze opnam. Ik vroeg me af of ze aan mijn stem kon horen dat ik veranderd was. De hele dag had ik mezelf verbeeld dat ik nu kalmer en geduldiger was met mensen.

'Hallo,' zei ze. 'Hoe is het?'

'Goed,' zei ik.

'Hoe ging je interview?'

'Dat ging goed.'

'Mooi,' zei ze. Ze zweeg even en zei toen: 'Vraag je niet hoe het met mij gaat?'

'Hoe gaat het met je?'

'Fantastisch,' zei ze. 'Ik heb een nieuwe vriend.'

'Richard?' zei ik.

'Had ik het je al verteld?'

'Ja,' zei ik. 'Toen we elkaar de vorige keer spraken.'

'Hij is ontzettend aardig,' zei ze. 'Veel aardiger dan Barry, dat is één ding dat zeker is.'

Ik zei niets. Ik wist nooit wat ik moest zeggen als het over Barry ging.

'Ik denk echt dat je hem zal mogen,' zei mijn moeder.

'Vast.'

'Afgelopen weekend zijn Richard en ik naar een augurkenfeest geweest.'

'O.'

'Raad eens wie er van augurken houden?' vroeg ze.

'Wie dan?' zei ik.

'Japanners,' zei ze. 'Wie had dat gedacht?'

We moesten allebei een beetje lachen.

'Gaat het goed daar?' vroeg ze.

'Ja, hoor.'

'Gedraagt je vader zich een beetje?'

'Ja.'

'En hoe zit het met Thomas?' zei ze. 'Zie je je vriend Thomas nog wel eens?'

'Nee,' loog ik.

Ze zuchtte. 'Dat is jammer.'

'Jij en papa zeiden dat ik niet met hem om mocht gaan.'

'Dat weet ik,' zei ze. Ze klonk een tikje gespannen.

'Soms zie ik hem wel op school,' zei ik, 'maar daar kan ik niets aan doen.'

'Wat ik eigenlijk wil zeggen, Jasira, ik denk dat ik fout zat wat hem aangaat.'

Ik legde mijn hand op het aanrecht. Ik voelde me een beetje duizelig worden omdat ik haar hoorde zeggen dat ze fout zat. 'Hoe bedoel je?' vroeg ik.

'Ik wil alleen maar zeggen dat het misschien niet eerlijk was dat ik tegen je zei dat je niet met hem mocht omgaan, alleen maar omdat ik het zo moeilijk had toen ik met je vader omging.'

'O,' zei ik.

'Ik heb er spijt van,' zei ze.

'Betekent dat dat ik weer met hem mag omgaan?'

'Nou,' zei ze. 'Ik weet het niet. Ik zal er eerst met je vader over praten.'

'Oké.'

'Maar je mag niet met hem uitgaan, want je mag sowieso nog niet uitgaan. Je bent nog te jong. Maar ik geloof wel dat ik er verkeerd aan heb gedaan toen ik zei dat je niet bij hem op bezoek mocht.'

'Oké,' zei ik.

Nadat we hadden opgehangen voelde ik me beter dan ik me in lange tijd had gevoeld, alsof ik er verstandig aan had gedaan te doen wat ik dacht dat goed was. Ik liep naar mijn kamer en ging op bed liggen. Ik stak mijn hand in mijn broek en begon mezelf aan te raken. Ik moest steeds maar denken aan Thomas' gezicht toen hij tussen mijn benen keek. De seks kon me niet zoveel schelen. Ik vond het alleen maar leuk dat er iemand naar me keek. Ik wilde weer naar hem toe zodat hij het nog eens kon doen.

Toen mijn moeder die avond terugbelde, schreeuwde papa: 'Hoe bedoel je, dat je van gedachten bent veranderd?' Nadat ze antwoord had gegeven, zei hij: 'Nou, ze woont bij mij, dus ik bepaal hier de regels!' Hij hing op en kwam toen naar de zitkamer. 'Het kan me geen bal schelen wat je moeder zegt,' zei hij tegen mij. 'Jij mag niet met dat zwarte joch omgaan. Heb je dat goed begrepen?'

'Ja,' zei ik, hoewel ik het niet begreep, absoluut niet.

'Als ik er ooit achter kom dat je met hem omgaat, krijg je ongenadig op je lazer. Ik meen het.'

'Maar u behoort ook tot een minderheid,' zei ik.

'Hoor eens goed: als wij formulieren invullen waarin naar ons ras wordt gevraagd, kruisen we blank aan. Het Midden-Oosten wordt als blank beschouwd, en dat zijn we ook. Daarnaast heb je de zwarte categorie voor je vriend. Zie je het verschil? Je zou blij moeten zijn dat we dat vakje niet hoeven aan te kruisen.'

Hij ging weer in zijn leunstoel zitten van waaruit hij de oorlog op tv volgde. CNN toonde beelden van Iraakse soldaten die bij een bunker wegrenden vlak voordat een Amerikaans vliegtuig hen bombardeerde. 'Moet je dat zien,' zei papa terwijl hij een noot kraakte. 'Walgelijk. Ze hoeven maar één man te doden maar dat doen ze niet. Het heeft geen zin om de Republikeinse Garde te doden. Die mensen doen alles wat Saddam hun opdraagt. Dus als Saddam er niet meer is, doen ze niets. Die lui doen er niet toe.'

Ik dacht dat hij misschien aardig tegen me probeerde te doen door over de oorlog te praten, maar ik had geen zin om te praten. Ik was kwaad omdat papa een racist was en omdat hij me wilde dwingen er ook een te zijn. Ik wilde dat ik hem de waarheid kon vertellen. Dat ik zo intiem met een zwart persoon was geweest als maar mogelijk was, en dat er helemaal niets verschrikkelijks was gebeurd.

De volgende dag tijdens de lunch zat het Thomas nog steeds dwars dat het niet gebloed had na de seks. Nadat ik mijn blad had neergezet en met mijn rietje een gaatje in mijn melkpakje had geprikt, vroeg hij: 'Ben je soms verkracht?'

Ik keek hem aan. 'Wat?'

'Wil je me daarom niet vertellen wat er gebeurd is?'

Ik wist niet wat ik moest zeggen. Ik wist niet of ik verkracht was. Ik wist natuurlijk wel wat verkrachting was, maar dat was volgens mij alleen maar als iemand seks met je had, en niet als die zijn vingers gebruikte.

'Jasira?' zei hij.

'Nee,' zei ik. 'Ik ben niet verkracht.'

'Waar zat je nou net aan te denken?'

'Aan niets.'

'Zat je te denken aan die keer toen je werd verkracht?'

'Nee,' zei ik. 'Ik heb je toch al gezegd. Ik ben niet verkracht.'

'Hoe komt het dan dat het niet bloedde toen we seks hadden?'

'Ik weet het niet,' zei ik.

'Het had moeten bloeden,' zei hij. 'En omdat dat niet zo was, heb je ofwel seks met iemand anders gehad voor je het met mij deed, of je bent verkracht. Welke van de twee is het?'

'Geen van beide.'

Hij keek me aan. 'Het komt wel ergens door, dat is zeker.'

'Misschien komt het doordat ik die tampons gebruik. Dat ik ben uitgerekt.'

'Dat denk ik niet.'

Op weg naar huis dacht ik na over wat Thomas had gezegd over verkracht worden. Ik wist natuurlijk dat verkrachting niet goed was. Ik wist dat als iemand dat met je deed, het eng was en pijn deed, net als met meneer Vuoso. Maar toch dacht ik dat dat geen verkrachting kon zijn omdat ik meneer Vuoso nu weer aardig vond. Op de televisie spanden mensen die verkracht waren een rechtszaak aan en waren ze blij als de verkrachter veroordeeld werd en naar de gevangenis moest. Ze wilden dat het slecht afliep met de verkrachter. Maar dat had ik bij meneer Vuoso niet. Helemaal niet. Ik wilde niet dat hij zou worden vergast, gedood of opgeroepen of wat dan ook. Ik was verliefd op hem, zoals ik aan Denise had verteld. Wat hij ook bij me gedaan had, het kon nooit verkrachting zijn geweest.

Toen ik thuiskwam maakte ik eerst mijn huiswerk en ging toen naar Melina. Ze deed de deur open en droeg een schort over haar T-shirt en een zwarte stretchbroek. 'Hai,' zei ze. 'Waarom klop je aan?'

'Wat?'

'Waarom gebruik je je sleutel niet?'

'O,' zei ik. 'Ik weet niet. Ik heb hem niet bij me.'

'Waarom niet?'

'Hij zit in mijn rugzak.'

'Nou, volgende keer wil ik graag dat je hem gebruikt.'

'Ook als je thuis bent?'

'Het maakt niet uit of ik thuis ben of niet.'

'Oké dan,' zei ik.

'Ik heb je die sleutel om een reden gegeven,' zei ze.

Ik knikte. 'Mag ik in mijn boek gaan lezen?'

'Ja.'

Ik liep achter haar aan het huis binnen. Ik zag dat de bandjes van haar schort op de rug tot een kleine knoop waren samengebonden omdat ze niet meer lang genoeg waren om een strik te maken. 'Ga je gang,' zei ze, en ze gebaarde naar de bijzettafel waarop het boek lag.

'Ben je iets aan het koken?' vroeg ik. Ik rook geen kooklucht.

'Zoiets,' zei ze. 'Een vervangmiddel voor zout. Dan meng je allerlei kruiden en zo in de koffiemolen, en als je het dan over je eten strooit, moet je maar denken dat het gezouten is.'

'Mag je geen gewoon zout?'

'Nee, vanwege mijn bloeddruk.'

'O.'

'Waarom neem je je boek niet mee naar de keuken?' zei ze. 'Dan kun je lezen terwijl ik aan het malen ben.'

'Oké,' zei ik en ik liep naar het bijzettafeltje.

Ik vond dat Melina een mooie keuken had omdat hij niet op de onze of die van de familie Vuoso leek. Je kon duidelijk zien dat zij en Gil niet zo'n designkeuken hadden uitgekozen die de aannemer had aangeboden, maar hem op hun eigen manier hadden ingericht. Ik vond vooral het grote zilverkleurige fornuis en de koelkast heel mooi. Dat waren van die dingen die je eerder in een restaurant zag.

Ik ging aan de keukentafel zitten, die me ook al aan een restaurant deed denken, eentje waar mijn moeder en ik vroeger wel eens naartoe gingen. De zittingen van de stoelen waren met glanzend rood vinyl bekleed.

Melina ging verder aan het aanrecht en ik sloeg mijn boek open bij het hoofdstuk over verkrachting. Daar stond dat er sprake was van verkrachting als iemand je dwong tot een seksuele handeling terwijl je dat niet wilde. Er stond dat wat er ook gebeurd was, het niet mijn schuld was, en dat het er niet toe deed wat voor kleren ik aanhad. Er stond dat meneer Vuoso een boos mens was die allerlei waarden door elkaar haalde. Als ik wilde, stond er, kon ik hem tot drie jaar daarna nog aangeven.

Terwijl ik zat te lezen, deed Melina de koffiemolen steeds even aan en uit. Ze schudde hem ook een paar keer onder het malen, als een sambabal. Toen ze klaar was haalde ze de deksel eraf, maakte haar vinger nat en stak die in het mengsel. 'Smaakt het zoutig?' vroeg ik.

'Kom maar proeven,' zei ze.

Ik stond op en liep naar het aanrecht. Melina likte weer aan haar vinger, stak hem in de poeder en zei toen: 'Doe je mond eens open.' Dat deed ik en ze stak haar vinger erin, en ik sloot mijn lippen eromheen zodat haar vinger schoon was toen ze hem weer terugtrok. Ik deed alsof het iets was wat ik al duizenden keren met mijn eigen moeder had gedaan, alleen was dat niet zo. Mijn moeder en ik deden nooit zulke dingen.

'Wat vind je ervan?' vroeg Melina.

'Het smaakt naar knoflook,' zei ik. 'En peterselie.'

'Maar niet naar zout,' zei ze.

'Niet echt.'

'Nou ja.' Ze schroefde de deksel van een kleine glazen pot en begon de poeder erin te scheppen. 'Misschien vindt Gil het wel lekker.'

'Wat zou er gebeuren als je wel zout eet?'

'Dan zou de baby te snel kunnen komen.'

'O.'

'Om mijn leven te redden zouden ze de baby laten komen, ook al is ze nog niet klaar om geboren te worden.'

Ik knikte.

'Ze redden altijd eerst de moeder.'

Daar was ik blij om, want Dorrie kon me eigenlijk niet zoveel schelen.

'Maar de moeder wil de baby altijd redden,' zei Melina.

'Zou jij dat ook willen?' vroeg ik haar.

'Natuurlijk.'

Ik vond het rot dat ze dat zei, hoewel ik wist dat dat niet hoorde.

'Ik moet even plassen,' zei Melina, en ze gaf me de lepel. 'Wil jij dit even voor me afmaken?'

'Ja hoor,' zei ik.

Ze maakte het knoopje van haar schort op de rug los en deed hem af. Ik begon de poeder in het potje te lepelen. Een seconde later hoorde ik haar zeggen: 'Verkrachting?'

Ik keek op van wat ik aan het doen was. Melina was op weg naar de badkamer bij de tafel blijven staan en keek in mijn opengeslagen boek.

'Heb je een vraag over verkrachting, Jasira?' zei ze. Ze praatte iets sneller dan normaal.

'Wat?' zei ik.

'Waarom lees je over verkrachting?'

'Dat deed ik niet.'

'Jawel, dat deed je wel,' zei ze. 'Ik wil weten waarom.'

'Ik ben het hele boek aan het lezen,' zei ik. 'Dat is gewoon het hoofdstuk waar ik mee bezig was toen je wilde dat ik de kruiden kwam proeven.'

'Je kunt onmogelijk al zo ver in het boek zijn gekomen in de tijd die je hier hebt doorgebracht. Dat is gewoon onmogelijk.'

'Dat weet ik,' zei ik. 'Ik zit kriskras te lezen.'

Melina keek me aan. Ze bleef een hele tijd zwijgen. Toen haalde ze diep adem en zei: 'Goed. Het is jouw boek. Je mag gewoon de hoofdstukken lezen die jij wilt.'

'Oké,' zei ik.
'Ik weet alles wat in dit boek staat.'
Ik knikte.
'Is er iets wat je me zou willen vragen?'
Ik schudde mijn hoofd. 'Nee.'
'Weet je het zeker?'
Ik knikte.
Ze zuchtte. 'Goed dan.'
Toen ze de keuken uit was, deed ik het boek dicht en legde het weer in de zitkamer. Daarna lepelde ik de rest van het namaakzout in het potje en schroefde de deksel erop. Melina kwam terug en zei: 'Waar is het boek?'
'Ik ben klaar met lezen,' zei ik. 'Ik heb het weggelegd.'
'O!' zei Melina, en ze legde haar hand op haar buik.
'Wat is er?' vroeg ik, hoewel ik het wel kon raden.
'Dorrie schopte net.'
'Gaat het wel?'
Ze knikte. 'Misschien doet ze het nog eens. Wil je voelen?'
'Ik moet maar eens naar huis,' zei ik.
Melina keek teleurgesteld. 'O.'
'Je kruiden zitten allemaal in het potje,' zei ik, en ik pakte het op om het aan haar te laten zien.
'Mooi,' zei ze. 'Bedankt.'
Toen ging ik naar huis en ging op mijn bed liggen huilen. Eerst huilde ik omdat ik de baby haatte, en daarna huilde ik omdat ik het zo vreselijk vond dat ik de baby haatte. Toen begon ik nog harder te huilen omdat ik me realiseerde dat ik daardoor op mijn moeder leek, op wie ik nooit zou willen lijken, in geen miljoen jaar. Als ik kwaad was op mijn moeder omdat ze altijd zo jaloers op me was, dan zou Melina dus ook kwaad op mij kunnen worden omdat ik altijd zo jaloers was op de baby. Dat wilde ik niet, en dus dwong ik mezelf te stoppen met huilen. Ik zei tegen mezelf dat het beter was om me eenzaam en rot te voelen dan een baby te haten, en dus probeerde ik dat maar.
Toen papa die avond thuiskwam, was hij in een slecht hu-

meur. Op de radio had hij gehoord dat president Bush een staakt-het-vuren met de Irakezen had aangekondigd hoewel Saddam nog niet dood was – of zelfs maar gevangen was genomen. Hij zei dat Colin Powell ontslagen zou moeten worden omdat hij zijn werk niet goed deed, en dat president Bush zou moeten worden afgezet omdat hij naar hem geluisterd had.

Hij was ook kwaad omdat meneer Vuoso niet op tijd was opgeroepen om vergast te worden. Nu de Irakezen zich hadden overgegeven, was papa er heel zeker van dat ze geen geintjes met de Amerikanen zouden proberen uit te halen. 'Dus die gozer komt er weer mee weg,' zei hij, 'voor de zoveelste keer.'

Ik wist niet zo goed wanneer die andere keren dan waren geweest, maar ik vroeg het maar niet omdat papa al zo van streek was. In plaats daarvan zei ik: 'Wordt meneer Vuoso nou nog opgeroepen?'

'Waarschijnlijk niet,' zei papa, en hij ging een biertje voor zichzelf pakken.

Ik probeerde te doen alsof ik het net zo erg vond als papa, maar in mijn hart was ik blij. Nu maakte het niets meer uit of ik Thomas kwijtraakte omdat hij zwart was, of dat Dorrie Melina van me af zou pikken. Meneer Vuoso was veilig. Hij zou naast ons blijven wonen. En zolang hij naast ons bleef wonen, zou ik nooit alleen zijn.

NEGEN

Een week nadat de oorlog was afgelopen, werd de raketlancering in Cape Canaveral afgelast. Papa zei dat dat kwam omdat er scheuren in de borgmoeren zaten, en omdat de NASA een stelletje randdebielen had ingehuurd. Hij was kwaad omdat hij nu tot april zou moeten wachten op zijn weekendje weg met Thena, want tot die tijd was de lancering uitgesteld. Hij zei dat hij een verzetje nodig had omdat Colin Powell de oorlog had verknald.

Ik was ook teleurgesteld dat papa's weekendje was afgelast. Ik had ernaar uitgekeken om een paar dagen lang te kunnen doen wat ik wilde, vooral met meneer Vuoso. Ik stelde me voor dat hij me weer mee uit eten zou nemen naar Ninfa's, en dat we zouden vieren dat hij niet was opgeroepen. Daarna stelde ik me voor dat we terug zouden gaan naar papa's huis en een van de condooms van meneer Vuoso zouden gebruiken om te vrijen. Ik dacht dat als het dan op een fijne manier zou gaan, dat eens en voor altijd zou bewijzen dat meneer Vuoso me niet had verkracht. Dat hij alleen maar boos op me was geweest, die keer toen hij zijn vingers had gebruikt.

Mijn moeder stuurde mijn vader een brief waarin ze schreef dat ze had gelezen dat de lancering was afgelast, en dat hij en Thena wel erg teleurgesteld moesten zijn. Ze sloot een foto in van haarzelf en haar nieuwe vriend, Richard, op het augurkenfeest, en Richard was zwart. Ik denk dat dat de reden was waarom ze van mening was veranderd over Thomas en mij. 'Deze vrouw is de grootste hypocriet die er op deze aardbol rondloopt,' zei mijn vader toen hij me de foto liet zien. Daarna verkreukelde hij hem en smeet hem in de vuilnisbak. Nadat hij de keuken was uit gelopen, viste ik de foto uit de vuilnisbak. Het klopte wat mijn moeder had gezegd, dat Japanners van augurken houden. Op de achtergrond zag je er een heleboel rondlopen.

De volgende dag nam ik de foto mee naar school en liet hem aan Thomas zien, en hij begon te lachen en zei: 'Dat slaat toch alles?' Ik was het met hem eens, en telkens als ik hem de rest van die dag zag, schudde hij zijn hoofd en glimlachte. Hoewel Richard zwart was net als Thomas, leek het alsof Thomas vond dat mijn familie iets ergs was overkomen omdat mijn moeder met Richard ging, en dat vond hij wel leuk.

Het duurde niet lang of papa begon mijn moeders nieuwe vriend Colin Powell te noemen. Hij zei dingen als 'Misschien gaat je moeder wel trouwen met Colin Powell,' of 'Ik denk dat je moeder en Colin Powell dol op augurken zullen zijn.' Ik zat erop te wachten dat hij Thomas ook Colin Powell ging noemen, maar eigenlijk hadden we het niet zo vaak over Thomas.

Thomas en ik hadden sinds die ene keer bij hem thuis geen seks meer gehad. Hij zei dat hij het niet meer met me zou doen tot ik hem de waarheid vertelde over waarom ik geen maagd meer was. Toen ik tegen hem zei dat ik de waarheid had verteld, zei hij dat hij me niet geloofde.

'Wat een eikel, zeg,' zei Denise toen ik het haar vertelde.

'Ja,' zei ik, hoewel hij het bij het juiste eind had dat ik gelogen had.

'Wat moet je ook met die jongen?' vroeg ze.

Ik haalde mijn schouders op. Eigenlijk wilde ik nog wel een keer seks met Thomas. Ik vond het wel leuk dat hij dat ook leek te weten en dacht dat hij me daarmee kon chanteren. Ik had er niet aan mee hoeven doen, maar nu hij deed alsof hij me iets onthield, speelde ik het spelletje mee. Het maakte dat ik me net als die meisjes in de *Playboy* voelde, die altijd zo dol op seks lijken te zijn. Soms zei ik zelfs: 'Alsjeblieft?' tegen Thomas, maar hij zei dan toch nee, niet totdat ik eerlijk tegen hem was. Daarna ging ik dan naar huis en kreeg een orgasme terwijl ik eraan dacht hoe graag ik seks wilde hebben maar het niet kon krijgen.

De schoolkrant met mijn artikel over meneer Vuoso kwam na afloop van de oorlog uit, waardoor een aantal vragen een beetje achterhaald leken. Toch vond ik het spannend om mijn naam gedrukt te zien staan.

'Wie is dat in godsnaam?' vroeg Thomas, toen hij tussen de middag de krant opensloeg.

'Mijn buurman,' zei ik.

'Bedoel je de vader van dat joch? Heb je de vader van dat joch geïnterviewd?'

'Hij is reservist,' zei ik. 'Daar ging dat artikel over.'

'Je had ook over iets anders kunnen schrijven,' zei Thomas.

'Maar ik ben de oorlogscorrespondent voor de krant.'

'Nee, dat ben je niet. Oorlogscorrespondenten zitten midden in de oorlog. Jij zit in Texas.'

'Ik heb iemand geïnterviewd die waarschijnlijk heel binnenkort midden in de oorlog zou zitten.'

Thomas staarde naar de foto van meneer Vuoso in zijn legeruniform. 'Hij lijkt op dat stomme zoontje van hem.'

'Weet ik.'

'Ik heb een pesthekel aan dat joch.'

Denise vond mijn artikel er goed uitzien. Ze zei dat als meneer Vuoso echt zou worden opgeroepen, ik het interview als aandenken aan onze tijd samen zou hebben. Maar ze was teleurgesteld door meneer Joffreys reactie op haar horoscopen. Ze had hem de krant laten zien en gezegd dat hij het moest lezen, maar hij had gezegd dat hij niet in astrologie geloofde.

Ik gaf meneer Vuoso geen exemplaar van de krant, maar de broer van een vriend van Zack zat bij mij op school, en die had Zack er een gegeven. Die liet hem aan zijn vader zien en op een avond kwam meneer Vuoso bij me langs om erover te praten. 'Dat heb ik nooit gezegd,' zei hij, terwijl hij in onze zitkamer stond en op de laatste regel van het artikel wees, die Charles, mijn redacteur, juist zo goed had gevonden. 'Ik zou zoiets nooit gezegd hebben.'

Ik wist niet wat ik moest antwoorden. Ik had gehoopt dat hij het leuk zou vinden dat ik hem zo stoer en sterk had laten klinken.

'Er klopt niets van,' zei hij, en hij sloeg met de rug van zijn hand op de krant. 'Ga die band eens halen. Ik wil hem afluisteren.'

'Dat gaat niet,' zei ik.

'Hoe bedoel je, dat gaat niet?'

'Papa heeft hem van me afgepakt.'

'Wat?'

'Hij was kwaad omdat ik u interviewde, en hij heeft de band afgepakt. Daarom moest ik het allemaal verzinnen.'

Ik dacht dat hij het wel rot voor me zou vinden dat papa zo gemeen was geweest, maar dat was niet zo. 'Hiervan ga ik godverdomme echt over de zeik,' zei hij. 'Ik vertegenwoordig het Amerikaanse leger. Dit zijn geen dingen die een militair zou zeggen.'

'Het spijt me.'

'Spijt je?' zei hij. 'Wat heb ik daar nou aan?'

'Ik weet het niet.'

'Daar heb ik geen ruk aan.'

'Ik weet zeker dat niemand in het leger het zal lezen.'

'Dat kun je niet weten. Weet ik hoeveel kinderen op die school hebben misschien wel ouders die in het leger zitten. Jezus. Ik lijk wel een achterlijke idioot.'

'Ik heb geprobeerd het me zo goed mogelijk te herinneren.'

Hij keek me aan. 'Je hebt een klotegeheugen, hoor je me? Je moet niks meer tegen me zeggen. Niet meer langskomen; helemaal niets doen. Laat me alsjeblieft met rust.'

'Waarom?' zei ik, en ik voelde dat er tranen in mijn ogen kwamen.

'Omdat je een stom wicht bent,' zei hij, en toen liep hij de deur uit.

Ik wist niet wat ik moest doen nadat hij was weggegaan. Ik bleef een hele tijd op dezelfde plek staan en liep toen naar de bank. Meneer Vuoso zou voortaan niet meer aardig tegen me doen. Hij zou geen spijt krijgen van wat hij gedaan had. In plaats daarvan wilde hij dat ik spijt kreeg van wat ik gedaan had. Alleen was wat hij gedaan had veel erger. Het was niet eerlijk. Ik bedacht dat ik hem nog steeds kon aangeven, in Melina's boek stond dat ik daar drie jaar de tijd voor had, maar dat had ook geen zin. Dan zou hij alleen maar nog kwader worden.

Ik had nog wat tijd voordat papa thuiskwam. Meneer Vuoso had dan wel gezegd dat ik hem met rust moest laten, maar toch ging ik naar zijn huis en klopte aan. Zack deed open. 'Is je vader thuis?' vroeg ik.

'Dat was een hartstikke stom artikel!' zei hij.

'Ga je vader eens halen.'

'Mijn vader heeft dat nooit gezegd. Je hebt het allemaal verzonnen.'

'Ik weet dat hij thuis is,' zei ik. 'Hij is net bij me geweest.'

'Hij wil niet met je praten.'

'Heel even maar,' zei ik.

'Ga toch naar huis, achterlijke theedoek.'

'Dat mag je niet tegen me zeggen.'

'Kamelendrijver.' Hij keek over zijn schouder om zich ervan te vergewissen dat zijn vader niet in de buurt was en zei toen: 'Soepjurk.'

Opeens ontsnapte het kleine poesje. Ze rende de openstaande deur uit en door de voortuin van de familie Vuoso naar Melina's huis. 'Sneeuwbal!' gilde Zack. Het was bijna donker en hij had alleen zijn sokken aan. 'Opzij!' zei hij, en hij wrong zich langs me heen de voortuin in. 'Sneeuwbal!' riep hij weer, terwijl hij zich diep vooroverboog en zijn rechterhand uitstak alsof hij daar eten in had. Hij maakte kusgeluidjes en riep 'Sneeuwbal, Sneeuwbal' met een stem die nog hoger klonk dan zijn gewone stem.

Ik bleef op de stoep staan kijken. Toen Zack door Melina's

voortuin was gelopen en bijna in de volgende tuin was, stapte ik zijn huis binnen en trok de deur dicht. Daarna deed ik hem op slot. Mevrouw Vuoso kon elk ogenblik thuiskomen, maar ik wist dat ik nog een paar minuten had. Ik liep zachtjes de zitkamer door en de keuken in, maar meneer Vuoso was daar niet. Ik liep naar boven. Hij was in zijn slaapkamer en lag op bed met zijn ene arm over zijn voorhoofd geslagen. Op zijn nachtkastje brandde een heel zacht licht. Het deed me denken aan die ouderwetse olielampen in *Little house on the prairie*, met een metalen wieltje aan de zijkant waarmee je ze aan en uit kon draaien. 'Meneer Vuoso?' zei ik.

Hij haalde zijn arm van zijn voorhoofd en tilde zijn hoofd een beetje op om me aan te kijken. 'Wat doe jij hier?'

'Ik wilde even komen zeggen dat het me spijt.'

'Wegwezen,' zei hij, en hij ging rechtop zitten. 'Ik heb je gezegd dat je hier nooit meer moet komen.'

'Maar ik zei toch dat het me spijt.'

Meneer Vuoso ging op de rand van zijn bed zitten en staarde me aan.

'Je bent te ver gegaan,' zei hij. 'Dit ging echt te ver, mij woorden in de mond te leggen.'

'Ik zal het nooit meer doen.'

Hij lachte op een onaangename manier. 'Nee, natuurlijk ga je dat nooit meer doen! Ik geef jou nooit meer een interview, zeker weten.'

Daar moest ik een beetje van huilen, hoewel ik geen interview meer wilde. Het leek alleen alsof het enige wat hij zei 'nooit' was. Het klonk allemaal zo definitief.

'Je kunt net zo goed ophouden met huilen, hoor,' zei hij. 'Het werkt toch niet.'

'Ik kan er niets aan doen.'

'Ja, ja,' zei hij, op een toon alsof hij me niet geloofde.

'Echt niet.'

Meneer Vuoso bleef me heel lang aankijken. Toen zei hij: 'Weet jij wat je doet?'

Ik schudde mijn hoofd. Ik was bang om te horen wat hij tegen me ging zeggen, maar ik was ook blij dat hij in ieder geval tegen me sprak.

'Je doet alsof je zo jong bent en niet beseft wat je doet, maar dat weet je wel. Je weet heel goed wat je aan het doen bent.'

'Nee,' zei ik, omdat wat hij zei zo erg klonk.

'Jawel, dat doe je wel. Je weet hoe mannen op je reageren.'

Ik gaf geen antwoord. Een deel van me wilde zich nog steeds verdedigen, maar een ander deel had het gevoel dat hij me een compliment gaf.

'Maar goed,' zei meneer Vuoso. 'Mij palm je niet meer in. Ik heb het helemaal gehad.'

'Ik heb u niet ingepalmd,' zei ik. 'Ik vond u gewoon aardig.'

'Ik wil niet aardig gevonden worden door jou. Je spoort niet.'

'Dat moet u niet zeggen,' zei ik, en ik probeerde niet opnieuw te gaan huilen.

'Ik zeg wat ik wil.'

Op dat moment ging de deurbel.

'Wie is dat nou weer, verdomme?' vroeg meneer Vuoso.

'Misschien is het Zack,' zei ik.

'Zack?'

'Het kan zijn dat ik hem per ongeluk heb buitengesloten.'

'Godallemachtig,' zei meneer Vuoso, en hij stond op en liep langs me heen de kamer uit. Ik liep achter hem aan naar beneden en de zitkamer in. Toen hij de voordeur opendeed, stond Zack daar zonder de kat. 'Sneeuwbal is ontsnapt!' riep hij. 'Die achterlijke theedoek heeft ervoor gezorgd dat ze kon ontsnappen en toen heeft ze me buitengesloten!'

Ik wachtte tot meneer Vuoso zou zeggen dat Zack me zo niet mocht noemen, maar dat deed hij niet. Hij draaide zich naar me om en zei: 'Vooruit, naar huis jij.'

'Heb je haar niet kunnen vinden?' vroeg ik Zack.

'Heb je gehoord wat ik zei?' zei meneer Vuoso, en hij greep mijn arm stevig vast en duwde me naar buiten. Ik kwam niet in beweging nadat hij de deur achter me dicht had geslagen, bleef daar maar op het stoepje staan en voelde me duizelig.

Een seconde later ging de deur weer open en kwamen Zack en zijn vader naar buiten. 'Naar huis, jij!' bulderde meneer Vuoso toen hij zag dat ik daar nog steeds stond. 'Mijn tuin uit!'

Ik stapte van het stoepje af en ze renden allebei langs me heen naar het grasveld. Zack had nu zijn schoenen aan en hij droeg een plastic bakje met brokjes waarmee hij schudde terwijl hij: 'Sneeuwbal! Sneeuwbal!' riep. Meneer Vuoso riep de poes ook. Ik liep langzaam naar huis en wou dat ik het poesje ergens zag, maar ik zag haar niet. De straat was helemaal leeg.

In mijn kamer ging ik met kloppend hart op mijn bed liggen. Ik wist niet goed wat ik zonder meneer Vuoso moest beginnen. Hij was degene met wie ik het meest vertrouwd was – zelfs meer dan met Thomas. Hij was degene die dingen met me deed die hij niet hoorde te doen omdat hij een volwassene was. Als iemand dingen met je deed die hij niet hoorde te doen – dingen die fijn voelden – dan wist je dat je speciaal was. Daarom mocht je ze niet kwijtraken. Als je ze kwijtraakte, was je niet meer speciaal. Dan was je gewoon... ja, niks eigenlijk. Je zou dan moeten wachten tot er iemand anders kwam met wie je die dingen kon doen, maar omdat de dingen die je deed eigenlijk niet mochten, zou je waarschijnlijk niet zo gauw meer iemand vinden. Dan zou je waarschijnlijk gaan beseffen dat je eenzaam bent.

Toen papa die avond thuiskwam, zei hij: 'Ik heb net een kat overreden.'

Ik keek hem aan. Ik was uit bed gekomen en zat in de ontbijthoek mijn huiswerk te maken. 'Wat?'

'Hij rende zo voor de auto,' zei hij. 'Het was donker buiten. Ik zag niets.'

'Waar is hij?' vroeg ik.

'Hoe bedoel je, waar is hij? Hij ligt langs de kant van de weg. Hij is dood.'

'Hebt u hem niet meegenomen?'

'Om wat mee te doen?'

'Ik weet het niet,' zei ik.

'Ik bel de dierenambulance wel,' zei hij. 'Die komen hem ophalen.'

'Hoe zag hij eruit?' vroeg ik.

Hij pakte het telefoonboek en begon te bladeren. 'Hij was klein en wit.'

Ik haalde diep adem. 'Dat is de kat van de familie Vuoso.'

'Wat?' zei papa, en hij keek op van het telefoonboek.

'U hebt de kat van de familie Vuoso geraakt.'

'Hoe weet je dat?'

'Omdat,' zei ik, 'ik vanmiddag bij Zack was en ze ontsnapte terwijl we stonden te praten.'

'Maak je een geintje?' zei papa. Hij legde het telefoonboek op het aanrecht.

Ik schudde mijn hoofd.

'Wat had je daar te zoeken, verdomme? Je hebt toch zo'n hekel aan dat idiote joch?'

'Ik weet het niet,' zei ik.

'Nee!' schreeuwde papa. 'Dat is niet waar! We kloppen niet bij andere mensen aan omdat we het niet weten. Je gaat me nu vertellen waarom je daar heen ging.'

'Ik moest meneer Vuoso iets vragen.'

'Meneer Vuoso?' zei papa. 'Waar heb je het nou weer over?'

'Ik moest hem zeggen dat het me speet van dat artikel.'

'Wat voor artikel?'

'Over reservisten. Voor de schoolkrant.'

'Dat heb je niet geschreven,' zei hij. 'Ik heb het bandje.'

'Ik heb het toch geschreven en geprobeerd me te herinneren wat er op het bandje stond.'

'Heb je een nepartikel over Vuoso geschreven?'

'Nee,' zei ik. 'Een heleboel dingen had ik goed onthouden. Maar sommige dingen had ik fout en daar was meneer Vuoso boos om geworden.'

Papa zweeg even en zei toen: 'Heb je die krant?'

Ik knikte.

'Ga hem eens halen.'

Ik ging de krant uit mijn rugzak halen en gaf die aan hem. 'Moet je die idioot zien,' zei papa, en hij priemde met zijn vinger naar de foto van meneer Vuoso. Toen begon hij te lezen. Bijna onmiddellijk moest hij lachen. 'Heb je je dat herinnerd?' zei hij. 'Je hebt een verschrikkelijk slecht geheugen!' Hij las zijn favoriete antwoorden hardop voor, zoals: '*Nee, ik ben niet bang om te gaan vechten. Het is niet zo eng want ik hoef alleen maar eten uit te delen,*' en, '*We hebben allemaal olie nodig voor onze auto's.*' Toen hij klaar was, zei hij dat het het beste artikel was dat hij ooit had gelezen en dat hij er duidelijk goed aan had gedaan om dat bandje van me af te pakken. Toen zei hij: 'Ga je jas eens pakken.'

Toen ik van de garderobekast terugkwam, was hij onder de gootsteen aan het rommelen en trok de oude witte T-shirts met gele zweetplekken onder de armen tevoorschijn die hij gebruikte om zijn schoenen mee te poetsen. 'Hier,' zei hij, en hij gaf me er een. Toen pakte hij de gele afwashandschoenen die over de kraan hingen en gaf me die ook. 'Kom,' zei hij, en hij pakte zijn eigen jas van de stoel waarop hij hem had gelegd.

We stapten in zijn auto en reden naar het eind van onze straat en toen naar links. Ik zag de poes zodra ze in de koplampen van papa's auto verscheen. Ze zag er net zo uit als dooie insecten die helemaal opgekruld lagen, alsof ze hun rug alleen maar recht konden houden zolang ze leefden.

'Pak haar maar op,' zei papa, terwijl hij stopte en ik het portier opendeed. Ik vond het best eng om de poes zo van dichtbij te zien omdat ik nog nooit eerder een lijk had gezien. Ik wilde haar zo snel mogelijk vastpakken. Ik wist dat ze na een tijdje stijf zou worden en ik vond het griezelig om dat te voelen.

De ogen van de poes stonden open waardoor ik even dacht dat ze nog leefde, maar toen ik zag hoe stil ze lag, hoe haar ogen niet bewogen om me aan te kijken, besefte ik dat ze echt dood was. Ik had op tv gezien dat als mensen met hun ogen open stierven, andere mensen met hun handen over hun oogleden streken om ze te sluiten. Het was erg als je ogen openstonden als je niet meer leefde. Maar ik dacht niet dat dat nu zou lukken omdat katten geen oogleden hebben. In plaats daarvan zei ik: 'Sorry, Sneeuwbal.'

Papa had me het idee gegeven dat ze onder het bloed zat omdat hij me die rubberen handschoenen had gegeven, maar er sijpelde alleen wat uit haar linkeroor. Toch trok ik ze eerst aan voordat ik haar midden op papa's T-shirt legde, dat ik al op straat had uitgespreid. Ze was nog niet stijf, maar ze voelde ook niet gewoon aan. Ze voelde vooral strak aan, als een gespannen spier. Terwijl ik haar verplaatste, realiseerde ik me dat ik mijn ogen een beetje dichtkneep, net als wanneer je tussen je vingers door naar een enge film kijkt.

Toen ze eenmaal op het T-shirt lag, tilde ik de punten omhoog om haar heen en droeg haar als een zak naar de auto. Papa deed het portier van binnenuit open en zei: 'Hou hem maar op je schoot.'

We zeiden niets in de paar minuten dat we terug naar huis reden. Op onze oprit zette papa de motor af en zei: 'Breng hem naar binnen.'

'Moet ik haar niet naar de familie Vuoso brengen?' vroeg ik.

'Ben je nou helemaal?' zei papa. 'Zodat die klootzak mij voor moordenaar kan uitmaken? Geen sprake van.'

Binnen ging hij bij het aanrecht over me heen gebogen staan en gaf aanwijzingen over hoe ik de poes eerst in plastic folie moest verpakken en daarna nog een paar plastic zakken om haar heen moest doen. Hij zei dat ik haar in de vriezer moest stoppen en dat we haar over een paar dagen met het vuilnis mee zouden geven.

'Dan zullen ze nooit weten wat er met haar gebeurd is,' zei ik.

'Nou,' zei papa, 'daar had je dan aan moeten denken voordat ze door jouw toedoen dood is gegaan.'

Toen ik die avond in bed lag moest ik steeds denken aan wat papa gezegd had. Dat Sneeuwbal door mijn toedoen dood was gegaan. Ik bedacht dat hij waarschijnlijk gelijk had, maar tegelijkertijd vroeg ik me af hoe het dan aan mij kon liggen. Door mij was ze doodgegaan toen ik mijn excuses probeerde te maken bij meneer Vuoso, maar ik had nooit mijn excuses hoeven maken als papa dat bandje niet van me had afgepakt en ik geen nepartikel had hoeven schrijven. Hoe kon papa nou weten waarmee de problemen allemaal begonnen? Hoe kon hij daar zo zeker van zijn? Ik denk dat hij daar zo zeker van was omdat hij dacht dat hij nooit iets fout deed. Maar hij maakte wel fouten. Hij was een racist en hij was gemeen, en ik had het idee dat op een dag iemand anders dat ook zou ontdekken.

De volgende dag, toen ik Thomas tijdens de lunch over Sneeuwbal vertelde, zei hij: 'Ik wil haar zien.'

'Dat gaat niet,' zei ik. 'Ze is helemaal ingepakt.'

'Dan kunnen we haar uitpakken.'

'Ik weet het niet, hoor,' zei ik.

'Ik doe het wel. Jij hoeft haar niet aan te raken.'

Ik zei niets. Ik maakte me vooral zorgen dat de familie Vuoso me zou verraden als ze zagen dat Thomas er was, omdat ze misschien buiten zouden zijn op zoek naar Sneeuwbal.

'Kom op,' zei hij. Toen ging hij wat zachter praten en zei: 'Dan ga ik met je naar bed.'

'Echt waar?' zei ik.

Hij knikte. 'Ik weet dat je het mist.'

Als Thomas zo begon te praten, alsof ik ontzettend graag seks met hem wilde, dan gaf me dat een fijn gevoel. Papa werd altijd kwaad als mensen veronderstellingen over hem maakten, maar ik vond het juist leuk. Het gaf me het gevoel dat iemand me wilde kennen. Ook al hadden ze het verkeerd, dat maakte niet uit. Het enige wat er toe deed was dat ze het probeerden. 'Ik heb geen condoom,' zei ik.

'Nou en?' zei hij. 'Ik trek me wel terug.'

'Gaat dat wel?'

'Duh.'

'Oké,' zei ik.

'Oké,' zei hij, en onder tafel stootte hij even met zijn been tegen het mijne.

Toen Thomas en ik die middag uit de bus stapten, stond Zack buiten Sneeuwbal te roepen. 'Hoi, Zack!' zei Thomas, alsof ze oude vrienden waren.

Zack deed net of hij niets hoorde.

'Ik heb gehoord dat je je poes kwijt bent,' zei Thomas.

'Donder op,' mompelde Zack.

'Wat zei je daar?' vroeg Thomas.

Zack wilde het niet meer herhalen. In plaats daarvan riep hij: 'Sneeuwbal!' iets harder dan eerst.

'Sneeuwbal!' riep Thomas nu ook.

'Niet doen!' jammerde Zack. 'Ze is bang voor jou. Ze komt nooit als ze denkt dat jij hier bent.'

'En als ze nou nooit meer terugkomt?' vroeg Thomas.

'Kom,' zei ik tegen hem, 'ga je mee?'

'En als ze nou dood is?' vroeg Thomas.

'Flikker op,' zei Zack. 'Wat weet jij nou?' en hij draaide zich om en liep een andere kant op.

Binnengekomen liep Thomas meteen op de vriezer af. 'Is dat d'r?' vroeg hij, en hij wees op het merkwaardige pakketje dat in een witte plastic boodschappentas was gewikkeld, en ik knikte.

Hij haalde haar eruit en legde haar op het aanrecht. Ze maakte net zo'n schrapend geluid als een blok ijs zou doen. Ik vermoedde dat ze nu feitelijk in een blok ijs was veranderd. 'Niet te geloven dat hij jou die kat liet inpakken,' zei Thomas, en hij maakte een van de vele knopen los die ik in de hengsels van de plastic zakken had gelegd.

'Dat was mijn straf,' zei ik. 'Ik heb haar doodgemaakt.'

'Gelul,' zei Thomas. 'Je kunt niet eens autorijden.'

Ik ging toen wat dichter bij hem staan en legde mijn hoofd tegen zijn schouder.

'Je hebt in ieder geval genoeg zakken om haar heen gedaan,'

zei hij, want steeds als hij er een had losgemaakt, kwam er weer een andere tevoorschijn.

'Papa wilde het hygiënisch doen.'

'Drie is hygiënisch. Vijf is bezopen.'

Uiteindelijk kwam hij bij de plastic folie aan. Je kon haar er heel duidelijk doorheen zien. 'Jezus, man,' zei Thomas. 'Wat zielig.'

'Het was een lieve poes,' zei ik.

Hij knikte. 'Zijn haar ogen open?'

'Hm-hm.'

'Waarom heb je ze niet dichtgedaan?'

Ik haalde mijn schouders op.

'We moeten ze eigenlijk dichtdoen.'

'Dat gaat niet,' zei ik. 'Ze is bevroren.'

'Nou,' zei Thomas, 'ik wed dat het best zou gaan als we haar een beetje ontdooien.'

'Daar hebben we niet genoeg tijd voor,' zei ik.

'Natuurlijk wel.' Hij sloeg zijn armen om me heen en gaf me een paar lichte kusjes op mijn wang. Hij zei: 'We kunnen naar jouw kamer gaan en tegen de tijd dat we er weer uit komen, zal ze wel zacht zijn.'

'En als ze nou stinkt?'

'Dat zal heus niet.'

'Weet je het zeker?' vroeg ik, en hij fluisterde in mijn oor dat hij het zeker wist.

We gingen naar mijn kamer en Thomas zei dat ik me helemaal uit moest kleden. Toen hij daar alleen maar naar me stond te kijken, zei ik: 'Ga jij je niet uitkleden?'

Hij schudde zijn hoofd. 'Ik wil het doen terwijl jij naakt bent en ik niet. Ik maak alleen mijn broek los.'

'Waarom?'

'Omdat dat sexy is. Daarmee laat je zien hoe graag je het wilt.'

Ik vond dat dat wel logisch klonk, en zei dus: 'Oké.' Toen ik al mijn kleren uit had, zei hij dat ik op mijn handen en knieën op bed moest gaan zitten. 'Waarom?' vroeg ik weer.

'Omdat ik het zo wil doen.'

'Maar dan kan ik je niet zien,' zei ik.

'Je zult me voelen.'

Ik deed wat hij me opdroeg hoewel ik me wel een beetje geneerde. Ik was bang dat hij op die manier in mijn kont kon kijken. Ik probeerde me wat om te draaien om hem te kunnen zien, maar hij zei dat ik dat niet moest doen. Hij zei dat ik voor me uit moest blijven kijken en niet bang hoefde te zijn. Ik hoorde zijn rits en voelde hem toen tegen me aan duwen met zijn penis. Hij probeerde hem ergens in te duwen waar geen gat zat. 'Daar zit het niet,' zei ik.

'Wacht even,' zei hij.

Na nog eens proberen vond hij de goede plek. Ik was al opgewonden geraakt nadat hij me in de keuken had gekust, dus hij ging heel gemakkelijk naar binnen. 'O, man,' hoorde ik hem zeggen. Toen vroeg hij: 'Voelt dat lekker?'

'Ja,' zei ik, hoewel ik daar eigenlijk niet zo zeker van was. Het voelde niet vervelend, het voelde precies zoals het was: Thomas die mijn heupen vasthield en in en uit me gleed.

'Ga je klaarkomen?' vroeg hij een minuut later.

'Ik denk het niet.'

'Het meisje moet altijd als eerste klaarkomen,' zei hij.

'Ik denk niet dat dat me gaat lukken.'

'Waarom niet?'

'Ik weet het niet,' zei ik. 'Ik weet niet hoe dat moet als ik niet alleen ben.'

Toen reikte Thomas naar voren en legde zijn hand tussen mijn benen. Ik maakte onbedoeld een geluidje, zoiets als een langgerekt *ooh*.

'Kun je zo klaarkomen?' vroeg Thomas me.

'Ja,' zei ik, en heel snel nadat hij me begon te strelen kwam ik klaar. Ik maakte nu een ander geluidje alsof mijn stem beefde. Het voelde zoveel fijner om een orgasme samen met iemand te hebben. Het was ongelooflijk te bedenken dat ik niet de enige was die wist hoe ik mezelf een fijn gevoel kon geven.

'Oké, nu ga ik klaarkomen,' zei Thomas.

'Oké.'

Ik voelde dat hij zich terugtrok. 'Draai je eens om,' zei hij.

Ik draaide me om. Maar in plaats van hem er weer in te doen knielde hij voor me neer en staarde tussen mijn benen terwijl hij zichzelf streelde. Op het moment dat hij klaarkwam, richtte hij zijn penis op mijn buik en daar kwam het spul terecht. Een beetje ervan kwam in mijn navel.

Toen hij klaar was ging hij naast me op bed liggen. 'Mag ik een papieren zakdoekje?' zei ik.

'Heel even wachten.'

'Ik heb een papieren zakdoekje nodig,' zei ik, want ik voelde de druppels over mijn huid lopen. 'Anders komt het op het bed terecht.'

'Oké,' zei hij, en hij stond op en liep naar de badkamer. Hij kwam terug met papieren zakdoekjes en veegde me schoon. 'Vond je het lekker?' vroeg hij.

'Ja,' zei ik. Ik wist niet zo goed of ik het nou wel of niet lekker had gevonden, maar omdat Thomas' stem klonk alsof hij dacht dat ik het lekker had gevonden, wilde ik hem niet teleurstellen.

'Volgende keer kom ik op je tieten klaar,' zei hij.

'Oké,' zei ik. Ik probeerde niet te laten merken hoe blij ik was dat hij het over een volgende keer had zonder dat ik hem hoefde uit te leggen waarom ik geen maagd meer was.

Hij verfrommelde de papieren zakdoekjes tot een balletje en zei: 'Kom, dan gaan we kijken of ze al ontdooid is.'

Ze was nog niet ontdooid. Bovendien begon ze een beetje te stinken. Thomas zei dat hij niets rook, maar volgens mij zei hij dat alleen maar zodat hij niet hoefde toe te geven dat hij het bij het verkeerde eind had gehad. 'We moeten haar weer inpakken,' zei ik.

'Of,' zei Thomas, 'we kunnen haar in de magnetron stoppen. Even maar, dertig seconden of zo.'

'Nee,' zei ik. Hij deed me nu steeds meer denken aan de jongens op school die gore grappen vertelden over dieren in ovens en drogers en vaatwassers.

'Het is oneerbiedig om haar ogen niet dicht te doen,' zei Thomas.

'Het is nog oneerbiediger als we haar in de magnetron stoppen.'

'Niet als je het alleen maar doet om haar ogen dicht te doen.'

Ik dacht daarover na. Ik wist eigenlijk niet wat het beste was. 'En als ze nou nog meer gaat stinken?' zei ik.

'Dat gebeurt heus niet,' zei Thomas. 'Niet in dertig seconden.'

Maar ze stonk wel. Het was niet zo'n heel erge stank, maar het rook ook niet goed. Zelfs Thomas gaf toe dat hij haar nu ook rook. Daar kwam nog bij dat toen de dertig seconden voorbij waren, hij nog steeds haar ogen niet dicht kon doen. 'We moeten haar in de vriezer terugleggen,' zei ik, en deze keer luisterde hij naar me.

Ik keek toe hoe Thomas Sneeuwbal inpakte, net zoals papa de vorige avond bij mij had toegekeken. Als hij iets niet goed deed, zei ik dat tegen hem, maar niet op een onvriendelijke toon, zoals papa. Thomas vond het maar niets dat hij haar weer in al die plastic zakken moest wikkelen, maar ik zei dat als hij dat niet deed, ik in de problemen kon komen. 'Hoe kan je nou in de problemen komen?' vroeg hij. 'Ik bedoel, gaat je vader nou echt controleren in hoeveel zakken ze is verpakt voordat hij haar in de vuilnisbak gooit?'

'Ik weet het niet,' zei ik. 'Het zou best kunnen.'

'Dat kan ik nauwelijks geloven,' zei Thomas, en dat kwetste me een beetje, hoewel het waarschijnlijk klopte dat papa de zakken echt niet zou tellen. Ik wist niet zo goed hoe ik Thomas moest uitleggen dat het daar niet om ging. Het punt was dat ik zo veel mogelijk dingen moest zien te houden zoals papa ze graag had.

We namen met een kus afscheid in de zitkamer en ik deed de voordeur open. Toen we naar buiten stapten, stond meneer Vuoso net in zijn tuin om de vlag naar beneden te halen. 'Daar heb je die kerel van jouw artikel,' zei Thomas, en hij moest een beetje lachen.

'Ssst,' zei ik.

'Waarom?' vroeg Thomas.

'Hij was niet zo blij met hoe het artikel uiteindelijk geworden was.'

Thomas haalde zijn schouders op. 'Het leek mij wel oké. Ik bedoel, voor een artikel dat over een klojo ging.'

Op dat moment kwam meneer Vuoso op ons aflopen. 'Nee, hè,' zei ik.

'Ik doe het woord wel,' zei Thomas.

'Jasira,' zei meneer Vuoso, en hij zette een stap op ons grasveld. Hij hield zijn tot een driehoek gevouwen vlag onder zijn arm geklemd.

'Ja?'

'Wat is hier aan de hand?'

'Niks,' zei ik.

'Wat bedoelt u met wat is hier aan de hand?' vroeg Thomas.

'Heb ik het soms tegen jou, vriend?' zei meneer Vuoso.

'Ik ben uw vriend niet,' zei Thomas.

'Weet je vader dat hij hier is?' vroeg meneer Vuoso aan me.

Ik zei niets.

'Laat haar met rust,' zei Thomas, en hij ging iets anders staan zodat hij opeens wat langer leek.

Meneer Vuoso negeerde hem. 'Als hij vertrokken is, wil ik je even spreken,' zei hij, en toen draaide hij zich om en liep terug naar zijn huis.

'Wat verbeeldt die gast zich eigenlijk wel?' vroeg Thomas, zodat meneer Vuoso het waarschijnlijk nog kon horen.

Ik haalde mijn schouders op.

'Als je het maar niet in je hoofd haalt om met hem te gaan praten,' zei Thomas.

'Dat doe ik ook niet,' zei ik, en ik meende het. Iets aan de manier waarop meneer Vuoso zich gedroeg deed me denken aan die dag toen hij me pijn had gedaan.

'Ga naar binnen en doe de deur meteen op slot,' zei Thomas.

Ik knikte en ging naar binnen. Nadat ik de deur op slot had gedaan, trok ik het gordijn in de zitkamer open en zwaaide naar Thomas, die de straat uit liep. Toen hij uit het zicht was, liet ik het gordijn weer vallen en ging naar de keuken om alles te controleren. Het leek allemaal in orde, alleen hing er nog steeds een stank. Ik pakte de bus luchtverfrisser uit het kastje in de wasruimte en spoot daarmee in het rond, maar dat gaf een nog smeriger lucht van dooie kat en gardenia's. Daarna zette ik overal in het huis de ramen open en net toen ik bezig was met de ramen in de zitkamer, ging de deurbel. Ik verstarde. 'Jasira,' hoorde ik meneer Vuoso zeggen. Ik bleef stokstijf staan. 'Ik weet dat je er bent,' zei hij een seconde later.

'Ja?' zei ik, en ik probeerde zo vriendelijk mogelijk te klinken.

'Doe de deur open!' zei hij.

Dat deed ik niet.

'Nu!' schreeuwde hij.

Uiteindelijk trok ik het gordijn in de zitkamer opzij en keek door het raam naar hem. 'Wat is er?' vroeg ik.

'Doe de deur open,' zei hij, en vanwaar hij stond op het stoepje moest hij zijn nek uitrekken.

'Zeg het zo maar tegen me.'

'Wel godverde...!' zei hij. 'Ik heb je gezegd dat je bij me moest komen als dat joch weg was.'

'Ik wil niet bij u komen,' zei ik.

'O nee?' zei hij.

Ik schudde mijn hoofd.

Hij bleef daar even op het stoepje staan. Toen deed hij een stap opzij en liep naar het raam. Hij lette niet op de afrikaantjes die papa onder de vensterbank had geplant en trapte erbovenop. 'Wat was je met die nikker aan het doen?' wilde hij weten.

'Niks.'

'Je gaat me nu vertellen wat je met hem gedaan hebt, of ik ga naar je vader toe om te zeggen dat hij hier is geweest, en het kan me niet schelen hoe hard hij je dan slaat.'

Daarvan stokte mijn adem een beetje, dat ik iemand hoorde zeggen dat papa me een pak slaag ging geven. 'Vertel alstublieft niet aan papa dat Thomas hier is geweest,' zei ik.

'Vertel dan wat je met hem hebt gedaan.'

Ik zei niets.

'Heb je je door hem laten neuken?'

Ik zei nog steeds niets.

'Jezus christus.'

'U zei dat u me niet zou verraden.'

'Jezus christus,' zei hij nog eens.

Toen papa thuiskwam, zei hij: 'Wat stinkt er zo?'

'Hè?' zei ik. Ik haalde diep adem om hem te laten zien dat ik geen flauw idee had wat hij bedoelde.

'Er hangt hier een smerige lucht,' zei hij, en hij snoof om zich heen.

'Ik ruik het niet,' zei ik.

'Is het de vuilnisbak?' Hij deed het deurtje onder de gootsteen open. De zak zat vol en hij zei: 'Breng die vuilnis naar buiten, Jasira.'

Ik knikte en ging de witte plastic zak dichtbinden.

'We krijgen hier ongedierte als jij je werk niet doet,' zei hij. 'En als we ongedierte krijgen, ga jij de ongedierteverdelger betalen van je spaargeld.'

'Oké,' zei ik.

'Die zijn heel duur,' waarschuwde hij.

Ik wachtte tot papa zei dat ik Sneeuwbal ook uit de vriezer moest halen, maar hij zei niets. Ik wist niet zeker of hij het vergeten was, maar ik hielp het hem niet herinneren. Ik wist dat ze dood was, maar toch vond ik het een nare gedachte dat ze geplet zou worden in de vuilniswagen.

De volgende dag op school wilde Thomas weten hoe het met meneer Vuoso was afgelopen. 'Er is niks gebeurd,' zei ik. 'Hij kwam naar me toe en probeerde met me te praten, maar ik wilde de deur niet opendoen.'

'Waar wilde hij dan over praten?'

'Ik weet het niet,' loog ik.

Thomas zweeg even. Toen zei hij: 'Is hij verliefd op je?'

'Wat?'

'Houdt hij van je?'

'Nee,' zei ik, hoewel het idee dat Thomas dacht dat meneer Vuoso van me hield, maakte dat ik er meer over wilde horen.

'Hij praat tegen je alsof hij van je houdt,' zei Thomas. 'Zo doe je als je van iemand houdt. Je loopt dan de hele tijd bazig te doen, maar zij hebben het niet door. Alleen andere mensen hebben het door.'

'Ik denk niet dat hij van me houdt,' zei ik.

'Misschien wel.'

'Ik denk van niet.'

Toch moest ik er de rest van de dag steeds aan denken. Meestal dacht ik dat meneer Vuoso me niet aardig vond, maar alleen zin had om wat te flirten. Het was nooit bij me opgekomen dat er iets anders aan de hand kon zijn.

In de studiezaal wisselden Denise en ik briefjes uit. Op dat van haar stond: *Meneer Joffrey heeft een vriendin. Niet te geloven.* Toen tekende ze een fronsend gezichtje met een traantje op zijn wang.

Ik antwoordde: *Hoe weet je dat?*

Zij schreef weer: *Omdat hij eindelijk mijn horoscopen had gelezen en zei dat die over zijn vriendin inderdaad klopte.*

Wat stond er dan? vroeg ik haar.

Dat als je een Tweeling bent, je deze maand succes zult hebben in je carrière en schoonheid zult uitstralen.

O.

Het leek alsof hij het me goed wilde inpeperen, schreef ze.

Misschien wilde hij het een beetje aardig brengen.

Nee, schreef ze, *hij wilde me ermee om de oren slaan!*

Wat vervelend voor je, schreef ik.

Ze vroeg hoe het met meneer Vuoso ging en ik zei, wel goed. Ik vertelde haar niet dat hij boos op me was geworden vanwege dat artikel, dat hij me de dag daarvoor bang had gemaakt, dat hij misschien verliefd op me was.

Ze schreef terug dat ze jaloers was, dat ik geluk had, en als ik erachter kon komen wanneer hij jarig was zou ze een goeie horoscoop voor de volgende maand schrijven.

Toen ik die middag uit school kwam, ging ik meteen mijn huiswerk maken. Daarna zette ik de tv aan en klapte de strijkplank uit. Sinds ik mijn baantje bij de familie Vuoso was kwijtgeraakt, had papa aangeboden me te betalen om zijn overhemden te strijken in plaats van ze naar de wasserij te brengen. Hij gaf me voor ieder overhemd één dollar vijftig en zei dat zodra ik er een rotzooitje van maakte hij ze weer onmiddellijk naar de wasserij zou brengen.

Ik deed ongeveer vijftien minuten over een overhemd en ik had er bijna vijf gestreken toen er om een uur of zes werd aangebeld. Ik liep naar de voordeur, maar in plaats van hem open te doen keek ik eerst uit het raam om te zien wie het was. Toen ik meneer Vuoso zag staan, deed ik het raam open en zei: 'Hoi.'

'Hoi,' zei hij. Hij leek veel kalmer dan de vorige dag. 'Mag ik even binnenkomen?'

'Ik weet het niet,' zei ik. 'Papa komt zo direct misschien thuis.'

Meneer Vuoso keek op zijn horloge. 'Weet je het zeker? Het is nog een beetje vroeg.'

'Kunnen we niet gewoon zo praten?'

'Natuurlijk,' zei meneer Vuoso, hoewel ik kon zien dat hij een tikje teleurgesteld was.

'Gaat alles goed?' vroeg ik.

'Nou,' zei hij, 'ik wilde eigenlijk vooral mijn excuses maken voor gisteren. Hoe ik me gedroeg. Sorry.'

'Het is wel goed, hoor.'

'Nee,' zei hij. 'Dat is het niet. Zo mag ik niet tegen je praten.'

Ik zei niets. Volgens mij gaf niets me zo'n goed gevoel als wanneer meneer Vuoso zei dat iets hem speet.

Toen haalde hij diep adem. 'En ik wilde ook afscheid komen nemen.'

'Afscheid?' zei ik.

Hij knikte. 'Ik heb een oproep gekregen.'

Ik keek hem aan door de hor. Vandaag bleef hij op het stoepje staan en hij leunde een beetje mijn kant op onder het praten. 'Maar de oorlog is voorbij,' zei ik.

Hij lachte even. 'Het vechten is voorbij. Maar ze hebben nog steeds heel veel hulp nodig.'

Ik begreep het niet. Papa had gezegd dat meneer Vuoso waarschijnlijk niet zou worden opgeroepen. Maar ik vermoedde dat papa niet wist waarover hij het had. Hij wist vaak niet waarover hij praatte. 'Kunt u dan sneuvelen?' vroeg ik.

'Ik denk van niet,' zei meneer Vuoso. 'Ik bedoel, ik hoop van niet.'

'Ik dacht dat u niet hoefde te gaan nu de oorlog is afgelopen.'

'Nou, dat dacht ik dus ook.'

'Ik wil niet dat u gaat.'

'Ik kom weer terug,' zei hij.

Ik wist toen niet wat ik moest zeggen.

'Goed,' zei hij, 'tot ziens dan maar.'

Ik keek hoe hij zich omdraaide en de treden af liep. Toen hij bijna halverwege het pad was, zei ik: 'Wacht,' en ik liep naar de voordeur en deed open.

Hij bleef staan en draaide zich om.

'U mag binnenkomen,' zei ik.

Hij bleef even staan, knikte toen en liep weer naar me toe. Toen hij naar binnen stapte, kwam er een vleugje van zijn aftershave mee. Nadat hij even in de zitkamer om zich heen had gekeken, ging hij in papa's stoel zitten. 'Kom es hier,' zei hij. 'Kom es bij me zitten.'

Ik stond stil. Het duurde even voordat ik eraan gewend was dat hij nu zo aardig deed. 'Bedankt dat u niets verteld hebt over Thomas,' zei ik.

'Thomas?'

'Mijn vriend die hier gisteren was.'

'O,' zei hij. 'Daar wil ik het liever niet over hebben.'

'Sorry.'

'Wil je niet even hier komen?'

Ik liep langzaam naar hem toe.

'Kom es bij me zitten,' zei hij, en hij gaf een klopje op zijn schoot. Zodra ik ging zitten voelde ik zijn penis tegen mijn billen. Ik wist dat hij dingen met me wilde doen en dat ik dat moest doen omdat hij was opgeroepen. Maar ik had vooral het gevoel dat ik het moest doen omdat ik het met Thomas had gedaan en meneer Vuoso dat wist. Ik had het gevoel dat als ik nee zei, hij me zou vragen waarom ik wel dingen met Thomas deed en niet met hem, en daar zou ik geen antwoord op hebben.

Nadat ik een tijdje op zijn schoot had gezeten, begon hij met zijn hand over mijn borsten te wrijven. Hij duwde mijn truitje omhoog en daarna mijn beha, en toen boog hij zich voorover en beet in een van mijn tepels. 'Au,' zei ik, en ik legde mijn hand over de borst waarin hij had gebeten. 'Niet doen.' Hij deed het niet meer, maar trok een raar gezicht tegen me. Een gezicht alsof hij vond dat ik iets grappigs had gezegd. 'Best,' zei hij, 'dan doen we iets anders.'

Toen zei hij dat ik op de grond moest knielen en dat deed ik, en hij ritste zijn broek open en stopte zijn penis in mijn mond. Eerst bewoog hij mijn hoofd voor mij op de manier zoals hij het wilde, toen nam hij zijn handen weg zodat ik het zelf kon doen. Toen ik het niet meer goed deed, legde hij zijn handen weer over mijn oren en begon het me weer voor te doen.

Na een tijdje zei hij dat ik moest stoppen en moest opstaan. Dat deed ik en hij knoopte mijn broek los en liet me die uittrekken, en ook mijn onderbroekje. Toen moest ik naast de salontafel op mijn buik op de vloer gaan liggen en stopte hij zijn penis naar binnen. Het was net als de dag daarvoor met Thomas, toen hij kleren aan had en ik niet, en hij achter me zat. Maar hij reikte niet naar voren om me te strelen zoals Thomas had gedaan. Hij duwde gewoon mijn hoofd in het tapijt.

Nadat hij een tijdje heen en weer had bewogen, trok hij hem eruit en zei dat ik overeind moest komen. Hij ging weer in papa's stoel zitten en stopte zijn penis weer in mijn mond. Ik probeerde me groot te houden omdat ik het spul nu zou moeten doorslikken, maar op het allerlaatst trok hij zijn penis uit mijn mond en richtte hem op mijn gezicht. Er druppelde wat over mijn lippen en er kwam wat op mijn wang terecht. 'Lekker,' zei hij tegen me, en hij stopte zijn penis weer terug. 'Dat was lekker.' Toen ritste hij zijn broek dicht en zei dat hij in Irak aan me zou denken.

Nadat hij vertrokken was, hield ik mijn handen tegen mijn gezicht om te voorkomen dat het spul op het tapijt zou druppelen. Ik voelde het al van mijn gezicht naar beneden sijpelen. Ik liep naakt naar de badkamer met de druppels in mijn hand en stapte toen zonder in de spiegel te kijken in de badkuip. Ik wilde mezelf zo niet zien.

Onder de douche verlangde ik naar Thomas. Ik wilde hem zeggen dat hij zich absoluut vergiste en dat meneer Vuoso niet verliefd op me was. Ik wilde hem zeggen dat ik wilde dat ik naar hem had geluisterd en de deur niet had opengedaan.

Ik stapte uit bad en droogde me af. Ik trok schone kleren aan en stopte mijn oude kleren in de wasmachine, samen met wat kleding van papa omdat hij niet wilde dat ik water verspilde met een halfvolle machine. Toen ging ik weer verder met strijken. Ik deed nog twee overhemden voordat papa thuiskwam. Toen hij ze zag, zei hij dat ze beter gestreken waren dan bij de wasserij. Hij trok zijn portefeuille om me te betalen en ik probeerde niet te huilen omdat hij zo aardig deed.

TIEN

Meneer Vuoso werd niet opgeroepen. Ik zat maar te wachten tot hij vertrok, maar hij ging niet. Hij bleef. Iedere dag zag ik hem de vuilnis buitenzetten, zijn brievenbus openmaken, zijn vlag naar beneden halen en de oprit op en af rijden. Ik vond het een afschuwelijke gedachte. Dat hij tegen me had gelogen, dat ik hem had geloofd en dat hij nergens last van leek te hebben terwijl ik me schaamde. Ik schaamde me omdat ik zo stom was geweest. Omdat ik iets had gedaan wat ik eigenlijk niet had willen doen, en dat ik vervolgens iedere dag tegen de persoon aan moest kijken met wie ik het gedaan had.

Het ergste was dat als hij me zag, hij me niet eens negeerde. Hij glimlachte of zwaaide of riep: 'Hoi, Jasira! Hoe is het?' Het op een na ergste was dat ik dan terug glimlachte en riep: 'Goed, dank u.' In het begin, toen hij zo deed, zo oprecht, dacht ik nog dat hij misschien nog steeds opgeroepen zou worden, maar dat hij alleen nog niet vertrokken was. Maar toen ik het Zack op een middag vroeg zei hij: 'Mijn vader wordt helemaal niet opgeroepen! Heb je het dan niet gehoord, achterlijke mongool? De oorlog is voorbij. We hebben Saddam op zijn lazer gegeven.'

Ik schaamde me vooral in het bijzijn van Melina. Als ik haar buiten zag staan, bleef ik binnen. Als zij naar buiten kwam terwijl ik ook buiten was, verzon ik een reden om naar binnen te moeten. Ik ging niet meer naar haar huis om in mijn boek te lezen en ik deed de deur niet open als ik dacht dat zij op de stoep stond. Mijn tampons raakten op maar in plaats van haar te vragen of ze nieuwe voor me wilde kopen, droeg ik gewoon maandverband. Maandverband gebruiken was een van de weinige dingen waardoor ik me beter ging voelen. Ze waren een soort straf die ik mezelf kon opleggen.

Ik dacht dat ik het verdiende om gestraft te worden, want die keer met meneer Vuoso was mijn lichaam opgewonden geweest. In mijn hoofd was ik het niet, maar toen meneer Vuoso zich bij mij naar binnen duwde, ging dat heel gemakkelijk. Hij zei dingen als: 'Dit wil je graag, hè?' en 'Dit vind je lekker, hè?' Ik voelde me verraden door mijn lichaam. Ik had het gevoel dat ik in mijn hoofd het ene dacht maar dat het andere deel van mij iets heel anders voelde. Dat deel van me dat de macht had over wat er zich tussen mijn benen afspeelde, wilde dat er slechte dingen gebeurden omdat het datgene deed waardoor het makkelijker werd om slechte dingen te laten gebeuren.

Ik werd duizelig van het steeds maar nadenken daarover. Soms, als ik te diep nadacht begonnen mijn vingers te tintelen en voelde ik mijn binnenkant verschrompelen en zich tot een balletje oprollen. Net als Sneeuwbal toen ze op de weg lag.

Tijdens de Franse les moest Madame Madigan me wel drie keer vragen hoe het met me ging voordat ik opkeek en zei: '*Je vais très bien.*' Thomas moest zo vaak herhalen wat hij had gezegd dat hij me voor dove begon uit te schelden. Alleen Denise scheen te begrijpen waarom ik niet zo goed oplette. *Die kerel houdt niet meer van je, hè* schreef ze op een briefje in de studiezaal. *Ja*, schreef ik terug en ik tekende het sombere gezichtje met het traantje erbij net zoals zij bij meneer Joffrey had gedaan.

Denise vroeg of ik die zaterdag bij haar wilde komen logeren en ik zei dat ik het aan papa zou vragen. 'Best,' zei hij, 'als je eerst je huishoudelijke taken maar doet.' Dus maakte ik die zaterdagochtend mijn badkamer schoon en stofzuigde. Papa wilde ook dat ik hem hielp met het wieden van de bloemperken die we voor het huis hadden aangelegd, want nadat mijn moeder naar

Syracuse was teruggekeerd hadden we er niets meer aan gedaan. Terwijl we buiten in de aarde geknield zaten met onze tuinhandschoenen aan, kwam Gil, Melina's man, naar ons toe. Hij zei iets tegen papa in het Arabisch en papa gaf antwoord. Ik wist dat ze soms van die korte gesprekjes voerden als zeelkaar op straat tegenkwamen. Als papa dan binnenkwam, zei hij altijd dat Gil weliswaar een goede uitspraak had maar er voorspelbare politieke standpunten op na hield.

'Het is een prachtige dag om te tuinieren,' zei Gil nu in het Engels. Hij droeg een spijkerbroek en pantoffels en had de post onder zijn arm. Het viel me op dat hij alleen in het weekend een bril op had, net zoals andere mensen dan een trainingsbroek of oude gympen droegen.

'Ja,' zei papa, en hij keek omhoog naar de zon. 'Jasira en ik vonden dat we er maar van moesten profiteren.'

Ik vond het altijd vreselijk als hij net deed alsof iets ons gezamenlijke idee was, terwijl hij het eigenlijk had bedacht. Ook al ging het alleen maar om tuinieren.

'Goed,' zei Gil, 'ik wil jullie verder niet storen. Ik kwam jullie alleen uitnodigen om bij ons te komen eten. Melina vond dat we met zijn allen het einde van de oorlog moeten vieren.'

'Vieren?' zei papa. 'Hoe bedoel je vieren?'

Ik dacht dat Gil wel zou schrikken omdat papa zo tegen hem praatte, maar hij leek het niet te merken. Hij glimlachte alleen maar even en zei: 'Ben je dan niet blij?'

'Nee,' zei papa. 'Ik ben niet blij.'

Gil haalde zijn schouders op. 'We hoeven het niet te vieren. We kunnen gewoon samen eten.'

Ik hoopte dat papa nee zou zeggen, dat we niet konden komen. Ik hoopte dat hij zoals altijd zichzelf zou blijven en ons van andere mensen weg zou houden. Maar dat deed hij niet. Hij zei: 'Dat is heel vriendelijk van jullie. We komen graag.'

'Leuk,' zei Gil, en hij vroeg of we die vrijdag om halfacht konden komen.

Toen hij weg was, zei papa: 'Die gast is net zo erg als die idioot van een Vuoso, omdat hij veronderstellingen over mij doet.'

'Waarom moeten we dan bij hen gaan eten?' vroeg ik.

Hij keek me aan. 'Ik dacht dat Melinda je beste vriendin was.'

'Melina,' zei ik.

'Wij noemen volwassenen niet bij hun voornaam,' zei hij.

'Sorry.'

Na de lunch bracht hij me naar Denise. Hij bleef in de auto wachten tot ze de voordeur opendeed en reed toen weg. Denise zwaaide naar hem maar ik geloof niet dat hij het zag. 'Kom binnen,' zei ze. 'We gaan net eten.' Ik zei dat ik al gegeten had, maar zij zei dat ik dan maar weer moest eten omdat haar moeder een hartige taart voor ons had gebakken.

Mevrouw Stasney was langer dan Denise en had kort, rossig haar. Ze gaf me een hand toen ik de keuken in kwam en zei toen tegen ons dat we konden gaan zitten. 'Jasira is een beetje depri,' kondigde Denise aan.

'O ja?' zei mevrouw Stasney. Ze haalde de taart uit de oven en zette hem op tafel. 'Waarom dan?'

'Omdat haar vriendje niet meer van haar houdt. Net zoals toen met mij.'

'Jullie zijn nog veel te jong om nu al depri te raken vanwege jongens.'

'Nee hoor, dat is niet waar,' zei Denise. 'We zitten in de puberteit.'

Nadat we onze borden hadden afgespoeld en in de vaatwasser hadden gezet, bracht mevrouw Stasney ons naar het winkelcentrum. Denise wilde een broek kopen, maar geen enkele broek paste haar. Ze waren ofwel te krap voor haar kont en pasten precies in haar taille, of ze pasten precies om haar kont maar waren te wijd in de taille. 'Balen,' zei ze, en ze zuchtte en liet de lucht via haar mondhoek ontsnappen zodat haar piekerige blonde pony de lucht in waaide.

Omdat Denise niets kon vinden wat haar paste gingen we naar een winkel die Glamour Shots heette, en lieten daar een foto van onszelf maken. Het was zo'n winkel waar ze je een heleboel make-up op doen, je een mooie jurk aantrekken en je dan als een fotomodel laten poseren. Ik vond het een beetje gênant maar Denise zei dat dat het enige was wat haar kon opvrolijken. Daarna liet de fotograaf ons proefafdrukken zien van alle foto's die hij had genomen, en wij kozen de mooiste uit. Ik had net genoeg geld om er een te kunnen kopen, maar Denise kocht er nog twee voor me. 'Eentje voor je vader en eentje voor je moeder,' zei ze. Ik bedankte haar hoewel ik er zeker van was dat een sexy foto wel het laatste was wat mijn ouders van mij wilden hebben.

Om zes uur werden we opgehaald door Denises vader. Hij was lang en ook aan de dikke kant, en toen ik op de achterbank achter hem ging zitten, zag ik het vleeskleurige gehoorapparaat waar Denise het over had gehad. Toen ik die middag bij Denise aankwam, was meneer Stasney aan het fitnessen geweest en nu vertelde hij ons van alles over de training: hoeveel kilometer hij had gesnelwandeld, hoeveel keer hij zich had opgedrukt, hoeveel kilo de halter had gewogen bij het bankdrukken. Hij vertelde dat hij de afgelopen week anderhalve kilo was afgevallen en Denise zei dat dat geweldig was maar dat ze het over iets anders wilde hebben. 'Vraag Jasira om iets over zichzelf te vertellen,' zei ze. 'Probeer eens wat over mijn vrienden te weten te komen.'

'Vertel eens iets over jezelf, Jasira,' zei meneer Stasney en hij keek me via het achteruitkijkspiegeltje aan.

'Niet zo!' zei Denise. 'Je moet haar specifieke vragen stellen.'

Meneer Stasney stelde toen een heleboel specifieke vragen over school en papa en mijn moeder. Het deed me denken aan die keer toen ik bij Thomas had gegeten, alleen leek meneer Stasney minder geïnteresseerd in mijn antwoorden. Hij was niet lomp of onbeleefd of zo. Hij maakte alleen de indruk dat hij liever nog wat langer had willen praten over zijn bezoek aan de sportschool.

's Avonds gingen we eten in de Olive Garden waar Denise zich schaamde voor meneer Stasney omdat hij zo luid praatte en zichzelf en ons aan de serveerster voorstelde. Daarna gingen we weer naar huis en keken een film die Denise had gehuurd en die *A Patch of Blue* heette. Het was een oude film uit de jaren zestig over een blind meisje dat van een zwarte man hield. 'Ik dacht dat het je aan jou en Thomas zou doen denken,' zei Denise.

'Ik ben niet blind,' zei ik.

Ze gaf me een klap op mijn arm. 'Dat bedoel ik niet!'

Halverwege de film legde Denise haar hoofd op mijn benen, die ik op de bank had getrokken. Soms, als ik een velletje van mijn vingers probeerde te bijten, reikte ze omhoog, greep mijn hand en zei dan: 'Niet doen.' En dan hield ze hem nog een tijdje vast voordat ze hem losliet.

Meneer en mevrouw Stasney waren op bezoek gegaan bij vrienden en toen ze thuiskwamen zat ik erover in dat ze Denise op me zouden zien liggen. Maar mevrouw Stasney kwam alleen maar in de deuropening staan en zei: 'Wat romantisch.' Denise zei dat ze haar mond moest houden en ze lachte alleen en zei welterusten. Ik kon me niet indenken dat ik ooit tegen mijn moeder zou zeggen dat ze haar mond moest houden. Ik kon me niet voorstellen dat ze het ooit goed zou vinden dat ik romantisch deed.

Ik wilde dat Denise in haar tweepersoonsbed dicht tegen me aan zou komen liggen net als ze op de bank had gedaan, maar ze bleef aan haar kant. Ik vroeg me even af of ik soms lesbisch was maar besloot toen dat ik dat waarschijnlijk niet was. Het liefst had ik dat anderen me aanraakten op de manier die zij prettig vonden, maar zonder dat het pijn deed of me een slecht gevoel gaf.

De volgende ochtend, toen papa me kwam ophalen, lag de *Playboy* die meneer Vuoso me een paar maanden geleden gegeven had, op de stoel naast hem. Ik zag hem door het raampje aan de passagierskant nog voordat ik het portier had geopend, en ik overwoog heel even om weer bij Denise naar binnen te rennen, en haar familie te vragen me te beschermen. Maar ik deed het niet. Ik stond daar maar door het raampje te kijken. 'Instappen!' hoorde ik papa op gedempte toon tieren en uiteindelijk deed ik het portier open.

Ik moest het tijdschrift oppakken voordat ik ging zitten, en om een of andere reden gaf me dat een nog veel gênanter gevoel dan ik me ooit had kunnen voorstellen: het aanraken waar papa bij was.

Eerst zei hij niets. Hij zat daar gewoon en keek hoe ik mijn gordel omdeed. Ik wist niet wat ik met de *Playboy* moest doen, dus hield ik hem maar op mijn schoot. Ik had hem liever op de grond gelegd bij mijn rugzak, maar ik wist dat het tijdschrift daar lag om mij in de problemen te brengen en dat papa wilde dat we er allebei naar keken terwijl hij tekeerging.

Zodra Denises huis uit het zicht was verdwenen gaf papa me een keiharde stomp in mijn dij. Daarna deed hij het weer en toen nog eens op precies dezelfde plek. Ik wilde met mijn hand de plek bedekken, maar toen bedacht ik dat hij dan gewoon op mijn hand zou stompen. 'Wat is dat, godverdomme?' zei hij uiteindelijk terwijl hij naar de *Playboy* wees.

Ik wilde niet antwoorden dat het een tijdschrift was, omdat ik wist dat hij dat niet vroeg. Hij vroeg waar ik het vandaan had, waarom ik het had, en wat ik ermee deed. Ik wist dat ik op geen van die vragen antwoord kon geven. Nooit. Ik wist dat hij me tegen mijn been zou blijven stompen tot ik het wel zou zeggen, maar omdat ik het niet kón moest hij doorgaan tot hij er moe van werd.

In plaats van hem te antwoorden vroeg ik waar hij het tijdschrift had gevonden. 'Hoe bedoel je, waar ik het gevonden heb? Je weet donders goed waar ik het gevonden heb.'

'Hebt u in mijn kamer gekeken?'

'Nee, ik heb niet in jouw kamer gekeken. Ik had niet genoeg was om de wasmachine mee te vullen, dus om jou een plezier te doen ging ik jouw lakens wassen.'

'O.'

'Als mensen ons een plezier doen, zeggen we dank u wel.'

'Dank u wel.'

We reden langs een benzinestation waar een groepje middelbare scholieren een geldinzamelingsactie hield met auto's wassen. Ze droegen borden en sprongen op en neer en schreeuwden van alles naar de mensen die voorbijreden, dat hun auto vies was en dat ze de United Way moesten steunen. Ik wist dat papa niets van ze moest hebben. Ik wist dat als hij me ooit zo bezig zou zien, ook al hoorde je je waarschijnlijk zo te gedragen als je auto's waste, hij ontzettend kwaad op me zou worden.

'Waar heb je dat tijdschrift vandaan?' wilde hij weten.

Ik kon hem geen antwoord geven. Ik kon het gewoon niet. Het kwam niet omdat ik meneer Vuoso wilde beschermen, want dat wilde ik niet. Ik wilde juist dat meneer Vuoso in de problemen kwam. Ik wilde alleen niet samen met hem in de problemen komen.

'Geef antwoord!' brulde papa.

Toen ik nog steeds niets zei, stompte hij me weer tegen mijn been en zei dat er thuis nog meer zou volgen. Hij zei: 'Jij leeft niet in een morele wereld. De dingen die jij doet zijn heel anders dan die normale mensen doen. Jij bent niet normaal. Dit is een tijdschrift voor mannen, niet voor vrouwen. Jij kijkt naar foto's van hoeren en die vind je zo geweldig dat je ze bewaart. Je gehoorzaamt me niet; je gehoorzaamt je moeder niet. Er komt een dag, Jasira, dat je geen plek meer hebt om te wonen.'

We reden onze wijk in en een minuut of wat later passeerden we de plek waar papa Sneeuwbal had overreden. *Sorry, Sneeuwbal*, zei ik in gedachten. Ik zei het steeds als we hier langsreden. Ik probeerde me voor te stellen hoe ze voor papa wegstoof en dat papa niet meer kon stoppen. Maar het eindigde er altijd mee dat hij gewoon niet wilde stoppen. Dat hij het misschien wel had gekund maar dat hij in plaats daarvan had besloten haar aan te rijden.

We draaiden onze straat in en reden onze oprit op. Ik had het tijdschrift nog steeds op schoot liggen en nu bukte ik me om mijn rugzak te pakken. Het was dezelfde rugzak die ik mee naar school nam, alleen had ik de boeken eruit gehaald en er een pyjama en een tandenborstel in gestopt. 'Als we eenmaal binnen zijn, zul je wat beleven,' zei papa, en hij opende zijn portier.

Ik deed het mijne ook open. Ik voelde me sloom en stijf. Dat kwam deels door mijn been dat pijn deed en dat ik niet meer wilde bewegen dan noodzakelijk, maar tegelijkertijd was ik in de war omdat ik met papa naar binnen moest terwijl ik al wist wat er zou gebeuren. Ik begreep eigenlijk niet zo goed waarom ik dat zou doen. 'Schiet op,' zei papa. Hij stond al bij de achterdeur en draaide de sleutel om in het slot. Toen duwde hij de deur open en liet hem voor mij openstaan. Het sloeg nergens op. Ik moest daar naar binnen om een pak slaag te krijgen.

Ik deed het portier aan mijn kant dicht, liep over de oprit tot ik bij de voortuin van de familie Vuoso kwam en stak daar dwars doorheen. Ik ging wat sneller lopen terwijl ik het tijdschrift tegen me aan klemde en mijn rugzak een rinkelend geluid maakte. Telkens als mijn linkervoet de grond raakte deed mijn dij pijn.

Daarna stak ik Melina's oprit over en liep dwars door haar voortuin. Ik kwam bij haar stoepje en rende de treden op. Haar auto stond er niet, dus ritste ik het vakje aan de voorkant van mijn rugzak open en haalde haar huissleutel eruit.

Terwijl ik Melina's hordeur opende en de sleutel in het slot stak, hoorde ik papa mijn naam roepen. Ik wierp een snelle blik op ons huis en zag hem op onze oprit staan. Ik draaide de sleutel om en keek niet meer naar hem om hoewel ik het gras onder zijn schoenen hoorde ritselen en zijn stem dichterbij hoorde komen. Het maakte niets meer uit want de deur was nu open en ik stapte naar binnen en deed hem snel achter me dicht terwijl Gil me vanaf de bank aankeek.

Hij leek eerst een beetje verbaasd, maar toen deed hij alsof het doodnormaal was. 'O, hoi,' zei hij. 'Kom binnen.'

Ik bewoog niet. Ik wist dat papa zo direct zou komen en ik wist niet zo goed wat ik moest doen. 'Is Melina thuis?' vroeg ik.

Gil schudde zijn hoofd. 'Ze is naar zwangerschapsyoga. Maar ze komt zo terug. Je mag wel wachten.' Hij droeg een donkere gebreide muts waardoor hij eruitzag als een vriendelijke inbreker. Op de salontafel voor hem lagen verschillende stapels papier. Waarschijnlijk zat hij net zijn rekeningen te betalen.

Op dat moment werd er kort en hard op de deur geklopt. 'Hallo!' riep papa. 'Willen jullie opendoen, alsjeblieft?'

Ik keek Gil aan. Ik schaamde me te erg om hem om hulp te vragen. Ik had de *Playboy* in mijn handen en nadat hij er een snelle blik op had geworpen zag ik dat hij zijn best deed er niet meer naar te kijken. Als Melina thuis was geweest had ik haar gevraagd iets te doen, maar ze was er niet. Als ik alleen was geweest had ik de deur op slot gedaan en naar papa's geschreeuw staan luisteren. Maar alleen Gil was er, dus draaide ik me om om open te doen.

'Wacht even,' zei Gil, en opeens kwam hij overeind. 'Ik doe wel open.' Toen liep hij naar me toe en zei: 'Je ziet eruit alsof je een zakdoekje nodig hebt. Ga maar even naar boven naar de badkamer.'

Ik raakte mijn gezicht aan. Ik had blijkbaar gehuild. Ik wist niet zeker of het door mijn been kwam of doordat ik was weggerend.

'Het is de tweede deur links,' zei Gil.

Ik knikte, draaide me om en liep de trap op. Er lag geen vloerbedekking op zoals bij de familie Vuoso, dus iedere houten trede maakte lawaai. Ik dacht dat ik Gil naar me voelde kijken terwijl ik omhoog liep. Ik hoopte dat hij zou wachten met de deur opendoen tot ik niet meer zoveel lawaai maakte, en dat deed hij ook. Papa's geklop hield pas op toen ik boven in de gang de hoek om was.

Bij iedere stap die ik deed, voelde ik hoe slecht het er voor me uitzag omdat ik niet met papa terug naar huis zou gaan. Het had er al slecht voor me uitgezien als ik terug was gekomen toen hij buiten voor de eerste keer mijn naam riep. En beslist nog veel slechter als ik had opengedaan toen hij bij Melina aanklopte en dan met hem mee naar huis was gegaan. Maar nu Gil met hem praatte in plaats van ik, en ik mezelf in een kamer diep in Melina's huis had opgesloten, was ik ervan overtuigd dat papa me zou vermoorden als ik met hem terugging.

Ik pakte geen papieren zakdoekje zoals Gil had gezegd. Ik deed de badkamer op slot en ging tegen de deur aan staan voor het geval papa of Gil probeerde binnen te komen. Want ik was er zeker van dat papa Gil zover zou krijgen dat hij me teruggaf. Papa wist tegenover andere mensen goed te verbloemen dat hij gek was.

Ik hoorde hen een hele tijd praten, hoewel ik niet kon verstaan wat ze zeiden. Mijn schouder begon pijn te doen van het tegen de deur duwen, maar ik bleef toch zo staan. Ik gaf niet om de pijn die ik mezelf aandeed.

Na een hele tijd – een halfuur? drie kwartier? – hield het praten op en meende ik de deur te horen dichtslaan. Ik duwde mijn schouder nu nog steviger tegen de deur, hoorde iemand de trap op komen en door de gang lopen. 'Jasira?' zei Gil, en hij klopte op de deur.

'Ja?'

'Heb je een zakdoekje gepakt?'

'Ja.' Ik dacht dat papa stiekem naast hem stond en dat Gil me naar buiten probeerde te lokken zodat hij me terug kon geven.

'Nou, ik wilde je alleen maar even zeggen dat je vader weer naar huis is gegaan,' zei hij. 'Oké?'

'Oké,' zei ik, hoewel ik hem niet geloofde.

'Oké,' zei hij.

Ik wist toen niet wat ik moest doen. De deur kraakte even toen ik mijn schouder er nog steviger tegenaan zette.

'Jasira?' zei Gil.

'Ja?'

'Melina komt zo thuis.'

'Oké.'

'Kan ik iets voor je doen?'

'Nee, dank je.'

'Goed,' zei hij, en een seconde later hoorde ik hem weer door de gang lopen.

Ik dacht dat het een truc was en dat hij zich zou omdraaien en me zou komen halen, maar dat deed hij niet. Hij liep gewoon met dreunende stappen de trap af. Op dat moment besloot ik dat het mogelijk was dat wij de enige twee mensen in huis waren.

Uiteindelijk liep ik van de deur weg. Ik ging op het toilet zitten en masseerde mijn schouder. Een paar minuten later stond ik op en waste mijn gezicht. Ik pakte mijn tandenborstel uit mijn rugzak en poetste ook mijn tanden.

Vlak daarna hoorde ik de voordeur beneden opengaan en Melina roepen dat ze thuis was. Vervolgens hoorde ik een paar minuten lang niets. Toen hoorde ik iemand de trap op komen en de gang door lopen. 'Jasira?' zei Melina, en ze klopte op de deur.

'Ja?'

'Wil je even opendoen?'

Ik haalde de deur van het slot en deed open.

'Hai,' zei ze. Ze droeg een trainingsbroek en een blauw mannenoverhemd. De knoopjes in het midden konden niet dicht, dus had ze ze open laten staan.

'Moet ik naar huis?' vroeg ik haar.

'Wil je naar huis?'

'Nee.' Ik begon weer te huilen omdat ik nog nooit zo de waarheid had verteld. Melina zei dat ik bij haar moest komen en dat deed ik, en het kon me niet eens zoveel schelen dat we Dorrie tussen ons in ook knuffelden.

Nadat ik uit de badkamer was gekomen spraken we eigenlijk nergens over. Melina zei alleen dat ik mijn spullen in Gils werkkamer moest zetten – behalve de *Playboy,* waar ze niets over vroeg maar die ze van me afpakte en in haar kamer legde. Toen ze zei dat de bank in Gils werkkamer tot een bed kon worden uitgeklapt, probeerde ik niet te opgewonden te reageren vanwege het feit dat ik misschien mocht blijven slapen.

Toen gingen we naar beneden, naar de woonkamer. Melina zat te breien, ik las in mijn boek en Gil ging weer verder met zijn papieren. Het bleken geen rekeningen te zijn maar aandelen die hij probeerde te verwisselen zodat hij er misschien wat meer geld mee kon verdienen. Nu hij niet meer in het Vredeskorps zat, werkte hij voor Merrill Lynch.

Ik wist niet meer goed wat er nog in mijn boek te lezen viel. Ik wist niet of er nog iets in stond wat ik moest weten. Toen vond ik een hoofdstuk over kinderen die seksuele dingen hadden gedaan die ze niet hadden willen doen terwijl hun lichaam toch opgewonden was geraakt, net als het mijne die keer met meneer Vuoso. In het boek stond dat dat niet mijn schuld was, dat ik een mens was en geen plant, en dat dat de reden was waarom mijn lichaam op die manier had gereageerd.

Melina zei dat ze te moe was om die avond te koken, dus maakte Gil een gerecht uit Jemen klaar. Ik was een tikje teleurgesteld omdat het leek op het eten dat papa altijd klaarmaakte, maar toen ik het proefde smaakte het veel lekkerder. 'Dit vlees is lekker,' zei ik. 'Bij papa is het altijd droog.'

Gil knikte. 'De Arabieren laten alles veel te lang doorbakken.'

We zaten rond de formicatafel, en Gil zat het dichtst bij de keuken voor het geval hij moest opstaan om iets te halen. Melina zat met haar stoel een heel eind van de tafel af vanwege haar buik. Haar vork moest een lange weg afleggen van haar bord naar haar mond en soms viel er wat op haar blauwe overhemd. Dat vond ik wel grappig want het was me al een tijdje opgevallen dat haar kleren altijd op precies dezelfde plek een vlek hadden zitten, en nu begreep ik pas waarom.

Het begon me een beetje een ongemakkelijk gevoel te geven dat we nog niet echt gepraat hadden over wat er was gebeurd, dus uiteindelijk vroeg ik Gil wat papa tegen hem had gezegd.

'Nou,' zei Gil, 'dat hij je mee naar huis wilde nemen. Dat soort dingen.'

'Wat zei jij toen?' vroeg ik.

'Dat je in de badkamer was.'

Melina schoot in de lach en Gil moest ook een beetje lachen.

'Wat zei hij toen?' vroeg ik.

'Hij bleef steeds maar hetzelfde zeggen: dat je zijn dochter was en dat hij je mee wilde nemen.'

'En jij bleef nee zeggen?' zei ik.

'Daar kwam het wel op neer.'

'Gaat hij nou niet terugkomen?'

Gil haalde zijn schouders op. 'Misschien.'

'Moet ik dan terug?'

'Ik dacht dat je had gezegd dat je niet terug wilde,' zei Melina.

'Dat wil ik ook niet.'

'Dan hoef je je ook geen zorgen te maken.'

'Je moet niet tegen haar zeggen dat ze zich geen zorgen hoeft te maken,' zei Gil. 'Ze maakt zich wel zorgen.'

'Ik bedoel daar alleen maar mee dat niemand haar kan dwingen iets te doen wat ze niet wil,' zei Melina tegen Gil. Toen wendde ze zich tot mij en zei: 'Niemand kan je dwingen iets te doen wat je niet wilt, oké?'

'Oké,' zei ik.

Later, toen we met zijn allen tv zaten te kijken in de woonkamer, werd er op de deur geklopt. 'Dat is papa,' zei ik.

'Hoe weet je dat?' vroeg Melina.

'Dat weet ik gewoon.'

'Nou,' zei ze, 'wil je naar boven?'

Ik knikte.

'Goed. Dan wachten we even voordat we de deur opendoen.'

Ik stond op en liep naar boven. In plaats van mezelf in de badkamer op te sluiten bleef ik om de hoek in de gang staan zodat ik alles kon horen. Melina had deze keer blijkbaar de deur opengedaan want ik hoorde haar zeggen: 'O, hé.'

Papa zei iets wat ik niet verstond en Melina zei toen: 'Natuurlijk, kom binnen.'

'Wat kunnen we voor je doen?' zei Gil.

Papa begon te lachen. 'Wat denk je dat je voor me kunt doen?

Ik ben hiernaartoe gekomen om mijn dochter mee te nemen.'

'Ja, maar ze wil niet met je mee naar huis,' zei Melina.

'Nou en?' zei papa. 'Het is nou wel mooi geweest.' Toen riep hij: 'Jasira! Kom op! Meekomen!'

Ik bewoog niet. Een deel van me had medelijden met hem omdat hij niet wist waar ik zat in huis, maar een ander deel van me had er ook wel lol in.

'Sorry hoor,' zei Melina, 'maar ik heb je net gezegd: ze wil niet met je mee naar huis.'

'Jij hebt hier helemaal niets mee te maken,' zei papa. 'Als jullie haar niet teruggeven, staat dat gelijk aan ontvoering!'

'Dat betwijfel ik,' zei Melina.

Toen hoorde ik papa iets in het Arabisch tegen Gil zeggen – iets wat heel luid en lang klonk – en Gil zei iets terug.

'Engels spreken, alsjeblieft,' zei Melina, en ik had haar kunnen vertellen dat ze dat beter niet had kunnen zeggen want nu zou papa in haar aanwezigheid nooit meer Engels spreken. En ik kreeg gelijk. Hoewel Gil nu Engels begon te spreken, bleef papa doorgaan in het Arabisch. 'Wat zegt hij?' vroeg Melina aan Gil.

'Hij wil de politie bellen,' zei Gil. 'Ik probeer hem daarvan af te brengen.'

'En wat ga je ze dan vertellen?' vroeg Melina aan papa.

Hij negeerde haar en zei iets in het Arabisch tegen Gil. 'Luister eens,' zei Gil tegen papa, 'ik zie niet in waarom ze niet een paar dagen bij ons kan blijven logeren. Ze komt wel terug als ze eraan toe is.'

Hoewel hij nog steeds Arabisch sprak, begon ik nu volgens mij ongeveer te begrijpen wat papa zei. Dat toen Gil zei dat ik terug zou komen als ik daaraan toe was, hij waarschijnlijk antwoordde: 'Wat kan mij het schelen of ze eraan toe is? Ik ben haar vader en ze komt terug als ik het zeg.' En toen Gil zei dat het papa zou berouwen als de politie kwam omdat er dan informatie naar buiten kon komen waarmee hij niet geholpen was, antwoordde hij waarschijnlijk: 'Wat voor informatie? Er is geen informatie.' En toen Gil zei: 'Nou, er is vast wel wat informatie want ze trekt een beetje met haar linkerbeen,' zei papa vast en zeker: 'Ze doet maar alsof.'

Uiteindelijk hoorde ik de voordeur open- en weer dichtgaan. 'Je kunt weer naar beneden komen,' riep Melina en ik kwam om de hoek vandaan en liep de trap af. 'We hebben hem afgepoeierd,' zei ze.

'Dankjewel,' zei ik.

'Hij komt vast weer terug,' waarschuwde Gil.

'Nou en?' zei Melina. 'Dan poeieren we hem gewoon nog een keer af.'

We gingen weer tv-kijken en tijdens de reclame zei Melina tegen me: 'Ga eens naar de badkamer en pak de borstel die in de linkerlade van het kastje onder de wastafel ligt.'

Ik knikte, liep naar boven en pakte de borstel. Toen ik weer beneden kwam, pakte Melina de borstel aan en klopte op de plek naast haar op de bank. Ze begon eerst mijn haar aan de achterkant te borstelen en toen aan de zijkanten. 'Allemachtig, wat heb jij veel haar,' zei ze.

'Dank je,' zei ik, want ik begreep dat ze het als een compliment bedoelde.

'Vind je ook niet dat ze veel haar heeft, Gil?'

Ik werd er verlegen van dat ze hem dwong iets te zeggen over mijn uiterlijk, maar hij leek het niet vervelend te vinden. Hij beaamde het zonder van zijn effectenpapieren op te kijken.

Daarna genoot ik er nog veel meer van dat mijn haar geborsteld werd. Mijn hoofdhuid ging ervan tintelen en ik kreeg zoveel kippenvel dat ik er zeker van was dat Melina de bobbeltjes onder haar borstel voelde maar uit beleefdheid geen plagerige opmerking maakte. Het deed me eraan denken hoe fijn het had gevoeld toen Barry me nog scheerde, alleen voelde dit nog veel beter omdat we het niet geheim hoefden te houden.

Om een uur of tien zei Melina dat het voor haar tijd werd om naar bed te gaan en dat ik misschien ook maar moest gaan slapen. We zeiden Gil welterusten en gingen naar boven. Ik nam mijn rugzak mee naar de badkamer om mezelf te wassen en om te kleden, en toen ik naar beneden keek, zag ik dat het grote oranje T-shirt met Syracuse erop, dat ik met Kerstmis van mijn moeder had gekregen, de paarse plek op mijn been niet helemaal bedekte. Ik wist niet of ik het T-shirt helemaal naar beneden moest proberen te trekken of het gewoon aan Melina moest laten zien.

'Gaat het allemaal goed daarbinnen?' vroeg ze terwijl ze zachtjes op de deur klopte.

'Ja.'

'Nou, kom dan maar naar buiten en probeer het bed eerst uit. Eens kijken of je het erop uithoudt.'

'Oké,' zei ik, en ik trok mijn shirt wat naar beneden. Ik deed de deur open en stapte naar buiten.

'Jezus christus,' zei Melina en haar ogen gingen naar de plek waar mijn handen aan het T-shirt trokken. Ze pakte mijn pols vast zodat ik het moest loslaten. Het shirt kroop weer omhoog.

'Papa was boos vanwege dat tijdschrift,' zei ik.

'Hm-hm,' zei ze. Ik vond het wel fijn dat ze boos was maar niet op mij. 'Mag ik daar een foto van nemen?' vroeg ze.

'Van mijn been?'

'Volgens mij is dat wel een goed idee.'

'Best,' zei ik, hoewel ik er wat zenuwachtig van werd.

'Ik ben zo terug,' zei ze, en ik keek haar na terwijl ze de gang door schommelde.

Ik liep Gils werkkamer in en stapte in het bed. Ik begreep nu wat Melina bedoelde toen ze zei dat het misschien niet zo lekker zou liggen. In het midden zat een stang, vlak onder mijn rug. Maar het viel wel mee, vooral omdat ik toch nooit op mijn rug sliep.

Melina kwam terug met een polaroidcamera. 'Hoe is het bed?' vroeg ze.

'Prima.'

'Vind je die stang niet vervelend?'

Ik schudde mijn hoofd.

'Nou ja,' zei ze, 'we kijken wel hoe je je morgen voelt.'

Ik knikte, hoewel het er niet toe deed hoe ik me de volgende ochtend zou voelen, want ik zou toch zeggen dat het bed lekker lag.

'Kom er eens uit, zodat ik een paar foto's kan maken.'

Ik sloeg de dekens terug, stapte uit bed en ging ernaast staan. Eerst nam Melina een foto waar ik helemaal op stond. Toen kwam ze wat dichterbij en nam alleen een foto van de blauwe plek. Zodra er een foto uit de camera schoot, ving ze hem tussen haar vingers op. Daarna begon ze er lichtjes mee te wapperen. 'Is er nog iets anders waarvan ik een foto moet maken?' vroeg ze.

'Nee,' zei ik.

'Goed.'

Ik stapte weer in bed en trok de dekens over me heen. Ik zag dat de foto's steeds scherper werden terwijl Melina ermee wapperde. 'Mag ik ze zien?' vroeg ik.

'Waarom zou je ze willen zien? Je hebt het echte werk vlak voor je neus.'

'Ik wil ze gewoon zien.'

Ze gaf ze aan me en terwijl ik ze vasthield, leken ze zelfs nog scherper te worden. 'Het lijkt net een kwal,' zei ik.

'Nou,' zei Melina terwijl ze de foto's terugnam, 'het is anders geen kwal.'

'Bedankt dat je me geholpen hebt,' zei ik.

'Graag gedaan.' Ze boog zich over me heen en gaf me een kus, toen deed ze het licht uit en trok de deur achter zich dicht. Nadat ze weg was gegaan begon ik over de foto's na te denken. Ik stelde me voor dat ze ze aan papa liet zien en dat hij dan zou weten dat zij op de hoogte was van ons leven samen. Op een bepaalde manier was dat een prettige gedachte, maar aan de andere kant begreep ik dat hoe meer ik niet geheim hield, des te bozer papa zou worden als ik eindelijk naar huis terug zou gaan.

Die maandagochtend bracht Melina me naar school omdat ik bang was dat papa me bij de bushalte te pakken zou proberen te krijgen. Ze zei dat ze me ook weer zou ophalen en naar huis zou rijden. Toen gaf ze me een lunchzakje met boterhammen die ze voor me had gesmeerd. Dat had nog nooit iemand voor mij gedaan. Toen ik nog bij mijn moeder woonde, smeerde ik mijn eigen boterhammen en toen ik bij papa ging wonen kocht ik altijd iets op school.

In de studiezaal schoof Denise me een briefje toe waarin ze vroeg waarom ik dezelfde kleren als zaterdag droeg. Ik schreef terug dat ik die kleren leuk vond. Tussen de middag vroeg Thomas waar ik die maffe boterhammen vandaan had. 'Dat is toch niet maf,' zei ik.

'Wie eet er nou een sandwich met lamsvlees?' wilde hij weten. Omdat ik had gezegd dat ik Gils eten zo lekker vond had Melina me de restjes meegegeven. Maar ik loog en zei tegen Thomas dat ik het lamsvlees van papa op moest eten omdat we het anders moesten weggooien.

Na school kwam Melina in haar kleine Toyota aanrijden, met de stoel helemaal naar achteren geschoven zodat haar buik ertussen paste. 'Hoe ging het op school?' vroeg ze toen ik in de auto stapte.

'Goed.'

Ze wachtte tot ik mijn gordel om had voordat ze wegreed, wat ik heel aardig van haar vond. Papa begon altijd al te rijden zodra hij zijn eigen riem om had, zelfs als ik de mijne nog niet had vastgezet. Dan kreeg ik altijd het gevoel dat hij hoopte dat we een ongeluk kregen voordat ik vastzat.

Onder het rijden zong Melina mee met de radio. Ze had echt een mooie stem, als die van een professionele zanger, en ik vond het leuk dat ze zich niet geneerde om die aan mij te laten horen. Toen het liedje uit was, vroeg ik wat ze had gedaan terwijl ik op school zat. 'Nou, ik heb vooral heel veel geslapen. Ik was nogal moe.'

'O.'

'Gisteren was er wat meer opschudding dan ik gewend ben.'

'Het spijt me,' zei ik.

'Waarvoor?' Ze schakelde terug toen we een rood licht naderden. 'Wat zou jou moeten spijten?'

'Dat ik voor te veel opschudding heb gezorgd.'

Ze schudde haar hoofd. 'Dat had niets met jou te maken. Jij hebt niets misdaan.'

'Oké,' zei ik, hoewel ik niet snapte waarom dat niets met mij te maken had.

Toen we onze wijk in reden, vroeg Melina of ik mijn huissleutel bij me had. Ik zei ja en ze stelde voor om even bij papa binnen te gaan en wat spullen te pakken – kleren en zo. 'Oké,' zei ik.

We parkeerden op haar oprit en liepen toen naar mijn huis. Melina was nog nooit echt binnen geweest, dus liet ik haar even het huis zien. In de keuken zag ik tot mijn verbazing dat papa's vuile eetborden van de vorige avond nog in de gootsteen stonden. In zijn kamer was zijn bed niet opgemaakt.

In mijn slaapkamer zei Melina: 'Heeft hij niet eens de moeite genomen om het een beetje leuk voor je in te richten?' Ze had echt ontzettend haar best gedaan op Dorries kamertje, het geel geverfd, prenten opgehangen, en kussentjes genaaid waarop ze een vilten giraf, een olifant en een leeuw had geappliqueerd.

Ik haalde mijn schouders op.

'Nou ja,' zei ze, 'kom, dan pakken we je spullen.'

We hadden een plastic vuilniszak uit de keuken gepakt en ik begon wat kleren uit mijn lade er in te stoppen. Eerst deed ik er maar een paar dingen in, maar toen zei Melina: 'Wat is er nou? Vind je het soms niet leuk om bij mij en Gil te logeren?' en ze greep nog een handvol kleren. Daarna pakte ik wat spullen uit mijn kast – truien, broeken, bloesjes en schoenen. Er viel eigenlijk niet veel meer mee te nemen, behalve een paar boeken die op mijn ladekast stonden. 'Klaar?' vroeg Melina, en ik knikte.

Op de terugweg door de keuken bleef ik voor de vriezer staan. Sneeuwbal lag nog steeds in onze vriezer. Papa had het niet meer over haar gehad sinds die avond dat we haar hadden ingepakt en ik begon al te denken dat hij het misschien net zo'n vervelend idee vond als ik om haar in de vuilnisbak te stoppen. Toch voelde het niet goed om haar hier achter te laten. Ik was bang dat hij kwaad zou worden als hij zag dat al mijn kleren weg waren en haar dan uit nijd in de vuilnisbak zou stoppen. 'Wat is er?' vroeg Melina.

'Ik moet nog iets meenemen uit de vriezer.'

'Goed,' zei ze. 'Iets van eten wat je lekker vindt?'

Ik schudde mijn hoofd. 'Nee. Het is eigenlijk heel smerig.'

'Wat is het dan?'

'Sneeuwbal.'

'Sneeuwbal?'

'Zacks poes die hij kwijt was.'

'Bedoel je dat ze dood is?'

Ik knikte.

Melina keek me aan. 'Heb jij Zacks poes doodgemaakt?'

'Zoiets,' zei ik, en ik legde uit wat er gebeurd was.

'Ik snap het,' zei ze.

'We moesten haar in de vuilnisbak stoppen, maar papa vergat het steeds. En ik wil niet dat hij haar in de vuilnisbak stopt.'

Melina dacht even na en zei toen: 'Ik heb heel veel eten in mijn vriezer voor als de baby komt, snap je? Ik weet niet of ik ruimte genoeg heb voor een kat.'

'Het maakt niet uit,' zei ik.

Ze zuchtte. 'Laat eens zien hoe groot ze is.'

Ik deed de vriezer open en haalde Sneeuwbal eruit.

'Nou, ze is niet zo heel erg groot,' zei ze.

'Ze was nog maar een klein poesje,' zei ik.

'Vooruit dan maar,' zei Melina, en ze legde Sneeuwbal in de vuilniszak boven op mijn kleren.

Thuisgekomen maakte Melina plaats voor Sneeuwbal in de vriezer en daarna gingen we naar boven om een plekje te zoeken waar ik mijn kleren kon opbergen. Melina maakte een paar planken voor me leeg in de linnenkast en daar legden we mijn spullen op. Toen we klaar waren, zei ze dat ze even wilde gaan liggen maar dat ik wel tv mocht kijken of iets te eten voor mezelf mocht klaarmaken, of waar ik maar zin in had. 'Oké,' zei ik.

'Ik kom zo weer,' zei ze, en ik probeerde me niet verdrietig te voelen toen ze de slaapkamerdeur helemaal dichtdeed.

Ik liep naar beneden naar de woonkamer en deed helemaal niets. Ik dacht vooral diep na over alle dingen die konden gebeuren als papa erachter kwam dat ik mijn kleren en Sneeuwbal had meegenomen. Die waren allemaal niet goed.

Op een gegeven moment ging de telefoon en omdat dit niet mijn huis was, wachtte ik tot het antwoordapparaat opnam. Toen de beller begon te praten, was het mijn moeder. 'Jasira? Ben je daar?' Ze zweeg even en zei toen: 'Dit is een bericht voor Jasira. Ik heb gehoord dat ze bij jullie logeert. Ik ben haar moeder en zou graag willen dat ze me belt zodat ik weet wat er aan de hand is. Haar vader is erg van streek. Dank u.'

Opeens vond ik het allemaal een heel slecht idee. Hoe langer ik van mijn echte leven wegbleef, hoe erger het zou worden als ik weer terugging. En ik wist gewoon dat ik terug moest. Hoe lief en sterk Gil en Melina ook waren, binnenkort zouden ze er genoeg van krijgen. Vooral als Dorrie erbij kwam. Als Dorrie erbij kwam, maakte ik geen schijn van kans meer.

Ik ging naar de keuken en wiste de boodschap van mijn moeder. Ik pakte de vuilniszak, die Melina had opgevouwen en opgeborgen, nam hem mee naar boven, stopte mijn kleren er weer in en liep toen naar beneden en naar de vriezer om Sneeuwbal te pakken. Ik ging heel zachtjes de deur uit en liep de stoep af. Op dat moment kwam Gil net de oprit op rijden. 'Hai,' zei hij terwijl hij uitstapte. 'Waar ga jij naartoe?'

'Naar huis.'

'Naar huis?' zei hij. 'Nu al? Weet je zeker dat je daaraan toe bent?'

Ik knikte.

'Weet Melina ervan?'

'Ze ligt even te rusten,' zei ik. 'Ik wilde haar niet storen.'

Gil rinkelde zachtjes met zijn autosleutels. Hij had contactlenzen in en droeg vandaag een pak, en geen inbrekersmuts die zijn lichtbruine haar bedekte. 'Heeft Melina je verteld over haar bloeddruk?' vroeg hij.

'Ja,' zei ik. 'Ik geloof van wel.'

'Want, kijk,' zei hij, 'als ze niet weet dat je terug naar huis gaat en dan wakker wordt en merkt dat je weg bent, dan is dat niet goed voor haar. Ze mag zich niet te druk maken.'

'O.'

'Zou je mij een plezier willen doen en weer naar binnen willen gaan en in ieder geval wachten tot ze wakker wordt?'

'Oké,' zei ik. 'Sorry.'

'Je hoeft geen sorry te zeggen,' zei hij, en hij nam de vuilniszak van me over en droeg hem voor mij naar binnen.

Toen Melina wakker werd en naar beneden kwam, zei ze: 'Wat stinkt hier zo?'

'Ik ruik niets,' zei Gil. Hij had zijn das losgemaakt en zat bij mij in de woonkamer de krant te lezen.

'Het is net of er iets bedorven is,' zei Melina terwijl ze een vies gezicht trok. Het haar achter op haar hoofd stond rechtovereind zodat je het van voren zag.

Op dat moment bedacht ik dat ik vergeten was Sneeuwbal weer in de vriezer te doen. 'Misschien is het de poes,' zei ik.

'Welke poes?' vroeg Gil.

'Jasira heeft een dooie poes ingevroren,' zei Melina. Ik zag dat Gil nog meer vragen wilde stellen, maar Melina kapte hem af en zei: 'Ik kan me niet voorstellen dat het vanuit de vriezer zo kan stinken.'

'Nee,' zei ik. 'Dat is het ook niet.'

Toen zag ze de vuilniszak op de grond naast mij staan. 'Wat is dat?' zei ze. 'Is dat die zak uit je huis?'

Ik knikte.

Ze zette haar handen in haar rug om wat steun te hebben. 'Wat wil je daarmee?'

Voordat ik antwoord kon geven, zei Gil: 'Toen ik thuiskwam, liep Jasira net naar buiten. Ze dacht dat ze eraan toe was om weer terug te gaan naar haar vader.'

'Nee,' zei Melina, en ze keek me aan. 'Waar heb je het over? Geen sprake van.'

'Als ze terug wil, mag ze terug, Mel,' zei Gil.

'Meen je dat?' zei Melina. 'Wil je echt terug?'

'Ik wil jullie niet tot last zijn,' zei ik.

'Geef me die poes eens,' zei ze.

Ik maakte de zak open, haalde Sneeuwbal eruit en bracht hem naar Melina. Terwijl ze naar de keuken liep, zei ze: 'Ik wil dat je die kleren naar boven brengt en in de linnenkast opbergt.'

'Oké,' zei ik.

'Je moet haar naar huis laten gaan als ze dat wil,' riep Gil Melina na.

'Maar dat wil ze niet!' riep Melina terug.

Gil keek naar mij terwijl ik de vuilniszak oppakte en naar boven liep. Ik vond het heel aardig van hem dat hij voor me opkwam en daarom wilde ik hem niet kwetsen door te zeggen dat Melina gelijk had: ik wilde echt niet naar huis.

Het eten dat Melina die avond klaarmaakte heette kip *tetrazzini*. Het was kip in een saus die je over de rijst deed en het was erg lekker. Dat vonden we allemaal. Na het eten ging Gil afwassen en vroeg Melina of ik met haar mee naar boven wilde komen. Ze klonk ernstig, waardoor ik dacht dat ze weer naar mijn blauwe plek wilde kijken, maar dat was het niet. In plaats daarvan nam ze me mee naar haar kamer en zei dat ik op haar bed moest gaan zitten. Toen haalde ze mijn *Playboy* uit de ladekast naast haar bed en ging naast me zitten. 'Waar heb je deze vandaan?' vroeg ze.

Ik gaf geen antwoord. Ik wist dat ze me niet zou slaan zoals papa had gedaan. Ik schaamde me gewoon te erg.

Na een paar seconden sloeg ze het tijdschrift open en bladerde er wat in. 'Ik zou dit allemaal niet zo'n punt vinden als ze die foto's niet retoucheerden. Als het gewone vrouwen waren die niet geretoucheerd waren, zou ik het wel oké vinden, denk ik.'

'Wat is retoucheren?' vroeg ik.

Ze bladerde nog wat en draaide het tijdschrift toen om en liet me een foto zien van een dame in een paardenstal die voorover-leunde met haar handen op een zadel zodat haar kont naar achteren stak. 'Zie je hoe glad haar huid hier is?' zei Melina en ze wees op de achterkant van haar dijen.

Ik knikte.

'Ze heeft waarschijnlijk cellulitis. Maar ze hebben eroverheen geschilderd zodat haar huid er perfect uitziet, en nu kijken mannen naar die foto's en denken dan dat vrouwen er zo uit horen te zien. En vrouwen kijken naar die foto's en denken ook dat zij er zo uit horen te zien.'

'Kijken vrouwen naar die foto's?' vroeg ik, en ik herinnerde me dat papa had gezegd dat ze dat niet deden.

'Natuurlijk,' zei Melina. 'Waarom zouden ze dat niet doen?'

Ik haalde mijn schouders op.

'Ze kijken naar die foto's en krijgen dan een slecht gevoel over zichzelf.'

'O.' Ik dacht even na en zei toen: 'Zijn er ook vrouwen die naar die foto's kijken en zich dan fijn voelen?'

'Misschien,' zei Melina. 'Heb jij dat gevoel?'

Ik gaf geen antwoord.

'Want het zijn wel sexy foto's.'

''t Zal wel,' zei ik.

'Waar het om gaat,' zei ze terwijl ze het tijdschrift weer dicht-sloeg, 'is dat het er niet toe doet hoe iemand zich voelt die naar die foto's kijkt. Dat is privé.'

Ik knikte.

'Maar hoe een kind van jouw leeftijd aan zo'n tijdschrift komt is niet privé. Begrijp je wat ik bedoel?'

Ik knikte weer.

'Dit is een tijdschrift dat alleen voor volwassenen is bedoeld.'

Nu klonk ze net als papa.

'Als je dit tijdschrift hebt gevonden, dan is het nu eenmaal zo.

Maar als je het van een volwassene hebt gekregen, is het iets heel anders.' Ze zweeg even. 'Heeft een volwassene dit aan jou gegeven?'

'Ja.'

'Was die volwassene jouw vader?'

'Nee.'

Ze zuchtte.

'Sorry,' zei ik.

'Waarvoor?'

'Omdat ik een tijdschrift voor volwassenen heb gelezen.'

'Zit daar nou maar niet over in,' zei ze, en ze reikte langs me heen en legde de *Playboy* weer terug in de lade.

Later, toen we met zijn allen tv zaten te kijken in de huiskamer, werd er op de voordeur geklopt. Gil kwam uit zijn stoel overeind om open te doen. Meestal was hij degene die na het eten opstond en alles deed omdat Melina dan moe was. 'O, hallo,' zei hij. 'Kom binnen.' Ik zette me schrap om papa onder ogen te komen, maar hij was het niet. Het was meneer Vuoso. Hij droeg een licht sportjack en had een honkbalpetje op, en hij hield een paar enveloppen in zijn hand. Toen hij de kamer in stapte zette hij zijn petje af. Zodra Melina hem zag drukte ze op de afstandsbediening om het geluid uit te zetten. Meneer Vuoso hoorde de stilte en draaide zich naar ons om.

'Hai,' zei Melina.

Meneer Vuoso deed zijn mond open om iets terug te zeggen, maar toen zag hij mij en zweeg.

'Kan ik iets voor je doen?' vroeg Melina hem.

'O ja,' zei meneer Vuoso. Hij hield de enveloppen in zijn hand omhoog. 'Ik... we hebben vandaag post van jullie in onze brievenbus gekregen. Mijn vrouw vroeg of ik die even wilde brengen.'

'Bedankt,' zei Gil, en hij nam de enveloppen van hem aan.

'Die postbode is waardeloos,' zei Melina. 'Ik bedoel, zoveel mensen wonen er nou ook weer niet in onze straat, of wel soms?'

Meneer Vuoso leek in verwarring, alsof hij niet zeker wist of

Melina nou aardig probeerde te doen of niet. 'Ja,' zei hij. 'Hij is behoorlijk slordig.'

Melina knikte.

'Hallo, Jasira,' zei meneer Vuoso uiteindelijk. Hij zei het niet op een vervelende toon, maar alsof hij Melina en Gil wilde laten denken dat we vrienden waren.

Ik gaf geen antwoord. Ik wilde niet met hem praten. Als papa erbij was geweest, had hij me gedwongen gedag te zeggen omdat meneer Vuoso voor alles een volwassene was en daarna pas iemand aan wie papa een hekel had. Maar het leek Gil en Melina niets te kunnen schelen. Ze zeiden niet dat ik iets moest terugzeggen.

Meneer Vuoso ging niet weg. Hij bleef daar maar staan met zijn petje in zijn hand. Misschien wachtte hij totdat Melina zou uitleggen wat ik daar deed. Maar dat deed ze niet. Ze zei: 'Trouwens, ik denk dat wij hier ook iets van jou hebben.'

'O ja?'

'Wat dan?' vroeg Gil.

'Het ligt in de lade naast mijn bed,' zei Melina tegen hem. 'Zou je het even voor me willen halen?'

Hij kwam niet meteen in beweging, maar Melina wierp hem een blik toe die ik al een paar keer eerder had gezien sinds ik bij hen logeerde. Het was een blik die duidelijk maakte dat hij moest doen wat ze wilde zonder er nog over te praten.

'Tuurlijk,' zei Gil nu. 'Een ogenblikje.'

We keken allemaal hoe hij de trap op liep. Terwijl hij weg was, staarde ik naar Melina, Melina staarde naar meneer Vuoso en ik was er bijna zeker van dat meneer Vuoso naar mij stond te staren. 'Zo, Jasira,' zei hij. 'Ik wist niet dat jij hier vaak kwam.'

Ik zei niets, ik bleef naar Melina kijken. 'Daar heb je Gil,' zei ze een paar seconden later. We draaiden ons allemaal om naar hem. Hij had de *Playboy* in zijn hand. Hij kwam naar beneden en gaf hem aan meneer Vuoso, die even wachtte voordat hij hem aannam. Hij keek zo geschokt dat ik erg mijn best moest doen om geen medelijden met hem te krijgen.

'Die is toch van jou?' vroeg Melina.

Het leek alsof hij knikte, maar ik was er niet zeker van.

'Goed dan,' zei ze.

Meneer Vuoso keek mij aan en ik keek snel naar beneden. Ik wilde dat hij wegging. Ik wilde dat het me niet zo zwaar viel om me niet schuldig te voelen.

'Nou,' zei Gil, en ik hoorde de voordeur opengaan. 'Prettige avond nog.'

Zodra de deur dicht was keek ik op. Gil deed het nachtslot erop. Hij slaakte een zucht en zei dat hij naar bed ging. Melina zei dat ze ook gauw kwam. Nadat hij de trap op was gelopen en om de hoek was verdwenen, draaide ze zich naar me om en vroeg: 'Heeft hij nog iets anders met je gedaan?'

Ik dacht aan wat Gil me eerder op de dag had verteld, dat Melina zich niet druk mocht maken. Dat ik haar geen dingen mocht vertellen waarvan ze overstuur kon raken, omdat dat niet goed was voor de baby. Een deel van me wilde de baby nog steeds een beetje pijn doen. Maar een ander deel wilde dat niet. Ik hield eigenlijk helemaal niet van de baby, maar ik wist dat Melina dat wel deed, en ik wist ook dat als ik wilde dat zij mij aardig bleef vinden, ik de baby ook aardig moest vinden. Of in ieder geval moest doen alsof ik haar aardig vond. 'Nee,' zei ik, 'hij heeft niets gedaan.'

'Weet je het zeker?' vroeg ze.

'Ja.'

'Ik wil niet dat je ooit nog met hem praat, heb je dat begrepen?'

'Ja.'

'En waag het niet medelijden met hem te hebben.'

Ik vroeg niet hoe ze wist dat ik dat voelde. Ik knikte alleen. Toen pakte ze de borstel die we nu beneden op de salontafel hadden liggen en begon mijn haar te borstelen. Na een paar seconden zei ik: 'Mag ik jouw haar borstelen?' en dat vond ze goed. De borstel gleed moeiteloos door haar sluike haar. Ik hoefde geen klitten en knopen te ontwarren, geen plukjes losgeraakte haren van mijn hand te schudden. Ze zei niet één keer au. Dorrie zou ook zulk haar krijgen, dacht ik. Als wij ooit met zijn drieën over straat zouden wandelen, zou iedereen kunnen zien wie de echte dochter was.

ELF

Ik zat de hele week te wachten tot papa me zou komen halen, maar dat deed hij niet. En omdat Melina me altijd naar school bracht, zag ik hem 's morgens ook nooit op straat. Als hij 's avonds thuiskwam, zat ik net aan het avondeten met Melina en Gil. Het was niet zo dat ik hem echt wilde zien. Maar ik vroeg me soms wel af hoe het met hem ging: wat hij aan het doen was, of hij aan het eten was; naar welke programma's hij keek op tv, of oma nog steeds dacht dat Saddam haar ging bombarderen. Mijn moeder belde nog een keer, maar weer op hetzelfde tijdstip toen Gil nog niet thuis was en Melina lag te rusten. Deze keer ging ik bij het antwoordapparaat staan en wilde ik bijna opnemen. Maar ik deed het niet. Ik was te bang dat ze tegen me zou zeggen dat ik terug moest naar papa. Toen ze had opgehangen, wiste ik de boodschap.

Die hele week, terwijl ik zat te wachten tot papa zou komen, had ik vreemde dromen. Ik wist niet meer waar ze over gingen, maar ik werd er altijd wakker van omdat ik dan iets deed in het echte leven, bijvoorbeeld mijn adem inhouden of schreeuwen. Als ik schreeuwde kwam Melina mijn kamer in en deed het licht aan, maar als ik wakker werd omdat ik mijn adem inhield, was ik altijd alleen. Soms wilde ik dan zogenaamd schreeuwen zodat ze zou komen, maar dat was eigenlijk niet zo aardig.

Als ik schreeuwde en ze mijn kamer in kwam, zei ze dat het gewoon een nachtmerrie was geweest, en dan kwam ze naast me liggen en viel in slaap. Als ze de volgende ochtend wakker werd, zei ze dat ze niet begreep hoe ik die stang onder mijn rug kon verdragen. Ze vroeg of ik de plekken op haar rug wilde masseren waar de stang haar pijn had gedaan, en als ik dat dan deed, zei ze dat ik toverhanden had.

Ik begon te denken dat met iedere dag die verstreek het einde van mijn leven dichterbij kwam. Niet het einde van mijn echte leven, maar het einde van mijn goede leven. Ik wist dat als Dorrie er eenmaal was, Melina midden in de nacht naar háár kamer zou gaan en niet naar die van mij. Waarschijnlijk zou ik niet eens een kamer hebben. Ik zou dan weer bij papa wonen of bij mijn moeder in Syracuse. De nachten dat Melina bij mij in bed kwam liggen, sliep ik niet. Dan bleef ik wakker en keek naar haar in haar slaap. Ik probeerde zo lang mogelijk wakker te blijven terwijl datgene wat ik het fijnst vond me overkwam.

'Je ziet er moe uit,' zei Thomas die vrijdag tegen me op school.

'O ja?' Ik was net aan tafel komen zitten en maakte de lunch open die Melina voor mij had ingepakt.

'Je hebt kringen onder je ogen.'

'O.' Ik haalde de aluminiumfolie van mijn brood af. Melina vroeg nooit wat ik lekker vond. Ze pakte het gewoon in en voor mij was het een verrassing. Dat vond ik belangrijker dan dat het eten echt lekker was. Vandaag leek er eiersalade op te zitten.

'Krijg je niet genoeg slaap?'

'Jawel.'

'Waarom heb je dan van die donkere kringen?'

Ik haalde mijn schouders op en nam een hap van mijn brood.

'Ik ga na school met je mee naar huis,' zei Thomas. 'Dan kunnen we een dutje doen.'

'Dat gaat niet,' zei ik tegen hem.

'Waarom niet?' Hij zag eiersalade langs de zijkant van mijn brood druipen en toen het op de folie viel stak hij zijn plastic vork naar voren en lepelde het op.

'Omdat,' zei ik, 'ik daar niet meer woon.'

'Wat?'

'Ik woon bij Melina.'

'Die zwangere vrouw?'

Ik knikte.

'Waarom?'

'Papa sloeg me te veel.'

Thomas zei niets. Er droop nog wat eiersalade van mijn brood maar hij lepelde het niet op. 'Waarom sloeg hij je dan?'

'Hij heeft mijn *Playboy* gevonden.'

'Alleen daarom?'

'Hij zei dat het een tijdschrift voor mannen was en dat ik dat niet hoorde te lezen.'

Thomas dacht even na en zei toen: 'Kom, dan gaan we een dutje doen.'

'Dat gaat niet,' zei ik. 'Niet bij Melina.'

'Ga dan met mij mee naar huis.'

Ik schudde mijn hoofd. 'Melina vindt het leuk als ik bij haar blijf.'

Na schooltijd liep Thomas met me mee naar buiten en wachtte tot Melina er aankwam. Toen ze stopte, deed hij het portier aan de passagierskant van de Toyota open en stak zijn hoofd naar binnen. 'Hoi,' zei hij.

'Hai,' zei Melina. 'Jij bent toch Thomas, hè?'

Hij knikte.

'Kan ik je een lift geven?'

'Vindt u het goed als ik met Jasira mee naar huis kom?' vroeg hij.

'Ja hoor,' zei ze. Toen boog ze zich voorover en keek naar me op de stoep. 'Wil jij dat ook?'

Ik knikte.

'Oké,' zei ze. 'Stap maar in.'

Thomas schoof de stoel naar voren en ging achterin zitten. Toen ik voor instapte voelde ik zijn knie tegen mijn rug. 'Moet ik de stoel wat naar voren schuiven?' vroeg ik, maar hij zei dat dat niet hoefde, hij zat goed.

Melina trok op en volgde de rondlopende weg over het terrein van de school. Ze vroeg of we soms een film wilden huren, en Thomas zei van niet. Hij zei: 'Hé, Melina, vind jij ook niet dat Jasira er moe uitziet?'

Onder het rijden wierp ze me een snelle blik toe. 'Ik weet het niet. Misschien. Ben je moe?'

'Niet echt,' zei ik.

'Ze heeft kringen onder haar ogen,' zei Thomas.

'Nou ja,' zei Melina, 'ze slaapt wel op dat vreselijke opklapbed dat wij hebben. Daar komt het waarschijnlijk door. Ze is gewoon te beleefd om te zeggen dat het beroerd ligt.'

'Het ligt niet beroerd,' zei ik.

'Jasira is de beleefdste persoon die ik ken,' zei Thomas, waar ik verlegen van werd, want hij begon daarna niet te lachen alsof hij een geintje had gemaakt.

We stopten bij de supermarkt en Melina gaf ons twintig dollar om melk, brood en wat lekkers voor onszelf te kopen. Toen we de winkel in kwamen, liep Thomas regelrecht naar de drogisterijafdeling en kocht een pakje condooms. 'Dat kan ik niet maken bij Melina,' zei ik.

'Waarom niet?' vroeg hij. 'Wat is nou het verschil tussen een dutje doen en seks hebben? We doen de deur sowieso dicht.'

'Dat heb ik je toch al gezegd,' zei ik. 'Ik kan geen dutje doen.'

'Zij vindt dat niet erg,' zei Thomas. 'Ze is cool.'

Thomas had zelf geld en betaalde apart voor de condooms. Ik was bang dat de caissière zou zeggen dat we daar te jong voor waren, maar ze zei niets. Ze keek alleen wel naar ons alsof ze dat dacht – vooral toen Thomas de condooms uit de zak met boodschappen pakte en ze in zijn rugzak stopte.

Toen we terugkwamen op het parkeerterrein was Melina in slaap gevallen. Haar hoofd leunde tegen het raampje en haar mond stond een beetje open. 'Rijden maar, James,' zei Thomas terwijl hij op de achterbank klom, en daar werd ze wakker van.

Onderweg reden we langs de kopieerwinkel van meneer Vuoso en ik zei niets. Melina ook niet. Sinds ze hem zijn *Playboy* had teruggegeven leek het alsof hij niet meer bestond. Alleen wist ik dat dat niet waar was. Hij bestond wel. En papa ook. Het feit dat ik ze niet zag betekende nog niet dat ze er ook niet waren. Alleen voor zolang het duurde zouden ze bang blijven voor Melina en Gil. Ik had zo'n idee dat ze allebei gewoon zaten te wachten tot Melina naar het ziekenhuis moest om te bevallen zodat ze me konden komen halen.

Toen we Melina's huis binnenliepen, zei Thomas: 'Zo, wat een gaaf huis, zeg. Heel modern.'

'Dankjewel,' zei Melina, en ze liet haar tas op een stoel vallen.

'Hé, Lawrence of Arabia,' zei Thomas. Hij zette de zak met boodschappen op de salontafel en liep naar de muur waar Gils woestijnfoto's hingen.

'Mijn man heeft in het Vredeskorps gezeten,' zei Melina.

'Hij heeft toiletten in Jemen gegraven,' voegde ik eraan toe.

'Is-ie blank?' vroeg Thomas.

'Ja,' zei Melina.

Thomas knikte. 'Dat vind ik cool.'

'Luister eens, jongens,' zei Melina, 'ik moet even rusten. Ga gerust tv-kijken of wat je maar wilt. Ik ga een uurtje plat.'

'Natuurlijk,' zei Thomas.

'Blijf je een beetje in de buurt van het huis als je naar buiten gaat, Jasira?'

Ik knikte.

'Bedankt voor het eten,' zei Thomas.

'Graag gedaan,' zei Melina, en ze draaide zich om en liep naar boven.

Toen ze weg was liepen we naar de keuken om de boodschappen uit te pakken. 'We kunnen straks wel eten,' zei Thomas terwijl hij een paar zakken chips op het aanrecht legde. 'We moeten nu een dutje doen terwijl zij ook een dutje doet.'

'Maar ik heb honger,' zei ik.

'Je kunt best even wachten.'

'Ik eet altijd iets als ik uit school kom.'

'Wil je dan geen seks met me?' vroeg hij op gedempte toon.

'Ja.'

'Nou,' zei hij, 'dit is het moment. Nu.'

'Als Melina erachter komt, stuurt ze me terug naar papa.'

'Welnee,' zei Thomas. 'Ze gaat je heus niet terugsturen naar iemand die jou slaat.'

'Dan stuurt ze me naar mijn moeder.'

Thomas zei niets, maar vouwde de papieren boodschappenzak op. 'Ik wil niet bij mijn moeder wonen,' zei ik.

'Waar wil je dan wonen?' vroeg hij.

Ik dacht even na en zei toen: 'Hier.'

Hij begon te lachen. 'Je kunt hier niet wonen. Je kunt niet zomaar bij de buren gaan wonen.'

'Waarom niet?' vroeg ik.

Hij haalde zijn schouders op. 'Dat kan gewoon niet. Dat gebeurt nooit.'

Het gaf me echt een rot gevoel dat te horen. Vooral omdat Thomas zo zeker klonk van zichzelf.

'Kom op,' zei hij. 'Dan gaan we naar boven.'

Ik stond niet op uit mijn stoel.

'Kom op,' zei hij weer, en hij liep naar me toe. Hij pakte mijn hand en legde die op de voorkant van zijn broek. 'Voel je hoe geil je me weet te maken?'

Ik knikte.

'Niemand weet mij zo geil te maken. Jij bent de enige.'

Ik liet toe dat hij mijn hand een beetje over zijn broek bewoog.

'Wil je dan niet de enige zijn?' vroeg hij.

'Ja,' zei ik, want dat wilde ik ook. Dat was het enige wat ik wilde, met wie dan ook.

Thomas haalde een condoom uit zijn rugzak, toen trokken we onze schoenen uit en liepen naar boven. Deze keer was ik blij dat Melina haar deur helemaal dicht had gedaan. 'Daar is de badkamer,' fluisterde ik toen we er langsliepen.

Bij Gils werkkamer gebaarde ik dat Thomas binnen moest komen en deed toen de deur dicht. 'We moeten maar blijven fluisteren,' zei ik, en hij knikte. Hij ging op het bed zitten om het te proberen. 'Godsamme,' zei hij. 'Dit is echt een klotebed.'

'Zo slecht is het niet,' zei ik.

Hij trok zijn jasje uit en hing het over de armleuning van de bank. Toen ging hij achterover op het opklapbed liggen en legde zijn handen onder zijn hoofd en op mijn kussen. 'Ik wil dat je me pijpt,' fluisterde hij.

Ik ging op de rand van het bed zitten en maakte de riem van zijn broek los. Ik vond het altijd leuk om te zien hoe zijn broek strak kwam te staan als hij een stijve had. Toen ik zijn broek eindelijk had opengeritst en zijn onderboek een beetje naar beneden had getrokken, sprong zijn penis eruit. Het allerleukst vond ik dat hij daar zo lag met zijn handen onder zijn hoofd. Hij zei wel wat ik moest doen, maar hij dwong me niet. Hij deed alleen maar alsof, en dat vond ik heel spannend.

'Dat is lekker,' fluisterde Thomas toen ik over hem heen geknield lag. Hij legde zijn hand op mijn hoofd, niet om mijn hoofd op en neer te bewegen, maar om mijn haar te strelen. 'Dat is lekker,' bleef hij maar zeggen. Na een tijdje zei hij: 'Nou wil ik jou beffen.'

Ik stopte en wachtte tot hij opzij schoof zodat ik naast hem kon komen liggen. Toen ik lag, knielde Thomas voor me neer en trok mijn spijkerbroek en onderbroekje uit; daarna duwde hij mijn benen uit elkaar en hield ze daar, wijd gespreid zoals hij het graag had. Hij bleef er even naar kijken en begon me toen te likken, en ik raakte zijn haar aan.

Het voelde echt lekker wat hij aan het doen was. Ik zei niets maar ik probeerde zijn haar heel zacht te strelen zodat hij het zou weten. Ik dacht dat ik op die manier wel een orgasme zou kunnen krijgen, maar toen besloot Thomas te stoppen en zijn condoom om te doen. Hij zei dat ik boven op hem moest gaan zitten en dat deed ik, en dat voelde heel anders dan wanneer hij boven op mij lag. Ik voelde alles veel meer, zelfs te veel. Thomas pakte mijn borsten vast en het leek wel alsof ieder lichaamsdeel dat me een lekker gevoel kon geven, tegelijkertijd werd aangeraakt. Ik kreeg al heel snel een orgasme, maar het was niet hetzelfde als anders. Het voelde alsof het niet van buitenaf kwam maar van binnenuit, waar Thomas' penis zat. Het voelde alsof het heel diep vanbinnen begon en vandaar naar de oppervlakte bewoog. Alsof het veel eerder begon dan anders en veel later eindigde dan normaal. Ik kon er niets aan doen. Ik slaakte een kreet.

Onmiddellijk hielden Thomas en ik op met bewegen om te luisteren. 'Ik geloof niet dat ze iets gehoord heeft,' zei hij.

'Jawel,' zei ik. 'Ze heeft het wel gehoord.'

'Hoe weet je dat nou?' zei hij. 'Kom op, ga nou door.'

Hij begon weer te bewegen, maar ik ging van hem af. 'Ze hoort alles,' zei ik, en ik pakte mijn kleren.

'En ik dan?' zei Thomas. Hij keek naar zijn penis die nog steeds stijf was in het condoom.

'Sorry,' zei ik. 'Maar je moet je aankleden.'

Op dat moment hoorde ik Melina's deur opengaan. 'Jasira?' riep ze vanuit de gang.

'Schiet nou op!' fluisterde ik tegen Thomas.

'Hè, shit!' zei hij, en hij sprong overeind en begon zijn onderbroek over het condoom heen aan te trekken.

'Jasira?' zei Melina weer. Haar stem klonk nu dichterbij en nerveuzer. Een paar seconden later werd er op de deur geklopt. 'Hallo?' zei ze.

'Ja?' zei ik. Ik was al aangekleed en moest alleen nog het knoopje van mijn truitje dichtmaken. Thomas was nog bezig zijn broek aan te trekken.

'Wat ben je aan het doen?' vroeg Melina.

'Niets,' zei ik.

'Waarom is de deur dicht?'

Ik wachtte tot ze hem opendeed, maar dat deed ze niet.

'Ik lag even te rusten,' zei ik.

'Is Thomas al naar huis?'

Ik zweeg even. 'Nee.'

Toen deed ze de deur onmiddellijk open. Thomas had net zijn trui over zijn hoofd getrokken. 'Hoi,' zei hij.

‘Wat is hier aan de hand?’ vroeg Melina.
‘We lagen even te rusten,’ zei ik.
Melina keek naar het bed dat nog steeds was opgemaakt maar er wel beslapen uitzag, en toen naar de grond. Ik was bang dat de verpakking van Thomas’ condoom er misschien nog lag, maar als dat zo was dan zag ze het in ieder geval niet. ‘Je bent veel te jong om alleen met een jongen op je kamer te zitten,’ zei ze. ‘Als je moe bent, dan moet Thomas maar naar huis gaan zodat jij kunt rusten.’ Ze keek Thomas aan. ‘Moet ik je naar huis brengen?’
‘Moet ik weg?’ zei hij.
‘Ben je nog moe, Jasira?’ vroeg Melina me.
Ik schudde mijn hoofd.
‘Oké dan,’ zei ze tegen Thomas. ‘Je mag blijven. Maar jullie moeten wel naar beneden. Kom. We gaan allemaal naar beneden.’
‘Heb je lang genoeg kunnen slapen?’ vroeg ik haar.
‘Niet echt.’
‘Ga dan nog maar even,’ zei ik. ‘Ik beloof dat we naar beneden gaan.’
‘Het geeft niet,’ zei ze. ‘Zó heel moe ben ik niet meer.’
‘Ik moet even naar het toilet,’ zei Thomas.
Melina deed een stap opzij zodat hij erlangs kon. Daarna keek ze me aan. Ik stond nog steeds aan het voeteneinde van het bed. ‘Sorry dat ik de deur dichtdeed,’ zei ik.
‘Waarom gilde je?’
‘Wat?’
‘Ik hoorde je gillen.’
‘O.’ Ik probeerde iets te verzinnen om te zeggen waarvoor ik me niet hoefde te schamen maar dat ook geen leugen was. Ik kon niets bedenken.
‘Had je een nachtmerrie?’ vroeg ze.
‘Nee,’ zei ik.
Op dat moment werd het toilet doorgetrokken en ging de deur van de badkamer open.

'Goed,' zei ze. 'We hebben het er nog wel over.'

'Sorry,' zei ik weer.

We gingen naar beneden en namen wat lekkers. Thomas vertelde Melina dat hij de avond voor een zwemwedstrijd altijd een groot bord spaghetti moest eten om koolhydraten te stapelen. Hij vertelde lachend dat het haar van alle blonde kinderen groen uitsloeg van de chloor in het water. Om een uur of zes kwam Gil thuis en Thomas begon hem vragen te stellen over de foto's in de woonkamer. Ze gingen ernaar kijken terwijl Melina en ik in de keuken bleven zitten. 'Het is een aardige jongen,' zei ze.

Ik knikte.

'Een beetje bazig, maar wel aardig.'

'Hij kan heel goed gitaarspelen,' zei ik. 'Hij houdt van Jimi Hendrix.'

'Zo, zo,' zei Melina, 'hij heeft een goede smaak.'

We begonnen met het avondeten dat uit twee zelfgemaakte pizza's bestond. Melina had het deeg gemaakt terwijl ik op school zat en nu pakte ze de deegbollen uit de koelkast en we rolden ieder een stuk uit op een bakplaat. We deden er tomatensaus op, toen kaas, en daarna op de een salami en op de ander zoutarme ham. Op allebei de pizza's legden we ook paprika's, champignons en uien. Nadat we ze in de oven hadden geschoven gingen we naar de woonkamer. '*Marhaba*,' zei Thomas toen we binnenkwamen.

'Wat?' zei ik.

'Zo zeg je hallo in het Arabisch. Dat heeft Gil me geleerd.'

'O,' zei ik.

'Wist je dat niet?' vroeg Thomas.

'Ik spreek geen Arabisch.'

'Het is een taal die je moeilijk onder de knie krijgt,' zei Gil.

'Over een kwartier is het eten klaar,' zei Melina.

'Lekker,' zei Gil.

'Moet je je moeder niet bellen?' vroeg Melina aan Thomas.

'O ja,' zei hij. 'Dat moet ik maar even doen. Waar is de telefoon?'

Ze wees naar de keuken. 'Aan de muur naast de kelderkast.'

Thomas knikte. Zodra hij de kamer uit was, ging de deurbel. Melina was alweer gaan zitten, dus stond Gil op om open te doen. 'O,' zei hij, 'hallo.'

'Goedenavond,' hoorde ik papa zeggen. Het was voor het eerst in dagen dat ik zijn stem hoorde. Hij klonk alsof hij aardig probeerde te doen.

'Eh, kom binnen,' zei Gil.

Papa, die een marineblauw pak droeg, stapte naar binnen, gevolgd door zijn vriendin Thena. Ik had haar niet meer gezien sinds die ochtend toen ze me had opgemaakt, hoewel we elkaar soms even aan de telefoon hadden gesproken als ze voor papa belde. Nu ze hier zo stond was ik vergeten hoe knap ze was, en dat ik zo geschokt was dat ze met papa wilde omgaan. Vanavond droeg ze een zijdeachtige donkergroene jurk en een armband met parels. Ze had uitbundig groene en koperkleurige oogschaduw opgedaan en haar nagels in een lichte perzikkleur gelakt. Haar haar zag eruit alsof ze het net had geborsteld. Ik was er zeker van dat ze lekker rook, hoewel we een eindje van elkaar af stonden. Ze had een fles wijn in haar handen met gekrulde glanzende lintjes om de hals, en papa droeg een vierkante glazen bakvorm. Ik wist dat hij baklava had gemaakt, want dat was zijn specialiteit. Hij had een keer geprobeerd het me te leren en gezegd dat ik hem misschien eens kon verrassen als hij thuiskwam van zijn werk, maar ik had het nog nooit gedaan.

'Dit is mijn vriendin Thena,' zei papa tegen Gil.

'Hallo,' zei Gil, en hij gaf Thena een hand.

'Aangenaam,' zei Thena.

'Wij zijn hier voor het etentje,' zei papa. 'Om het einde van de oorlog te vieren.' Toen niemand iets zei, gaf papa Gil de baklava en zei: 'Dit is voor jullie.'

'En dit ook,' zei Thena terwijl ze Gil haar fles overhandigde. 'Mousserende cider,' voegde ze eraan toe, en ze keek naar Melina.

Gil keek ook naar Melina, alsof hij niet wist wat hij moest

doen. In de stilte die daardoor ontstond hoorde ik Thomas zachtjes praten in de keuken.

'Goedenavond, Melina,' riep papa door de kamer heen. 'Dit is Thena.'

Melina knikte. 'Hai.'

Na een paar seconden zei papa: 'Dag, Jasira.'

'Hoi,' zei ik.

'Zeg Thena eens gedag, Jasira,' zei hij.

'Hallo,' zei ik tegen Thena.

'Leuk om je weer eens te zien, Jasira,' zei ze.

Ik knikte.

'Oké,' zei Thomas, en hij kwam de kamer weer binnenlopen. 'Mijn moeder vindt het goed dat ik blijf.'

Papa draaide zich om en keek Thomas aan. Iedereen keek hem aan.

'Hoi,' zei Thomas. Hij stond in de brede deuropening tussen de woonkamer en de keuken. Hij had zijn armen naar opzij uitgestrekt zodat zijn handen de zijkanten van de deurpost raakten. Hij droeg een T-shirt en als hij zijn armen zo hield kon je zijn biceps zien. Zwemmers, had hij me een keer verteld, hadden geen stalen spierbundels maar mooie gedefinieerde spieren.

Papa stond nog steeds naar Thomas te staren. Ik probeerde het niet zielig voor hem te vinden omdat ik tegen zijn regels in ging en hij daar niets tegen kon doen. Hij had het er moeilijk mee, vooral omdat hij hier zo stond in zijn pak en een goede indruk probeerde te maken. 'Dit is Thomas,' zei ik uiteindelijk maar. Omdat hij per slot van rekening mijn vriend was, dacht ik dat papa in ieder geval wilde dat ik degene was die hem aan Thena zou voorstellen.

'Hallo, Thomas,' zei Thena, en ze deed een stap naar voren om hem een hand te geven. 'Ik ben Thena.'

Thomas liet de deurpost los en stapte ook naar voren. 'Aangenaam,' zei hij. Toen keek hij papa aan en zei: 'Hallo.'

Papa zei niets.

'Ik ben Thomas,' zei Thomas, om hem te helpen.

Papa knikte. 'Dat weet ik nog wel.'

Er viel even een stilte en toen draaide Thomas zich naar Melina om en zei: 'Mijn moeder vindt het goed dat ik blijf.'

'Mooi,' zei Melina.

'Zo,' zei papa, 'je bent zeker vergeten dat we vanavond kwamen eten.'

'Dat is het niet alleen,' zei Melina. 'Ik bedoel, ja, we zijn het inderdaad vergeten. Maar de omstandigheden zijn ook anders geworden, vind je niet?'

Papa haalde zijn schouders op. 'De oorlog is nog steeds voorbij.'

'Je weet best wat ik bedoel,' zei Melina.

'Mag ik iets zeggen?' vroeg Thena.

'Natuurlijk,' zei Gil.

'Dank je,' zei ze. Ze glimlachte even en haalde diep adem. 'We willen ons niet opdringen, zo is het toch, Rifat?' Ze keek naar papa. Toen hij geen antwoord gaf, ging ze verder: 'Maar ik geloof wel dat Rifat de mogelijkheid zou willen hebben om Jasira op te zoeken en haar te laten weten dat hij haar mist.' Ze keek papa weer aan.

'Ja,' zei papa. Hij keek me aan en voegde eraan toe: 'Daar is het me om te doen.'

'Dus, als we vanavond niet blijven,' zei Thena, 'dan kunnen we misschien een afspraak maken voor een andere avond?'

'Prima,' zei Melina.

'We hebben maar twee pizza's,' flapte ik eruit.

'Het is wel goed,' zei Thomas. 'Ik heb niet zoveel honger. Ik heb daarnet een hoop chips gegeten.'

Niemand zei toen iets. Het viel moeilijk te zeggen hoe de beslissing zou uitvallen of wie hem zou nemen. Ik was heel even bang dat Melina zou zeggen dat ík moest beslissen, maar ze zei niets.

'Weet je wat,' zei Gil, 'waarom komen jullie in ieder geval niet even binnen?'

‘Dank je,’ zei Thena. ‘Dat is heel aardig van je.’

‘Ik zal je jas even aannemen,’ zei Gil, en hij hielp Thena haar jas uittrekken. Terwijl hij naar de garderobekast liep gebaarde Melina dat Thena en papa naar de woonkamer konden doorlopen. Papa ging in Gils stoel zitten en Thena ging op het ene uiteinde van de bank zitten. Ik stond nog steeds voor de plaats in het midden terwijl Melina allang aan de andere kant was gaan zitten. Toen Gil terugkwam, nam hij de stoel die het dichtst bij Melina’s kant van de bank stond. Daar zat bijna nooit iemand omdat die stoel te dicht bij de tv stond.

‘Kom bij ons zitten, Thomas,’ zei Gil.

Thomas knikte en ging op de grond zitten voor de salontafel.

‘Die pizza ruikt goed,’ zei Thena.

‘Dank je,’ zei Melina.

‘Hij is zelfgemaakt,’ zei ik. ‘Zelfs de bodem.’

Thena knikte alsof ze diep onder de indruk was. ‘Mag ik vragen voor wanneer je bent uitgerekend?’ vroeg ze aan Melina.

‘Officieel 23 april. Maar het voelt alsof ze elk moment kan komen. Ze is al ingedaald.’

‘Ingedaald?’ zei papa.

‘Kort voor de geboorte draaien ze zich om in de baarmoeder zodat hun hoofd naar beneden komt te liggen,’ zei Melina tegen hem.

Papa keek een beetje verlegen alsof hij wenste dat hij die vraag niet had gesteld. ‘O.’

‘Dus je weet al dat het een meisje wordt?’ vroeg Thena.

Melina knikte.

‘Spannend hoor,’ zei ze. ‘Gefeliciteerd.’

‘Dankjewel,’ zei Melina.

‘Meisjes zijn echt veel leuker dan jongens,’ zei Thena.

‘Waarom?’ zei papa. ‘Hoe weet je dat nou?’

‘Dat weet iedereen,’ zei ze. ‘Meisjes bezitten meer persoonlijkheid.’

Papa trok een wenkbrauw op. Waarschijnlijk wilde hij zeggen dat ik anders niet veel persoonlijkheid had, maar hij zei het niet.

'Daar ben ik het mee eens,' zei Thomas. 'Met dat over meisjes.'

Papa wierp hem een woeste blik toe. 'Neem me niet kwalijk,' zei hij, 'maar mag ik vragen wat jij hier doet?'

'Ik ben bevriend met Jasira,' zei Thomas.

'Ja-ja,' zei papa. 'Alleen mag Jasira niet met jou omgaan.'

Thomas haalde zijn schouders op.

'Waarom niet?' vroeg Melina.

'Omdat ik zwart ben,' zei Thomas.

Papa zei niets.

'Is dat de reden?' vroeg Thena aan papa.

Hij gaf geen antwoord.

'Mijn god,' zei Thena. 'Maar dat is belachelijk.'

'Ten eerste,' zei papa, 'is ze te jong om met jongens om te gaan – dat is de eerste reden.'

'Daar ben ik het mee eens,' zei Melina.

Papa keek haar aan. Hij zweeg even en zei toen: 'En ten tweede kunnen blanke vrouwen het heel zwaar hebben in een relatie met iemand van een ander ras. Het was bijvoorbeeld behoorlijk zwaar voor Jasira's moeder.'

'Jasira is niet blank,' zei Thomas.

'O jawel, dat is ze wel,' zei papa. 'Op de formulieren wordt het Midden-Oosten als blank beschouwd. Kaukasisch.'

'Welke formulieren?' vroeg Thomas.

'Doet er niet toe wat voor formulieren!' zei papa. Ik zag aan hem dat hij vond dat Thomas niet zo'n toon tegen hem aan hoorde te slaan, en dat dat de eigenlijke reden was waarom hij kwaad werd.

Op dat moment ging de timer van de oven af. 'Tijd om de pizza uit de oven te halen,' zei Melina en ze kwam overeind. 'Kom je me even helpen, Jasira?'

'Ja, natuurlijk,' zei ik, en ik liep achter haar aan naar de keuken.

Toen we in de keuken kwamen zei Melina: 'Wil je zes borden pakken?' Ik knikte. Ik voelde de hitte van de oven op mijn benen toen ze de deur opende en de twee bakplaten eruit haalde. Terwijl de pizza's boven het fornuis stonden af te koelen, trok zij de besteklade open en haalde er een handvol messen en vorken uit. Ze dacht niet dat er genoeg cider zou zijn voor ons allemaal, dus schonk ze zes glazen limonade in en zette die op een dienblad, samen met het bestek en een paar servetjes. Ik stond te wachten tot ze zou zeggen wat ze dacht, maar ze zei niets. Ze ging gewoon aan het werk, sneed de pizza met een pizzasnijder in stukken en legde van elke variant een punt op ieders bord. Uiteindelijk slaakte ze een zucht en zei: 'Nou ja, ze blijven geloof ik toch eten.'

'Dat denk ik ook,' zei ik.

'Sorry hoor, meid.'

'Geeft niet,' zei ik, en dat was waar. Het voelde altijd goed als Melina wist wat ik dacht zonder dat ik haar ook maar iets hoefde te zeggen.

We brachten alles naar de woonkamer – de borden met de pizza en het dienblad waar alle andere dingen op stonden. Zodra hij het eten zag, zei papa: 'O, eten we hier?' Thena begon meteen tijdschriften van de salontafel op te ruimen. Papa begon haar te helpen tot hij mijn *Veranderende lichamen, veranderende levens* zag liggen en ophield. 'Wat is dit?' vroeg hij.

Melina en Gil keken elkaar aan.

'Van wie is dit?' wilde papa weten.

'Het is van mij,' zei ik.

'Van jou?'

Ik knikte.

'Waar haal je zo'n boek vandaan?'

'Het is voor tieners,' zei ik. 'Jongens en meisjes in de tienerleeftijd.'

'Moet je kijken,' zei hij en hij gaf het boek aan Thena.

Ze wilde het niet aanpakken. Ze zei: 'We gaan nu eten, Rifat.'

'Maar kijk nou eens naar dit boek,' zei papa, en hij liet haar een paar bladzijden zien. 'Met die afbeeldingen.'

Thena nam het boek van hem aan en keek erin. 'Dit is gewoon een algemeen boek,' zei ze. 'Met algemene informatie.'

'Nee, dat is het niet,' zei papa. 'Dit is geen algemene informatie. Dit is buitengewoon expliciet. Ik durf het meeste ervan niet eens te herhalen.'

Melina zuchtte. 'Hoor eens,' zei ze, 'ik heb dat boek aan Jasira cadeau gedaan. Ze zat met een heleboel vragen en ik dacht dat het boek daarbij zou kunnen helpen.'

'En wie ben jij dan wel?' vroeg papa. 'Waarom zou jij moeten helpen? Wie heeft jou gezegd dat je moet helpen?'

Gil zei iets in het Arabisch tegen papa, en papa hield op met op die toon tegen Melina te praten. Gil zei nog iets en stak zijn hand uit, en papa gaf hem het boek. Toen gingen we allemaal pizza eten. 'Dit is erg lekker,' zei Thomas.

'Dank je,' zei Melina.

'Heel lekker,' beaamde Thena.

'Er is nog een stukje voor degene die trek heeft,' zei Melina.

'Ik doe mee,' zei Thomas hoewel hij eerder had gezegd dat hij al vol zat van al die chips.

'Hou nog wat ruimte over voor de baklava,' mompelde papa.

'Papa maakt heel lekkere baklava,' zei ik.

Papa keek me aan. Hij glimlachte niet, maar sommige rimpels in zijn voorhoofd verzachtten zich een beetje.

Toen we klaar waren met eten hielp Thena Melina en mij de borden naar de keuken te brengen. Ze trok een van de rubber handschoenen aan die Melina altijd op de rand van de gootsteen liet liggen, maar Melina zei: 'Nee, nee, laat de borden maar. Die wast Gil later wel af.'

'Maar ik wil het echt graag doen,' zei Thena, en ze trok de andere handschoen ook aan.

'Oké dan, ik ben te moe om je tegen te houden,' zei Melina.

'Jasira helpt me afdrogen,' zei Thena, waar ik een beetje pissig om werd want ik wilde terug naar de woonkamer met Melina. Ik wilde altijd bij Melina in de buurt zijn. Maar ik pakte toch maar een droogdoek.

Melina zette haar handen in haar rug en keek naar mij en Thena bij de gootsteen. Ik beeldde me in dat zij het misschien ook niet leuk vond dat ik niet met haar meeging, maar uiteindelijk zei ze alleen: 'Goed dan. Niet te lang wegblijven, hè.'

'Ze is echt aardig, hè?' zei Thena nadat Melina de keuken uit was gelopen.

Ik knikte.

'Ik snap waarom je haar zo graag mag.'

Ik was bang dat Thena's mooie jurk onder het zeepsop zou komen te zitten en zei: 'Wil je soms een schort?'

'Ja,' zei ze. 'Dat lijkt me een goed idee.'

Ik liep naar de diepe lade naast de koelkast waar schone schorten en droogdoeken in lagen. Ik wist waar alles lag in Melina's huis: plakband, pennen, verlengsnoeren, blocnotes, telefoonboeken, schoenpoets, lampen, de bezem, paraplu's, toiletpapier. Ik mocht alles pakken wat ik nodig had en wanneer ik het maar nodig had, zonder het te vragen. Ik mocht op alle tijdstippen van de dag eten wat ik wilde. Ik mocht de tv aanzetten en naar mijn favoriete programma's kijken net als toen ik nog bij mijn moeder woonde. Telkens als ik iets nieuws deed zonder eerst toestemming te vragen, voelde ik dat Gil en Melina me probeerden te negeren zodat ik me er niet ongemakkelijk over zou voelen. Ik wist dat het niet de bedoeling was dat ik het merkte, maar ik merkte het toch. Ik zag altijd alles. Ik kon er niets aan doen.

'Hier,' zei ik, en ik gaf Thena de schort die nauwelijks om Melina's buik paste. Je kunt deze wel nemen.'

'Dank je.' Omdat haar handen nat waren en vol zeep zaten, vroeg ze me glimlachend: 'Zou jij het voor me willen doen?'

Ik zei ja, schoof de lus over haar hoofd en maakte op haar rug een echte strik met de linten. Thena ging verder met afwassen en ik pakte een bord uit het afdruiprek en begon het af te drogen. 'Zo,' zei ze, 'en wanneer denk je weer terug te gaan naar je vader?'

Ik liep naar het keukenkastje aan de andere kant van het aanrecht en zette het bord weg. 'Ik weet het niet,' zei ik. Ik zei maar niet dat ik hoopte dat ik nooit meer terug hoefde. Dat ik wilde dat Gil en Melina mijn nieuwe ouders werden.

'Hij mist je echt, Jasira,' zei Thena.

Ik gaf geen antwoord en droogde een ander bord af.

'Mis jij hem ook?'

'Nee.'

'O.'

'Sorry,' zei ik.

'Nee,' zei ze. 'Ik snap het wel. Alleen... ik wil maar zeggen, alle ouders verliezen wel eens hun geduld en geven hun kinderen een klap. Ik had geweldige ouders en zij deden het ook. Gil en Melina zullen het vast ook wel eens doen.'

'Nee, dat doen ze niet,' zei ik. Ik keek even in de gootsteen en probeerde in te schatten hoeveel borden ik nog moest doen voordat de rest in het afdruiprek kon blijven staan en ik terug kon naar de woonkamer.

'Misschien had ik dat niet moeten zeggen,' zei Thena. 'Ik kan niet voor Gil en Melina spreken en dat moet ik ook niet doen.'

'Het maakt niet uit,' zei ik. Ik zette het tweede bord in de kast. Ik wilde dat ze daarna de pizzaplaten zou afwassen omdat die zo groot waren. Ofwel waste ze ze nu af zodat ik daarna kon gaan of ze bewaarde ze voor het eind en dan zat ik hier nog een tijd vast.

Thena zuchtte. 'Hoe is het met je moeder?' vroeg ze.

'Goed,' zei ik hoewel ik de laatste tijd alleen maar haar berichten op het antwoordapparaat had gehoord.

'Dat is fijn om te horen,' zei Thena.

Ik begon me toen schuldig te voelen omdat Thena alleen maar aardig probeerde te zijn, dus ik zei: 'Ze heeft een zwarte vriend.'

'O ja?' zei Thena.

Ik knikte.

'Wat doet hij?'

Ik kon het me even niet herinneren omdat het feit dat hij zwart was het belangrijkste aan hem leek te zijn. Uiteindelijk antwoordde ik: 'Ik geloof dat hij decaan is op mijn moeders school.'

'Aha,' zei Thena alsof dat iets verklaarde, alleen wist ik niet zo goed wat. Ze zette een glas in het afdruiprek waar nog wat zeepsop op zat en ik wist niet zo goed wat ik moest doen. Ik kon me niet herinneren of zeepsop slecht was voor Dorrie. Aan de ene kant kon het me eigenlijk niet zoveel schelen maar aan de andere kant vond ik het toch wel belangrijk.

'Kun je dit nog even beter afspoelen?' vroeg ik, en ik pakte het glas op.

'Ja, geef maar,' zei Thena.

'Dank je,' zei ik, en ik pakte het weer van haar aan toen ze klaar was.

'Nou,' zei Thena, 'ik kan je één ding zeggen: ik ben het niet eens met je vader dat je niet met Thomas om mag gaan. Dat is gewoon verkeerd. Ik weet zeker dat hij dat ook wel weet. Hij is alleen bezorgd om je.'

Ik zette het glas in de kast. Ik wilde dat ze niet altijd maar voor hem opkwam. Melina deed dat nooit. Zij geloofde niet dat papa ook nog goede eigenschappen bezat. En ook al was dat verkeerd, het kon me niets schelen. Ik wilde niet meer nadenken over papa's innerlijk. Ik was te moe.

Op dat moment kwam Thomas de keuken binnen. 'Hé,' zei hij, 'ik ga wel verder met afdrogen. Je vader wil dat je hem je kamer laat zien.'

'Waarom?' zei ik.

Thomas haalde zijn schouders op. 'Hij zegt dat hij het recht heeft om te zien waar zijn dochter slaapt.'

'Hij geeft om je, Jasira,' zei Thena. 'Hij wil er zeker van zijn dat je hier prettig woont.'

Ik besloot toen dat ik papa liever mijn kamer liet zien dan nog naar dat gepraat van Thena te moeten luisteren, dus ik gaf Thomas de droogdoek.

Papa stond in de woonkamer en zei: 'Ik zou graag een rondleiding willen hebben.'

Ik keek naar Melina, die zoals altijd in haar vaste hoekje van de bank zat genesteld en toen naar Gil in zijn stoel. 'Kom,' zei hij, en hij stond meteen op. 'Ik ga ook mee.'

Ik zag dat papa zich ontzettend ergerde omdat ik dacht dat ik tegen hem beschermd moest worden, maar het kon me niks schelen. Ik wist dat hij me niet zou slaan; dat was het niet. Maar hij zou misschien vreselijke dingen tegen me hebben gezegd als we alleen waren geweest, zo van wat ik hier godverdomme deed en dat als ik niet onmiddellijk mee naar huis kwam, hij me zwaar zou straffen. Ik was er niet eens zeker van of ik het echt geloofd zou hebben, maar ik had geen zin om het uit te zoeken. Ik wilde niet met hem alleen zijn en hem die dingen horen zeggen om dan te merken dat ik nog steeds bang was.

Gil liep voorop, daarna volgde ik en toen papa. Toen we boven waren zei papa: 'Het klinkt wel lawaaierig met die houten treden.'

'Valt wel mee,' zei Gil. Toen wees hij op de deur aan zijn rechterkant. 'De ouderslaapkamer.'

Papa keek even naar binnen en knikte.

Iets verder op in de gang zei Gil: 'En dit is Jasira's badkamer.' Noch hij noch Melina had hem ooit zo genoemd en ik vroeg me af of het iets betekende dat ik nu twee kamers in huis had.

We bleven even staan zodat papa het licht aan kon doen en even kon kijken. 'Mooi hoor,' zei hij, maar hij klonk alsof hij het niet echt meende. Hij deed het licht weer uit en zei: 'Ik heb ook nog overwogen om een huis met twee verdiepingen voor mij en Jasira te kopen, maar dat leek me toch wel te groot voor ons beiden.'

'Ja, dat is ook zo,' zei Gil.

'En nu maar voor één persoon,' zei papa.

'Dit is Jasira's kamer,' zei Gil terwijl hij het licht aandeed en naar binnen stapte. Ik volgde hem en papa volgde mij. Hij zette zijn handen op zijn heupen terwijl hij rondkeek. Mijn bed was nog gekreukt van toen Thomas en ik erop hadden gelegen, maar dat leek hij niet te zien. In plaats daarvan zei hij: 'Van wie is die jas?'

Ik keek naar Thomas' jas die over de rugleuning van de bank hing. Het was een blauw windjack.

'Dat is niet jouw jas,' zei papa.

'Nee,' zei ik. 'Die is van Thomas.'

'Wat?'

'Ik heb hem mijn kamer laten zien. Hij heeft hem zeker laten hangen.'

'Is hij gaan zitten?' vroeg papa. 'Ik snap niet waarom hij zijn jas heeft laten hangen als hij niet is gaan zitten.'

Gil pakte de jas. 'Nou ja,' zei hij, 'ik zal hem wel even aan hem teruggeven.'

'Wat lost dat op?' wilde papa weten. 'Ik wil om te beginnen weten waarom die jas hier hangt.'

'Jasira zei toch dat ze Thomas haar kamer heeft laten zien.'

'Maar waarom zou hij zijn jas hier laten hangen als hij hier niet bleef?'

'Hij is niet gebleven,' zei ik.

'Ja, ja,' zei papa.

'Ik heb wel zin in baklava,' zei Gil.

Papa bleef staan. 'Houden jij en je vrouw dan geen enkel toezicht?'

'Natuurlijk wel,' zei Gil. 'Melina was het al met je eens dat Jasira nog te jong is om met jongens om te gaan.'

Papa zei niets.

'Kom,' zei Gil. 'Dan ga ik voor ons allemaal koffiezetten.'

Papa keek alsof hij helemaal geen koffie wilde. Hij keek alsof hij naar bewijzen wilde blijven zoeken. Uiteindelijk draaide hij zich toch om en liep de kamer uit. Hij zei dat hij Melina een paar vragen wilde stellen als hij weer beneden was.

'Nee,' zei Gil. 'Geen vragen, alsjeblieft.'

'Ik heb het recht om vragen te stellen over mijn dochters welzijn,' zei papa.

'Jasira heeft je vragen al beantwoord.'

'Ze is een leugenaar,' zei papa.

'Wat zeg je nou?' zei Gil.

‘Ze liegt over alles,’ zei papa.

‘Ik heb nog nooit gemerkt dat Jasira leugens vertelde,’ zei Gil. ‘Ze is altijd heel eerlijk tegen mij en Melina.’

‘Nou,’ zei papa, ‘wacht maar af.’

‘Nu is het mooi geweest,’ zei Gil. ‘Nu zijn er wel genoeg rotopmerkingen gemaakt. We gaan baklava eten en dan moeten jullie maar eens gaan.’

‘Best,’ snauwde papa. ‘Je zegt het maar.’ Toen ging hij mijn badkamer in en deed de deur dicht.

‘Kom, Jasira,’ zei Gil tegen me, hij legde zijn hand op mijn schouder en duwde me zachtjes naar de trap. Ik voelde me afschuwelijk terwijl we zo liepen. Ik vond dat ik hem eigenlijk moest zeggen dat hij zijn hand weg moest halen, want het was waar: ik was een leugenaar.

‘Waar is je vader?’ vroeg Thena toen we weer in de woonkamer waren. Zij en Thomas waren zeker klaar met de afwas want hij zat weer op de grond en zij zat aan de andere kant van de bank tegenover Melina.

‘Hij is naar het toilet,’ zei ik.

‘Hier,’ zei Gil tegen Thomas en hij liet het jack op zijn schoot vallen.

‘O, bedankt,’ zei Thomas.

‘Niet meer naar boven gaan, hè?’

Thomas knikte. ‘Afgesproken.’

‘Goed,’ zei Gil en hij klapte in zijn handen. ‘Wie wil er koffie?’

‘Ik wil graag decafé,’ zei Thena.

‘Eén decafé,’ zei Gil.

‘Ik ook,’ zei Thomas.

‘En jij, Jasira?’ vroeg Gil.

‘Oké,’ zei ik. Nog nooit had iemand me gevraagd of ik koffie wilde. Ik dacht altijd dat ik daar nog te jong voor was.

‘Ik wil graag melk,’ zei Melina.

Gil knikte en ging naar de keuken.

Ik ging op de bank zitten tussen Melina en Thena in. Melina raakte mijn haar even aan. ‘Gaat het goed?’ vroeg ze.

'Ja,' zei ik.
'Mooi.'

Ik keek over de salontafel heen naar Thomas, die nu languit op de grond lag. Hij had zijn jas opgevouwen en als een kussentje onder zijn hoofd gestopt. Hij had zijn ogen dicht.

'Maak je je klaar om straks naar huis te gaan, Thomas?' vroeg Melina hem.

'Jazeker,' zei Thomas en hij deed zijn ogen open en keek ons aan. 'Maar ik wil eerst nog wat van die baklava proeven.'

Thena knikte. 'Rifat kan goed koken.'

Een minuut later kwam papa de trap af lopen. Er lag een vreemde uitdrukking op zijn gezicht en hij had een stukje toiletpapier in zijn hand.

'Rifat,' zei Melina, 'we zijn klaar voor je baklava.' Het was de eerste keer dat ik haar zijn naam hoorde zeggen.

Papa gaf geen antwoord. Hij bleef gewoon doorlopen. Toen hij onder aan de trap was gekomen, liep hij naar de plek waar Thomas op de grond lag en zei: 'Opstaan.'

'Wat?' zei Thomas.

'Opstaan,' zei papa weer.

'Wat is er dan?' vroeg Thomas terwijl hij overeind ging zitten. 'Waar heeft u het over?'

Papa draaide het toiletpapiertje om en er viel iets in Thomas' schoot.

'Hè, gatver!' zei Thomas. 'Dat is goor!'

'Dat is van jou!' riep papa.

Eerst kon ik niet zien wat het was, maar toen raapte Thomas het op en zag ik dat het zijn condoom was van die middag.

Papa richtte zich tot Melina en zei: 'Wat heb je ze laten doen?'

'Ik heb ze niets laten doen,' zei ze. 'Waar heb je het over? Wat is dat?'

'Het is een condoom!' zei papa.

'O, mijn god!' zei Melina, en ze probeerde overeind te komen. Ik stak mijn arm uit om haar te helpen maar ze zag het niet.

Gil had papa zeker horen schreeuwen want hij kwam naar

binnen en zei: 'Wat is hier aan de hand?'

'Ik heb een condoom in jullie toilet gevonden,' zei papa. 'In Jasíra's toilet!'

'Welk condoom?' zei Gil.

'Zíjn condoom!' zei papa, en hij wees naar Thomas. 'Hij is hier de enige die een condoom nodig heeft.'

Thomas griste een servetje van de salontafel en deed het condoom erin. Hij stond op.

'En waar ga jíj naartoe?' brulde papa.

'Ik ga dit in de vuilnisbak gooien,' zei Thomas. 'Het is echt smerig dat u dat uit de wc hebt gehaald.'

'Geef hier,' zei papa.

'Nee,' zei Thomas.

Papa deed een uitval naar hem en rukte het servetje uit zijn handen.

'Jezus!' riep Thomas.

'Jij gaat nergens heen,' zei papa. 'Jij blijft mooi hier!' Toen keek hij Melina aan en zei: 'Ik wil weten waarom jij mijn dochter condooms laat gebruiken.'

'Dat doe ik niet,' zei Melina. 'Dat heb ik niet gedaan.' Voor het eerst leek ze van slag. Alsof ze niet wist wat ze moest zeggen.

'Hoe komt het dan dat ik dit vind?' vroeg hij op dwingende toon.

'Echt,' zei Melina. 'Ik weet het niet.'

'Jullie vinden mij zo'n vreselijke vader!' zei papa, en hij keek van Melina naar Gil. 'Jullie vinden mij allebei een vreselijke vader. Maar jullie laten wel toe dat mijn dochter jongens op haar kamer ontvangt en condooms gebruikt!'

Zijn gezicht zag rood en hij sprak met consumptie, en ik kon niet uitmaken of zijn gezicht nou bezweet was of dat hij huilde. Ik was bang dat hij iemand ging slaan, alleen was er eigenlijk niemand om te slaan. Als hij Thomas had willen slaan, had Thomas vast teruggeslagen.

'Rifat,' zei Thena. Ze stond op van de bank en kwam naast hem staan. 'Laten we nou even kalm blijven. Alsjeblieft.'

'Nee!' schreeuwde papa, en hij schudde haar hand van zijn arm. Hij draaide zich naar mij om en zei: 'Ga je spullen pakken. Jij gaat mee naar huis.' Toen ik niet in beweging kwam, schreeuwde hij: 'Nu!'

'Wacht eens even,' zei Gil.

'Jullie hebben een foto van haar been en ik heb dit condoom!' zei papa. 'Als jullie die foto aan de politie laten zien, laat ik ze dit zien. Jullie zijn net zo erg. Jullie laten ook vreselijke dingen gebeuren!'

'Hoor eens,' zei Thomas. 'Het spijt me heel erg, oké? Het is allemaal mijn schuld. Geef mij de schuld maar.'

'Natuurlijk geef ik jou de schuld!' zei papa. 'Ik geef jou de schuld, en ik geef haar de schuld!' Hij wees naar Melina.

'Nu is het genoeg,' zei Gil op scherpe toon. 'Nu even kalm blijven. Je weet niet eens wat er gebeurd is.'

'Ik weet precies wat er gebeurd is,' zei papa. 'Ik weet dat mijn dochter haar maagdelijkheid in dit huis heeft verloren!'

'Dat is niet waar,' zei Thomas.

'Hou je kop!' brulde papa. Toen draaide hij zich naar me om en zei: 'Ga je spullen pakken. Ik heb het je al een keer gezegd!'

Niemand zei iets. Melina niet, Gil niet, Thena niet. Het was alsof ze allemaal dachten dat papa voor deze ene keer gelijk had. Alsof ze niet wisten hoe ze tegen hem in moesten gaan. En dat konden ze ook niet, geloof ik. Niet echt. Maar ik wel. En ik wilde niet met hem terug. Ik kon me dat gewoon niet voorstellen. Ik kon me niet voorstellen dat ik ooit nog bij hem of bij mijn moeder zou kunnen wonen. Ik kon me wel voorstellen dat ik bij ze op bezoek ging, maar dan zou ik uiteindelijk altijd terug willen naar Gil en Melina. Naar mijn opklapbed met die stang in het midden. Naar mijn badkamer. Naar mijn kleren in de kast. Ik zei: 'Ik ben mijn maagdelijkheid niet in dit huis verloren.'

'Ze is die bij mij thuis verloren,' zei Thomas tegen mijn vader.

'Niet waar,' zei ik.

Thomas keek me aan.

'Ik ben die bij jou thuis verloren,' zei ik tegen papa. 'Meneer

Vuoso heeft het gedaan. Met zijn vingers. Ik wilde het niet, maar hij deed het toch.'

Zodra ik dat had gezegd, wilde ik niets meer zien. Ik wilde vooral niet zien dat iedereen naar me keek. Ik wilde niemand kennen die dit over mij wist en ik wilde dat ik het niet had gezegd. Het was goor, net zo goor als een condoom uit de wc halen. Toen wendde ik me tot de enige persoon die nog een vreemde voor me was. Ik wendde me tot Dorrie en ik drukte mijn gezicht tegen de plek waar zij was, en ik huilde zo hard als ik nog nooit had gehuild, en toen ik haar zachtjes tegen mijn gezicht voelde schoppen was ik blij te weten dat tenminste een van ons zo springlevend was.

TWAALF

Melina begon te huilen. Ze zei dat het allemaal haar schuld was. Gil zei dat dat niet waar was en probeerde zijn armen om haar heen te slaan, hoewel zij haar armen al om mij heen had geslagen. 'Je hoeft me niet vast te pakken,' zei ze. 'Met mij is er niets gebeurd.'

Thomas raapte zijn jas op, trok hem aan en zei dat hij naar hiernaast ging om meneer Vuoso te vermoorden. Gil zei dat hij dat niet mocht doen en ging voor de deur staan. Papa ging in Gils stoel zitten en legde zijn hoofd in zijn handen. Volgens mij voelde hij zich net als ik, alsof hij niet wilde dat iemand hem zou zien. Thena ging naast zijn stoel staan en legde haar hand op zijn schouder. In plaats van naar papa te kijken, zag ik alleen maar hoe haar hand beefde doordat zijn lichaam zo trilde.

Ik was blij dat ze zich allemaal bezighielden met hoe verdrietig ze waren en wiens schuld het was. Ik was blij dat er niemand tegen mij praatte. Ik schaamde me dood voor de dingen die ik had gezegd, de dingen die zij nu allemaal wisten. Zelfs voor Thomas, met wie ik intieme dingen had gedaan, schaamde ik me.

Niemand kwam een beetje tot bedaren. Ik zei dat ik een glas water wilde en liep naar de keuken waar ik in mijn eentje aan tafel ging zitten. Thomas kwam binnen en vroeg waar mijn water dan was en schonk toen voor ons allebei een glas in uit de kraan. Hij kwam naast me zitten en zei: 'Je had het me moeten vertellen.' Toen ik geen antwoord gaf pakte hij mijn hand vast. Hij was nog het kalmst van iedereen, misschien omdat hij te jong was om te bedenken dat het zijn schuld zou kunnen zijn. Ik vond eigenlijk niet dat het de schuld was van de volwassenen maar ik vond het wel fijn dat zij dat dachten. Ik vond het wel fijn dat ze er zo geschokt uitzagen en beefden en huilden. Ik had het gevoel dat ik me nergens meer zorgen over hoefde te maken, dat zij dat nu voor mij deden.

Thomas zat met mijn hand te spelen. Hij krabde zachtjes met zijn nagel over die van mij. 'Deed het pijn?' vroeg hij.

Ik knikte.

'Was er veel bloed?'

Ik knikte weer.

'Dat was mijn bloed,' zei Thomas. 'Niet van hem.'

In andere omstandigheden zou ik het leuk gevonden hebben als Thomas zo deed. Alsof ik van hem was. Maar nu voelde ik er helemaal niets bij. Ik dacht alleen maar dat het mijn bloed was en dat Thomas er niet meer over moest beginnen.

Er klonk nu het gedempte geluid van volwassenen die in de woonkamer zaten te praten, en Thomas en ik hielden ons heel stil zodat we konden luisteren. We hoorden nauwelijks wat ze zeiden. Ze wilden niet dat wij het zouden horen. Ik was bang dat ze bespraken dat ik weer bij papa moest gaan wonen, dus ik ging in de deuropening tussen de keuken en de woonkamer staan. 'Waar praten jullie over?' vroeg ik. Ze keken me allemaal aan. Niemand gaf antwoord. Ik voelde Thomas' adem tegen mijn rug.

'Ik woon nu híér,' zei ik tegen iedereen in de kamer en niemand zei dat dat niet zo was.

Na een paar seconden zei Thena: 'Thomas, ik zal jou in ieder geval even naar huis brengen.'

'Waarom?' vroeg hij.

'Je moeder zal zich wel ongerust maken.'

'Ik wil niet weg,' zei hij en niemand kwam erop terug. Ze zagen er allemaal moe en paniekerig uit. Papa hield zijn hoofd niet meer in zijn handen. Hij had zijn gezicht van me afgewend en staarde strak naar de tv, die niet aan stond. Melina had zich weer op de bank genesteld. Gil stond niet meer vlak voor de deur maar wel in de buurt, als een doelman die zich een eindje van de goal waagt.

'Wat gaat er gebeuren?' vroeg Thomas.

Ik dacht dat papa wel tegen hem tekeer zou gaan en zeggen dat hij zich erbuiten moest houden, maar dat deed hij niet. Hij zei: 'We moeten de politie bellen.'

'Waarom?' zei ik. Ik was bang dat ik mijn verhaal nog een keer moest vertellen aan mensen die ik niet eens kende.

'Daarom,' zei papa, en hij draaide zich nu om en keek me aan. 'Wat die schoft heeft gedaan is tegen de wet.'

'Maar ik wil er niet meer over praten,' zei ik.

'Pech gehad,' zei hij.

Op dat moment zei Gil iets in het Arabisch tegen hem, en het klonk veel luider en scherper dan wat hij tegen papa had gezegd toen die Melina afsnauwde. Papa wierp hem een woeste blik toe, maar zei niets terug. Ik wist dat Gil voor me opkwam en ik vond het echt vreselijk dat ik er niets van verstond.

Melina zuchtte. 'Je hebt gelijk, Rifat. We moeten de politie bellen.'

'Nee,' zei ik.

'Ik blijf wel bij je,' zei ze. 'De hele tijd.'

Ik zei bijna weer nee maar toen zei papa: 'Melina blijft bij je,' en hield ik mijn mond. Ik wilde het niet verpesten dat papa en Melina nu met elkaar overweg konden.

'Moeten we nu bellen?' vroeg Gil.

Niemand gaf antwoord.

'Of tot morgen wachten?' zei hij.

'Ik weet het niet,' zei papa. 'Ik kan niet nadenken.'

'Misschien moeten we maar tot morgen wachten,' zei Thena.

Al die tijd kwam de geur van Gils koffie de keuken uit drijven. Het was wel raar dat er iets ergs aan de hand was en dat het tegelijkertijd zo lekker kon ruiken. 'De koffie is klaar,' zei Thomas.

Niemand luisterde naar hem.

Hij haalde zijn schouders op en liep weer naar de keuken. Ik hoorde hem kastdeurtjes opendoen en kopjes en schoteltjes pakken. Ik hoorde hem laden opentrekken en bestek eruit halen. 'Kom me eens helpen, Jasira,' riep hij even later en samen brachten we de koffie voor de volwassenen naar binnen. We zetten de kopjes op de salontafel met melk en suiker erbij, maar niemand wilde ervan drinken. Thomas liep weer naar de keuken en kwam terug met de baklava. Hij had de folie ervan afgehaald en nu stond de schaal midden op tafel, met het filodeeg door papa in keurige, volmaakte ruitjes gesneden. Thomas probeerde de stukken er met een spatel uit te scheppen maar daardoor begonnen de krokante dunne laagjes te verkruimelen en uit elkaar te vallen. Ik wachtte tot papa tegen hem zou schreeuwen dat hij moest stoppen, maar dat deed hij niet. Ik wachtte tot papa tegen hem zou zeggen dat je de ruitjes na het bakken opnieuw moest insnijden zodat je de stukken eruit kon tillen, maar dat deed hij niet. Ik wachtte tot papa kwaad zou worden op mij omdat ik dat allemaal wist en het zelf niet tegen Thomas zei. Maar hij zat daar maar, te kijken hoe het allemaal uit elkaar viel, al dat harde werken van hem.

Gil bracht iedereen die avond naar huis, zelfs papa en Thena. Hij liep met hen langs het huis van de familie Vuoso zodat papa niet kwaad zou worden en op de deur ging bonken. Maar ik wist dat papa dat niet gedaan zou hebben. Hij was niet zoals Thomas.

Die nacht kwam Melina vanaf het begin bij mij in bed slapen. Waarschijnlijk dacht ze dat ik een nachtmerrie zou krijgen, dus kon ze me net zo goed instoppen en meteen blijven. 'Het spijt me zo,' zei ze terwijl we daar in het donker lagen.

'Waarom?' zei ik.

'Omdat ik het had kunnen weten.'

'Ik wilde niet dat je het wist,' zei ik tegen haar.

'Jawel, dat wilde je wel.'

Ik zweeg even. Ik moest erover nadenken of dat waar was.

'Jasira?' zei ze.

'Ja?'

'Is het vaker gebeurd?'

Ik gaf geen antwoord.

'Vertel me alsjeblieft of het nog vaker is gebeurd.'

'Dat is niet goed voor de baby,' zei ik.

'Met de baby gaat het prima.'

'Ja,' zei ik.

'Hoe vaak?'

'Eén keer.'

'Dat zul je ook aan de politie moeten vertellen.'

'En als ik het die keer nou zelf wilde?' vroeg ik, en toen begon ik te huilen omdat ik me zo schaamde. Niet omdat ik het echt had gewild maar omdat ik tegen meneer Vuoso had gedaan alsof, en dat zou hij aan de politie vertellen en daardoor zou het waar zijn.

Melina trok me naast zich en fluisterde: 'Dat maakt niet uit. Als een volwassen man seks heeft met iemand van onder de zestien, dan is dat verkrachting. Zelfs als ze het zelf wil.'

'Ik wilde het niet echt,' zei ik. 'Ik deed alleen maar alsof ik het wilde.'

'Waarom?' vroeg Melina.

'Ik weet het niet.'

Ze streelde mijn haar terwijl ik probeerde te stoppen met huilen. Dat was moeilijk als ze ondertussen zo aardig tegen me deed. Voordat we gingen slapen, zei ik: 'Vroeger had ik een hekel aan Dorrie.'

Melina lachte zachtjes. 'Zoiets had ik al begrepen.'

'Maar nu niet meer,' zei ik, hoewel het toch nog een beetje zo was.

'Je mag best een hekel aan haar hebben,' zei Melina. 'Oudere kinderen hebben altijd een hekel aan hun kleine broertjes en zusjes.'

Ik hoopte dat Melina daarna niets meer zou zeggen. Ik wilde

alleen nog maar die woorden keer op keer in mijn hoofd horen. Ze waren zo stralend en zonnig, net als wanneer je in de Texaanse zon keek, dan je ogen dichtkneep en nog steeds de contouren van de cirkel zag.

De volgende ochtend, zaterdag, ging ik met de politie praten. Papa kwam al met ze aanzetten toen Melina en ik nog zaten te ontbijten. Het waren een mannelijke en een vrouwelijke agent, maar ik hoefde niet met de man te praten, alleen met de vrouw. De man bleef in de woonkamer zitten met papa en Gil. De politieagente had papa gevraagd of hij bij de ondervraging wilde blijven, maar hij had nee gezegd, en dat Melina bij me zou blijven. De politieagente wilde weten of Melina familie was en papa legde toen uit dat ze een vriendin van de familie was. Ik vond dat wel grappig omdat niemand in mijn familie Melina aardig vond, behalve ik. Toch was het lief van papa om dat te zeggen. Maar ik was vooral gewoon blij dat hij me niet zou horen praten.

We zaten in de keuken. De politieagente nam alles wat ik zei op band op, maar soms schreef ze ook iets in een notitieboekje. Melina had haar breiwerkje, waarschijnlijk omdat ze me niet het gevoel wilde geven dat ze heel erg op me zat te letten terwijl ik me zo schaamde.

Ik vertelde de politieagente wat ik iedereen de avond daarvoor had verteld, alleen had zij nog veel meer vragen. Ze wilde tot in de details weten wat meneer Vuoso tegen me had gezegd, op welke manier hij naar me keek en hoe hij me had aangeraakt. Sommige dingen die leuk waren geweest toen we met zijn tweeën waren, klonken nu eigenlijk heel verkeerd toen ik ze aan de politieagente vertelde. Zoals die keer toen meneer Vuoso me mee uit eten nam, of bij me langskwam toen papa bij Thena was om te zeggen dat de schijnwerper niet aan stond, of toen ik hem mocht interviewen voor de schoolkrant. Nadat ik dat verteld had, stelde de politieagente me een vraag, bijvoorbeeld: ‘En toen hij bij je langskwam, kon hij weten dat je vader niet thuis was?' Op zulke momenten besefte ik dat ik het allemaal verkeerd had gezien.

Toen de ondervraging leek afgelopen vroeg de politieagente: 'Is er verder nog iets?'

Ik keek naar de tafel. Ik wilde het gewoon niet hebben over die andere keer, toen ik het meneer Vuoso met me had laten doen omdat ik dacht dat hij was opgeroepen voor de oorlog. Ik wilde niet dat iemand zou weten hoe stom ik was geweest om hem te geloven.

'Jasira?' zei de politieagente.

Ik keek haar aan. Ze was zwart en behoorlijk dik, en ik vond het mooi zoals haar uniform zat, strak sluitend over haar billen en borsten. 'Ja?'

'Heb je verder nog contact gehad met meneer Vuoso?'

Toen ik geen antwoord gaf, zei Melina: 'Ja, dat heeft ze gehad.'

'Wil je me daarover vertellen?' vroeg de politieagente.

Ik keek Melina aan.

'Toe maar,' zei ze.

Ik wachtte even en vertelde de politieagente toen over die andere keer. Ik werd er moe van steeds maar woorden als 'vagina' en 'penis' en 'borst' en 'erectie' te moeten gebruiken. Zelfs 'vingers' of 'mond' zeggen vond ik al gênant. Het viel me op dat Melina tijdens de ergste gedeelten van het verhaal sneller begon te breien. Ik sloeg haar gade en deed net alsof ik haar motor was. Alsof mijn gepraat een pedaal voortbewoog die haar handen sneller deed gaan. Ik begon op het eind pas te huilen, toen ik vertelde dat meneer Vuoso me een slet had genoemd terwijl we het deden. Melina legde op dat moment haar breiwerk neer en zei tegen de politieagente dat we vandaag wel genoeg hadden gepraat. De politieagente knikte en deed het dopje op haar pen. Ze zette de bandrecorder uit en stond op. Voordat ze wegging raakte ze mijn arm even aan en zei: 'Je hebt het prima gedaan. Je kon je nog heel veel details herinneren.'

Een paar minuten later kwam papa de keuken binnen. 'Hoe ging het?' vroeg hij. 'Heb je antwoord gegeven op al haar vragen?'

Melina knikte. 'Ze heeft het heel goed gedaan.'

Papa keek naar haar en toen weer naar mij. 'Waarom huil je?' vroeg hij.

'Rifat,' zei Melina, 'het was heel moeilijk. Dit zijn heel moeilijke dingen om over te praten.'

Papa bleef me aankijken. 'Ik begrijp maar niet waarom je me dit nooit eerder hebt verteld.'

'Ik dacht dat je kwaad op me zou worden,' zei ik.

'Waarom zou ik kwaad op jou worden als iemand jou pijn doet?'

'Ik weet het niet.'

'Nou, ik zou niet kwaad op jou worden,' zei hij, en hij keek Melina aan. 'Zo zit ik niet in elkaar.'

Melina zei niets. Op dat moment kwam Gil binnen. 'Alles goed?' vroeg hij.

Ik knikte.

'Ik ben bekaf,' zei Melina.

'Weet je wat,' zei Gil, 'misschien hebben we allemaal even wat tijd voor onszelf nodig.'

'Wat bedoel je daarmee?' zei papa.

'Ik wil alleen maar zeggen dat we misschien even pauze moeten nemen en straks weer bij elkaar komen.'

'Bedoel je dat je wilt dat ik naar huis ga?' zei papa.

'Even maar,' zei Gil.

'En als ik nou bij mijn dochter wil blijven?'

'Je kunt haar straks weer zien,' zei Gil. 'Als ze gerust heeft.'

'Ze kan in mijn huis uitrusten,' zei papa. 'Daar heeft ze haar eigen kamer.'

'Kom op nou, Rifat,' zei Gil.

Papa gaf geen antwoord. Hij had het visitekaartje van de politieagente in zijn hand en begon nu met zijn vingernagel tegen de rand van het kaartje te tikken.

'Je kunt vanavond hierheen komen, goed?' zei Gil.

Papa haalde zijn schouders op. Toen draaide hij zich naar mij om en zei: 'Wil je niet naar huis komen? Alleen voor vanmiddag?'

Ik wist niet wat ik moest zeggen en keek Gil aan.

'Nee,' zei papa. 'Ik praat tegen jou, niet tegen hem.'

Ik haalde diep adem en zei: 'Ik wil niet.'

Papa was heel even stil, toen zei hij 'best' en liep weg.

Melina en ik gingen in de woonkamer zitten. Ze vroeg hoe ik me voelde en ik zei goed. Ze zei nog een keer dat ik het uitstekend had gedaan bij de politieagente, maar dat ik me erop moest voorbereiden dat ik mijn verhaal waarschijnlijk nog een paar keer aan andere mensen moest vertellen. Bovendien, zei ze, moest ik naar de arts. 'Wat voor arts?' vroeg ik, hoewel ik het al wist.

'Mijn arts,' zei ze. 'De arts die me behandelt tijdens mijn zwangerschap. Ze is heel aardig. We gaan er samen heen.'

'Komt papa ook mee?' vroeg ik.

'God, nee,' zei ze. 'Ik bedoel, we kunnen hem niet tegenhouden als hij in de wachtkamer wil zitten, maar hij mag niet in de behandelkamer komen. Dat is niet toegestaan.'

'Oké,' zei ik. Ik pakte mijn boek over tieners van de salontafel en las hoe ze, als je een onderzoek ondergaat, een soort instrument inbrengen om je binnenkant wijder te maken zodat ze wat kunnen zien. Er stond dat je je ondertussen moest ontspannen zodat het niet vervelend zou voelen. Er stond ook in dat de dokter me misschien met behulp van een spiegel zou laten zien hoe ik er vanbinnen uitzag, want dat was heel boeiend.

Terwijl ik zat te lezen ging de telefoon. Gil, die nog steeds in de keuken was nam op en riep me toen. 'Het is je moeder,' zei hij, en hij gaf me de hoorn. Ik wilde dat ik tegen hem kon zeggen dat ik niet met haar wilde praten, maar ik bedacht dat ik dat beter niet kon doen want hij had al voor me op moeten komen bij papa. Ik was bang dat hij er op een dag genoeg van zou krijgen om tegen mensen te zeggen dat ze me met rust moesten laten.

'Dank je,' zei ik en ik nam de telefoon aan.

Hij knikte, pakte toen het tijdschrift waarin hij had zitten lezen en liep naar de woonkamer.

'Hallo?' zei ik, en ik wenste dat Gil was gebleven.

'Jasira?' zei mijn moeder.
'Ja?'
'Ben jij dat?'
'Ja.'
Ze zweeg even en zei toen: 'Papa heeft me zojuist gebeld. Hij heeft me verteld wat er is gebeurd.'
'O,' zei ik.
'Ik kom volgend weekend naar je toe, goed?'
'Ik woon nu bij Melina,' zei ik.
'Ja,' zei ze. 'Dat heeft papa me verteld.'
'Jij kunt bij papa logeren, maar ik woon bij Melina.'
'Dat is goed,' zei ze.
Ik wist toen niet meer wat ik moest zeggen. Ik kon niets bedenken. Uiteindelijk vroeg ik maar: 'Wat ga je doen als je hierheen komt?'
'Nou,' zei ze, 'jou opzoeken. Met je praten.'
'O.'
'Misschien had ik je daar niet heen moeten sturen.'
'Ik vind het hier leuk,' zei ik, en dat meende ik. Ik vond het hier echt leuk.
Mijn moeder begon te huilen. 'Hoe kun je het daar nou leuk vinden?'
'Het valt hier best mee.'
Ze was even stil en zei toen: 'Heel dapper van je dat je met de politie hebt gesproken.'
'Dank je.'
'Nu moet die man de gevangenis in en dan kan hij niet meer andere meisjes pijn doen. Jij hebt voorkomen dat hij nog andere meisjes pijn zal doen.'
'Hm-hm,' zei ik. Ik vond het eigenlijk geen prettige gedachte dat meneer Vuoso naar de gevangenis zou gaan. Ik wist dat hij verkeerde dingen had gedaan, maar hij had ook goede dingen gedaan. Hij was soms mijn vriend geweest. Hij was jaloers geweest op Thomas. Hij had tegen zijn zoon geschreeuwd dat die aardig tegen me moest doen. Hij had me tegen papa beschermd.

'In ieder geval,' zei mijn moeder, 'zit ik straks vooraan in die rechtszaal en kijk ik hem strak in de ogen.'

'En als het nou op een schooldag is?' zei ik.

'Wat?'

'Als de rechtszitting nou op een schooldag is en je niet kan komen?'

'Dan moeten ze maar voor een vervanger zorgen,' zei ze.

Nadat we hadden opgehangen ging ik naar de woonkamer om tegen Gil en Melina te zeggen dat mijn moeder over een week zou komen. 'Ik heb je moeder nog nooit ontmoet,' zei Gil.

'Ik wel,' zei Melina, en verder zei ze niets.

'Ik wil niet bij haar wonen,' zei ik.

'Oké,' zei Melina.

'Moet ik dat?' vroeg ik.

'Niet, als je het niet wilt.'

'Moet ik ooit bij iemand gaan wonen bij wie ik niet wil wonen?'

'Natuurlijk niet,' zei Melina.

'Thomas zegt dat ik niet bij de buren kan wonen.'

Ze zuchtte. 'Nou, Thomas weet ook niet alles.'

Papa kwam die avond niet meer terug hoewel Gil had gezegd dat hij mocht langskomen. Een deel van me was blij, maar een ander deel miste hem een beetje. Als we nu samen waren geweest hadden we grapjes kunnen maken over mijn moeder en hoe erg het zou worden als ze op bezoek kwam. Of we hadden het over de politieauto kunnen hebben die tot laat in de middag voor het huis van de familie Vuoso had gestaan. Of dat meneer Vuoso, toen zij naar buiten kwamen, met hen mee was gegaan en een kleine plunjezak bij zich had.

Denise gaf me de foto's die we bij Glamour Shots hadden laten maken. Ze zei dat ik eruitzag als een fotomodel en dat ik op een dag in een tijdschrift zou staan. Ze zei dat zij er ook als een fotomodel uitzag, maar als haar hele lichaam op de foto had gestaan, dan kon ze het wel vergeten. Ze gaf meneer Joffrey een van haar foto's en een paar dagen later gaf hij de foto terug en zei dat hij hem niet kon aanvaarden, maar dat ze er wel heel mooi uitzag. Ze vroeg me of ik een foto aan meneer Vuoso ging geven, en ik zei dat ik dat waarschijnlijk niet ging doen. 'Ben je niet meer verliefd op hem?' vroeg ze, en ik schudde mijn hoofd.

Ik gaf Thomas ook een foto en hij zei dat hij hem altijd zou bewaren. Hij liep nu de hele tijd met me mee op school, alsof hij dacht dat iemand me ging grijpen. Hij wachtte op me bij de stoep als Melina me 's morgens afzette en hij bleef 's middags met me wachten tot ze me weer kwam ophalen. Hij zei tegen me dat hij had besloten om geen seks meer met me te hebben tot ik wat ouder was. In plaats daarvan hield hij mijn hand vast en gaf me kusjes op mijn wang. Hij zei niets egoïstisch over wat ik voor hem moest doen. Op een dag kwam hij na school mee naar Melina's huis en toen keken we alleen maar tv.

Papa had zeker gezien dat Thomas' ouders hem kwamen halen, want die avond klopte hij bij ons aan. Hij zei dat ik niet meer met Thomas mocht omgaan, niet omdat hij zwart was maar omdat we seks hadden gehad. Melina zei dat ik wel met hem mocht omgaan maar alleen als er iemand bij was. Papa zei toen dat ik zijn dochter was en dat hij de regels bepaalde; en Melina antwoordde dat het haar huis was en dat zij de regels bepaalde. Papa zei toen dat hij het werkelijk ongelooflijk vond dat hij niets meer te zeggen had over de manier waarop zijn dochter werd opgevoed, en Melina zei toen dat hij overdreef.

Die vrijdagavond kwam mijn moeder aan met haar nieuwe vriend Richard. Van papa mochten ze bij hem logeren en hij ging bij Thena slapen. Ik vond het wel raar dat hij een zwart iemand bij hem thuis liet slapen. Ergens dacht ik dat hij het deed om indruk te maken op Melina, die hem voor zijn gevoel onterecht als racist had bestempeld. 'Hoe kan ik nou een racist zijn?' had hij me op een avond aan de telefoon gevraagd. Hij belde wel eens om me welterusten te wensen of om te vragen of ik mijn huiswerk af had. 'Ik bedoel, dat zie je toch metéén?' Toen ik geen antwoord gaf, gaf hij antwoord in mijn plaats en zei: 'Dus, ik kan geen racist zijn. Onmogelijk. Het is belachelijk.'

Mijn moeder belde vanuit papa's huis en vroeg of ik naar haar toe wilde komen om kennis te maken met Richard. Melina stond vlakbij in de keuken en had haar vingers over de voorkant van haar T-shirt gespreid. Het leek wel alsof ze Dorrie door haar buik heen probeerde te masseren. 'Ik kom daar eigenlijk nooit,' zei ik tegen mijn moeder.

'Kun je niet voor één avondje naar huis komen?' vroeg ze. 'We zijn per slot van rekening helemaal hierheen gekomen.'

Ik keek naar Melina. Ze schudde haast onmerkbaar haar hoofd alsof ze het met me eens was dat ik daar niet heen hoefde. 'Jullie mogen wel hier komen,' bood ik aan.

Melina knikte goedkeurend.

'Daarheen komen?' zei mijn moeder.

'Melina zegt dat het goed is.'

'Ja, ja,' zei mijn moeder.

'Dan kun je kennismaken met Melina en Gil.'

'Ik heb haar toch al ontmoet,' zei mijn moeder. 'Of niet?'

'O ja,' zei ik.

'Ik dacht dat je misschien voor één keer een uitzondering kunt maken en het weekend bij ons doorbrengt. Bovendien is je vader er niet eens.'

Melina trok een gezicht. Ik zag aan haar dat het haar begon te vervelen dat dit allemaal zo lang duurde en dat mijn moeder het niet wilde doen zoals wij het wilden.

Uiteindelijk zei ik: 'Ik ga niet graag terug naar de plek waar meneer Vuoso me pijn heeft gedaan.' Dat was niet helemaal waar, maar ik had al gemerkt dat als ik het tegen mijn moeder over meneer Vuoso had, ze niet zo lastig deed.

'O,' zei ze. 'Juist. Nou, goed dan. Weet je wat, waarom gaan we niet met zijn allen uit eten? Richard en ik hebben een auto gehuurd.'

'Met Melina?' vroeg ik.

'Nou,' zei mijn moeder, 'ik dacht eigenlijk dat we vanavond met zijn drieën zouden gaan. Wat vind jij?'

Ik keek naar Melina. Ze haalde haar schouders op. 'Oké,' zei ik tegen mijn moeder. Ik wilde vooral een eind maken aan het gesprek. 'Dan zie ik je op de oprit.'

'Leuk,' zei ze. 'Je gaat Richard heel erg aardig vinden.'

'Oké,' zei ik.

'Misschien kun je je vriendje Thomas meevragen.'

Ik snapte niet waarom Thomas wel mee mocht maar Melina niet, dus ik zei nee. Nadat we hadden opgehangen zei Melina: 'Wat heeft ze nou?'

'Ze wil niet met je praten,' zei ik.

'Ze heeft al met me gepraat.'

Ik haalde mijn schouders op. 'Ze wil niet nog een keer met je praten.'

'Hoe kun je nou niet willen praten met de mensen bij wie je kind in huis woont?'

'Ik weet het niet,' zei ik.

'Heel vreemd,' zei Melina.

'Mag ik met ze uit eten gaan?'

'Natuurlijk,' zei ze. 'Nou ja, eigenlijk had ik eerst kennis willen maken met die Richard, maar goed.'

Ik knikte en ging mijn schoenen pakken. Ik vroeg me af of het altijd zo fijn zou voelen om Melina om toestemming te vragen. Het ging me niet zozeer om het ja of nee ervan maar om die extra dingen. De dingen waaraan je kon merken dat ze zich zorgen maakte dat iemand me pijn zou doen.

Het was heel gek om weer naar papa's huis te lopen. Meestal kwam ik rond deze tijd niet meer buiten omdat Melina en Gil dan net bezig waren met het avondeten. En als ik wel buitenkwam, was ik niet alleen. Melina deed iets minder gestrest als ik naar buiten ging nadat meneer Vuoso met de politie mee was gegaan, maar een paar dagen later was hij op borgtocht vrijgelaten en was ze weer zenuwachtig geworden. Hoewel ze had gezegd dat hij nu absoluut niets meer zou durven doen, viel het me op dat als ik zei dat ik naar buiten wilde, zij steeds een of andere reden verzon om dan ook naar buiten te gaan. En als Gil er was, keek ze hem aan en verzon hij wel een reden.

Papa had de pest in dat meneer Vuoso op borgtocht vrij was. Hij zei dat vijftigduizend dollar niet genoeg was voor wat meneer Vuoso had gedaan, en dat hij niet kon wachten tot de echte straf begon. Ik vond het ook niet fijn om hem te zien, maar niet om dezelfde reden als papa. Ik vond het niet fijn om hem te zien omdat ik het erg moeilijk vond om geen medelijden met hem te hebben, en ik wist dat ik dat niet hoorde te hebben. Steeds als ik medelijden met hem kreeg, had ik het gevoel dat ik Melina teleurstelde, ook al wist ze misschien helemaal niet wat ik dacht.

Toen ik langs het huis van de familie Vuoso liep, zag ik een nieuwe witte kat voor het raam aan de voorkant zitten. Ik kon mijn ogen niet geloven. Ze leek zo ontzettend veel op Sneeuwbal dat ik even dacht dat zij het was, dat ze misschien weer tot leven was gekomen. Maar dat was natuurlijk niet zo. Ze lag nog steeds in de vriezer, ingeklemd tussen Melina's bevroren maaltijden.

Mijn moeder kwam papa's huis uit rennen en omhelsde me. Ze droeg een spijkerbroek en een blauw overhemd en gympen. Ze had haar haar in een paardenstaart gebonden. Ik had het idee dat ze op Melina probeerde te lijken hoewel ik niet zeker wist of ze zich nog kon herinneren hoe Melina eruitzag. Ik omhelsde haar ook tot het leek alsof ze in tranen ging uitbarsten, en toen maakte ik me los. Ze snufte nog een beetje en stelde me toen voor aan Richard, die kaal was en een baardje had. Hij boog zich naar voren om me een hand te geven. Ik had het gevoel dat hij niet te dicht bij me wilde komen en dat vond ik wel prettig.

We gingen naar een restaurant waar ze allerlei soorten gegrild vlees serveerden. Ik vond het wel leuk dat je in plaats van te zeggen dat je een gerecht met een bepaalde naam wilde, gewoon kon zeggen: 'Ik neem de kip', of 'ik neem de steak'. We kregen een zitje met een ronde bank toegewezen en mijn moeder ging tussen Richard en mij in zitten – maar wel iets dichter bij Richard. Telkens als hij iets zei wat volgens haar grappig, geestig of aardig was, kroelde ze met haar vingers door zijn baard. Toen ze zich druk begon te maken omdat haar steak verkeerd bereid was en die van Richard meer was zoals zij hem had willen hebben, schoof hij zijn bord naar haar toe en voelde ze zich alweer beter. De twee keer dat hij opstond om naar het toilet te gaan, vroeg ze wat ik van hem vond. Ik zei dat ik hem heel anders vond dan papa en dat hij een zachte, lage stem had. Ze knikte. 'Ik weet het. Het klinkt heel romantisch.' Ik was blij dat Richard weer terugkwam zodat ik niet nog meer dingen hoefde te verzinnen om te zeggen. Toen mijn moeder naar het toilet ging, stelde hij me vragen over school en hoe ik het vond om bij Melina en Gil te wonen. Ik zei dat ik het heel leuk vond en hij zei toen dat mensen op allerlei plaatsen familie konden vinden.

De volgende dag wilde mijn moeder nog steeds niet bij Melina thuis komen. Deze keer zei ze dat ze met Thomas en zijn ouders wilde kennismaken. Ik geneerde me want ik was er heel zeker van dat ze meneer en mevrouw Bradley alleen maar wilde laten zien dat ze een zwarte vriend had. Ik vroeg me af of Richard zich ook geneerde, maar als dat al zo was, dan liet hij dat niet blijken. Hij gaf meneer en mevrouw Bradley een hand en toen gingen we met zijn allen in de woonkamer zitten praten over de planeten die meneer Bradley door zijn telescoop had gezien.

Op een gegeven moment vroeg Thomas of wij naar boven mochten zodat hij een liedje voor me kon spelen. Geen van de volwassenen leek te weten wie daar antwoord op moest geven. Uiteindelijk zei mijn moeder: 'Eh, ja hoor. Maar maak het niet te lang.' Ik zei dat we dat niet zouden doen en Thomas en ik stonden op van de bank. Toen we op zijn kamer waren, zei hij: 'Je moeder is maf.'

'Weet ik.'

'Ze wilde niet dat je naar boven ging.'

'Ze vindt het niet leuk als jongens mij leuk vinden,' zei ik.

'Waarom niet?' zei hij. 'Ze heeft haar eigen vriendje.'

Ik haalde mijn schouders op.

Thomas pakte zijn gitaar en speelde een paar akkoorden, zette hem toen weer op zijn standaard en vroeg of hij me mocht likken. Ik zei nee omdat onze ouders beneden zaten, maar hij zei dat hij het heel snel zou doen. Dat hij het me niet zou hebben gevraagd als ik een broek had gedragen, maar omdat ik een rok aan had, kon hij er heel makkelijk bij.

'Ik dacht dat je niet meer wilde seksen,' zei ik.

Hij dacht even na en zei toen: 'Het is eerder zo dat ik niet meer wil dat jij dingen voor mij doet. Maar dit is iets voor jou. Dat is anders.'

Ik zei dat ik het goed vond en ging achterover op zijn bed liggen. Hij schoof mijn rokje omhoog, trok mijn slipje uit en legde zijn gezicht tussen mijn benen. Ik duwde mezelf tegen zijn mond aan toen het begon te voelen alsof ik een orgasme ging krijgen en het leek wel alsof hij daardoor nog beter ging likken.

Toen het was afgelopen bracht hij zijn gezicht bij het mijne en vroeg of er nog iets anders was dat hij voor mij kon doen, en ik zei dat ik hem graag wilde pijpen. Aan de manier waarop hij zijn heupen naar voren duwde, zag ik dat hij wilde dat ik zijn erectie zou zien en zoiets zou zeggen.

'Oké,' zei hij op serieuze toon. 'Ik bedoel, als je dat graag wilt.'

Ik zei dat ik het graag wilde en maakte zijn riem los. Terwijl ik hem aan het pijpen was, voelde ik me opgelucht. Sinds ik iedereen had verteld wat er was gebeurd en ze allemaal het goede probeerden te doen, voelde ik me eenzaam. Het was niet zo dat ik niet wilde dat de mensen het goede deden of dat ik niet geholpen wilde worden. Dat wilde ik wel. Maar ik wilde ook nog steeds mijn oude leven terug. Ik wilde vrijen. Ik wilde dat de ander me zei wat ik moest doen. Ik kon me niet voorstellen dat die gevoelens ooit weg zouden gaan.

Toen we weer beneden kwamen vroeg mijn moeder welk lied Thomas voor mij had gespeeld. Ze zei dat ze geen muziek had gehoord.

'Dat komt omdat mijn versterker niet was aangesloten,' zei Thomas. 'Ik speelde zonder versterker.'

‘O,’ zei mijn moeder.

Toen we weer terug waren bij papa’s huis, vroeg mijn moeder of ik heel even binnen wilde komen, want ze wilde me een cadeautje geven. Ik vroeg of ze het me niet op de oprit kon geven en ze zei van niet. Ik moest binnenkomen. Toen ik niet in beweging kwam, zuchtte ze en zei ze dat niemand me zou dwingen in papa’s huis te blijven als ik dat niet wilde. ‘We laten de achterdeur wijd openstaan,’ zei Richard, ‘voor het geval je er opeens snel vandoor moet.’ Ik glimlachte tegen hem, maar mijn moeder wierp hem een blik toe die me deed vermoeden dat ze later kwaad op hem zou worden.

Uiteindelijk zei ik maar ja en ging ik naar binnen. We liepen naar papa’s werkkamer waar mijn moeders koffer open op de grond lag. Er lagen kleren in die ik nog niet eerder gezien had, onder andere een zijdeachtige roze nachtjapon. Ik keek even naar het onopgemaakte bed en probeerde me aan de manier waarop de lakens en de kussens lagen iets voor te stellen over mijn moeder en Richard.

‘Alsjeblieft,’ zei mijn moeder, en ze overhandigde me een klein verpakt doosje. Ik maakte het open en zag dat er een scheermes in lag. Niet zo’n wegwerpgeval maar een zware van metaal waarin je steeds nieuwe mesjes kon zetten. ‘Vind je hem goed?’ vroeg ze.

‘Ja,’ zei ik. ‘Hij is heel mooi.’

Ze knikte. ‘Ga maar mee naar de badkamer. Dan doe ik je voor hoe je hem moet gebruiken.’

‘Dat weet ik al,’ zei ik, en ik liet een bloot geschoren been zien. Ik wist het door Barry, door Thomas en doordat ik het zelf had gedaan.

‘O,’ zei ze, en ze keek gekwetst.

‘Ik vind het echt een mooi cadeau,’ zei ik. ‘Het is het mooiste wat ik ooit van je heb gekregen.’

‘Daar ben ik blij om,’ zei ze, hoewel ze niet blij keek. Ze keek alsof ze weer in huilen ging uitbarsten. Ik legde het scheermes neer en gaf haar een knuffel. ‘Ik ben een vreselijke moeder,’ zei ze.

'Nee, dat ben je niet,' zei ik, want het leek alsof ik dat maar het beste kon zeggen.

'Jawel,' zei ze. 'Dat ben ik wel.' Ze maakte zich van me los en veegde haar tranen weg.

Ik zei niets. Opeens voelde ik me moe. Ik wilde naar huis.

'Ik ben heel jaloers op die Melina,' zei mijn moeder.

'Sorry,' zei ik.

'Ik wil haar gewoon niet zien.'

'Oké.'

'Je mag bij haar wonen als je dat wilt, maar ik ga daar niet heen. Ik kan het gewoon niet.'

Ik knikte. We spraken af om de volgende ochtend bij Denny's te gaan ontbijten voordat zij en Richard weer zouden vertrekken. Ik pakte mijn scheermes op, samen met het pakpapier en het lint. Ik bedankte mijn moeder en gaf haar een kus. Ik zei dat ik van haar hield en dat ik een leuke dag met haar had gehad. Ik zei haar niet dat ik alweer van gedachten was veranderd over wat het mooiste cadeau was dat ze me ooit had gegeven.

Meneer Vuoso vocht de aanklacht niet aan. Dat was alsof je zei dat je schuldig was zonder dat je het feitelijk gezegd had. Maar de rechter zou hem toch straffen alsof hij wel had gezegd dat hij schuldig was. Het goede eraan was dat ik mijn verhaal niet meer aan andere mensen hoefde te vertellen en dat ik niet meer naar de dokter hoefde. Ik wist niet of meneer Vuoso dat uit aardigheid voor mij had gedaan, maar zo voelde het wel. Toen ik het op een dag tegen Melina opperde, zei ze dat dat absoluut niet waar was, dat ik mezelf niets moest wijsmaken. 'Hij doet het om aardig te zijn voor zichzelf,' zei ze. 'Zodat hij, als je vader een civiele procedure tegen hem begint, nog steeds schuld kan ontkennen.'

Melina en papa hadden hele gesprekken over meneer Vuoso's veroordeling en over hoeveel gevangenisstraf ze hoopten dat hij zou krijgen. Ze hadden nog steeds ruzie over van alles en nog wat – hoe laat ik naar bed moest, hoe kort ik mijn haar mocht knippen – maar ze raakten wel steeds meer bevriend met elkaar omdat ze allebei zo boos waren. Eerst was ik wel blij dat ze elkaar nu aardiger vonden, maar de dingen die ze over meneer Vuoso zeiden maakten me nerveus. Vooral als ze het erover hadden dat andere mensen in de gevangenis niets moesten hebben van mannen die kinderen pijn deden en dat ze hele gemene dingen met die mannen deden.

Eigenlijk wilde ik niet echt dat meneer Vuoso iets naars zou overkomen. Ik wilde alleen maar dat hij er spijt van had, net als die keer toen hij me voor het eerst pijn had gedaan. Ik wilde dat hij altijd spijt zou hebben, dat hij er altijd over in zou blijven zitten dat ik nog steeds pijn voelde, dat hij zou blijven proberen het goed te maken bij me. En soms wilde ik dat hij iets voor zichzelf van mij zou willen. Maar dat hij het dan op een lieve, zachte manier zou doen waar ik maar een klein beetje bang van werd.

Op een ochtend, toen ik die nacht geen nachtmerries had gehad en Melina niet bij me was komen slapen, werd ik vroeg wakker en stond op. Gil had al gedoucht en was de deur al uit omdat het hem vanwege het drukke verkeer minstens een uur kostte om het centrum van Houston te bereiken. Melina lag nog te slapen. Ik trok mijn kleren van de vorige dag aan en ging naar beneden. Het begon net licht te worden en ik wachtte tot meneer Vuoso naar buiten kwam met zijn vlag. Toen ik hem zag, liep ik naar de vriezer en haalde Sneeuwbal eruit.

Ik nam haar mee naar buiten en bleef op het stoepje voor het huis staan. Ik keek hoe meneer Vuoso in de voortuin zijn vlag aan de mast vasthaakte. Toen hij me zag stopte hij met wat hij aan het doen was. Ik had het gevoel dat we elkaar heel lang stonden aan te kijken. Ik stapte van het stoepje af en liep naar de rand van Melina's grasveld. Voor me lag haar oprit en daarachter begon de tuin van de familie Vuoso. Na een paar seconden stak ik Melina's oprit over. Verder durfde ik niet. 'Hoi,' zei ik.

'Blijf bij me vandaan,' zei hij.

Ik wist toen niet wat ik moest doen want het was zo anders dan wat ik gehoopt had dat hij zou zeggen.

'Sorry, dat ik het verteld heb,' zei ik.

'Sodemieter op!' siste hij.

Ik bleef staan kijken terwijl hij het touw strak trok zodat zijn vlag omhoogging. Toen hij klaar was, liep hij op zijn voordeur af. 'Papa heeft Sneeuwbal doodgemaakt,' zei ik.

Hij bleef staan en draaide zich om. 'Wat?'

'Het was een ongeluk. Hij heeft haar overreden en toen hebben we haar ingevroren. We wisten niet wat we moesten doen.'

'Jezus christus.'

'Hier is ze,' zei ik, en ik hield hem het pakketje voor.

Hij aarzelde even, liep toen naar de rand van zijn grasveld en bleef staan op de plaats waar zijn gras overging in het beton van Melina's oprit.

'Hier,' zei ik.

Hij nam Sneeuwbal van me aan en keek naar haar bevroren lijfje. Hij stond er even aan te voelen alsof hij probeerde te bepalen hoe ze lag.

'Dit is haar kop,' zei ik, en ik liet het hem zien, en hij knikte. Na een seconde zei ik: 'Het spijt me.'

Hij zuchtte. 'Het is jouw schuld niet.'

'Ze ontsnapte toen ik met Zack stond te praten.'

'Het is jouw schuld niet,' zei hij weer.

'Oké,' zei ik.

Toen keek hij me met een heel droevige blik aan en voelde ik dat ik van hem hield. Ik zou het nooit aan Melina of iemand anders vertellen, maar het was wel waar. Ik kon er niets aan doen. Hij had er spijt van. Werkelijk spijt van. Hij had me geen pijn willen doen. Hij hield ook van mij.

Toen stak hij zijn hand uit en legde die tegen mijn gezicht. Het was nog steeds heel vroeg in de ochtend en de hemel zag roze en nevelig. De hitte van de zomer kwam eraan, en koeler dan nu zou het vandaag niet worden. Zijn handpalm op mijn wang voelde klam en warm aan. Toen hij hem weer weghaalde hoorde ik een kreet achter me. Ik draaide me om en zag Melina op de stoep voor haar huis staan. Ze droeg de kleren waarin ze de avond daarvoor was gaan slapen. 'Afblijven!' schreeuwde ze. 'Nu! Blijf met je poten van haar af!' En toen viel ze, van de treden naar beneden, en ze bleef als een vreemde, opgezwollen hoop op het tuinpad liggen.

Ik draaide me om en rende over het grasveld naar haar toe. Haar ogen waren dicht en ze had een snee in haar pols die een beetje begon te bloeden. 'Melina?' zei ik. Ze gaf geen antwoord. Ze lag op haar zij op het pad. 'Melina?' zei ik weer, en ik raakte haar schouder aan. Toen ze nog steeds niet bijkwam, ging ik papa halen. Meneer Vuoso was alweer terug naar binnen gegaan.

Papa was wakker en was net klaar met zijn koffer pakken voor zijn reisje naar Cape Canaveral. Hij en Thena zouden die avond meteen na het werk vertrekken. Toen ik tegen hem schreeuwde dat Melina van het stoepje was gevallen, wilde hij weten waar ik het over had. 'Waar is haar man dan?' vroeg hij, hoewel hij al naar de achterdeur liep om zijn schoenen te pakken.

We liepen samen naar buiten, en gingen niet via het trottoir maar dwars over meneer Vuoso's grasveld. 'Melina!' riep papa onder het rennen. 'Hé! Melina!'

Tegen de tijd dat we bij haar waren had ze nog steeds haar ogen niet opengedaan, en papa gaf haar zachte tikjes op haar wangen. 'Melina!' riep hij op luide toon. 'Wakker worden!' Toen ze niet reageerde, zei hij dat ik het alarmnummer moest bellen. 'Zeg ze dat we een ambulance nodig hebben voor een zwangere vrouw die bewusteloos is geraakt,' zei hij, en ik knikte en ging naar binnen. Maar net toen ik de telefoon in de keuken oppakte hoorde ik een sirene. Die kwam steeds dichterbij en ik wachtte even voordat ik het nummer draaide. Toen ik doorkreeg dat ze onze straat in kwamen rijden legde ik de telefoon weer neer en liep naar buiten. 'Zijn ze er nu al?' vroeg papa terwijl hij zich omdraaide en naar de zwaailichten keek, en ik haalde mijn schouders op.

Melina werd zelfs niet wakker van het doordringende geluid van de sirene. Pas toen een van de twee ziekenbroeders vlugzout onder haar neus hield, opende ze haar ogen. 'Je bent flauwgevallen!' schreeuwde papa tegen haar op diezelfde luide toon waarmee hij haar wakker had proberen te maken.

Ze knikte hoewel ze ook verward uit haar ogen keek.

'Hoe lang is ze bewusteloos geweest?' vroeg de ziekenbroeder met het vlugzout. Hij hield het gebroken pakje nog steeds in zijn hand en ik vond het tegelijkertijd eng en spannend om het te ruiken.

Papa keek naar mij. 'Hoe lang?'

Ik dacht even na en zei toen: 'Ongeveer vijf minuten.'

'Weet u nog waarom u bent flauwgevallen, mevrouw?' vroeg de andere ziekenbroeder. Die had een stethoscoop om zijn nek hangen en schoof de mouw van Melina's hemd naar boven zodat hij een bloeddrukmeter om haar arm kon binden.

'Mijn hand doet pijn,' zei ze.

'Je hebt een snee,' zei ik tegen haar, en ik wees op de bebloede plek.

'Dat maken we zo wel schoon,' zei de ziekenbroeder met het vlugzout.

'Ze willen weten waarom je bent flauwgevallen,' zei papa.

'Ik weet het niet,' zei Melina terwijl ze mij aankeek, en op dat moment begreep ik dat ze het wel wist. Toen vertrok haar gezicht zich en ze greep naar haar buik. 'O, mijn god.'

'Een wee?' vroeg de ziekenbroeder met de stethoscoop.

'Ik weet het niet,' zei ze. 'Dit is mijn eerste kind.'

We stonden allemaal naar haar te kijken. 'Ademhalen,' zei de ziekenbroeder en ze haalde adem en maakte daarbij zachte pufgeluidjes.

Toen het voorbij was probeerde ze rechtop te gaan zitten en toen zag ik de bloedvlek tussen haar benen. Hij stak duidelijk af tegen de lichtblauwe operatiebroek die ze als pyjama droeg. 'O, kijk,' zei ik.

'Wat?' zei Melina.

'Je broek.'

Ze keek naar beneden. 'O, mijn god.'

Papa wendde zich onmiddellijk af.

'Oké,' zei de ziekenbroeder met het vlugzout, en hij kwam omhoog vanuit zijn geknielde houding. 'Tijd voor het ziekenhuis.'

Beide ziekenbroeders liepen naar de achterkant van de ambulance om de brancard te pakken. 'Moet ik Gil voor je bellen?' vroeg ik Melina.

'Daar is nu geen tijd voor,' zei ze. 'We bellen hem wel vanuit het ziekenhuis.'

'Ik kan hem wel bellen,' zei papa. 'Voordat ik naar mijn werk ga.'

'Ga je nu werken?' zei Melina.

'Het is bijna zeven uur,' zei papa. Rond die tijd ging hij iedere dag de deur uit.

Melina keek hem aan. 'Ga je dan niet met ons mee?'

'Ik?' zei papa.

Ze knikte. 'Misschien kan Gil niet op tijd in het ziekenhuis zijn.'

'Je hebt Jasira toch?' zei papa. 'Jasira gaat wel met je mee.'

Melina keek alsof ze op het punt stond om in tranen uit te barsten. 'Ik kan niet geloven dat je niet mee wilt komen!'

Papa keek haar aan. Hij keek mij aan. Ik wist niet wat ik tegen hem moest zeggen. Het was moeilijk om nee te zeggen tegen Melina. Het was moeilijk, want op de momenten dat zij echt wilde dat je haar zin deed, voelde je het meest dat ze om je gaf. Dus toen papa van gedachten veranderde en zei dat het goed was, en dat hij zijn auto zou pakken, wist ik zeker dat hij haar mening belangrijk vond.

In de ambulance bleef de ziekenbroeder met de stethoscoop bij ons achterin zitten om Melina's hartslag te controleren. Onderweg begonnen de weeën steeds sneller te komen en ze kneep in mijn hand tot ze voorbij waren. Dat deed nogal pijn maar ik zei maar niets omdat ik niet wilde dat ze zich rot ging voelen. Ze bleef maar tegen de ziekenbroeder zeggen dat ze wilde persen en hij zei dat ze moest wachten tot we in het ziekenhuis waren.

'Waarom?' zei ze. 'Weet u niet hoe u een baby ter wereld moet helpen? Ik weet zeker dat ze jullie erin trainen om baby's ter wereld te helpen!'

'Ik weet ook hoe dat moet, mevrouw,' zei de ziekenbroeder. 'Maar u bent nog niet zover. Probeer het nog even uit te houden.'

'Hoe weet u dat?' zei ze. 'U heeft me niet eens onderzocht.'

'Mevrouw,' zei de ziekenbroeder, 'we zijn nu al heel dicht bij het ziekenhuis.'

Melina zei niets maar greep mijn hand en worstelde zich al puffend door de volgende wee heen. Door de achterruit zag ik papa in zijn Honda achter ons aan rijden. Ik zwaaide naar hem bij een stoplicht en hij zwaaide terug. Toen de wee voorbij was zei ze tegen me: 'Je weet dat je met die man niet mag praten. Waarom heb je dan toch met hem gepraat?'

Heel even dacht ik dat ze papa bedoelde. Toen drong het tot me door dat ze het over meneer Vuoso had. 'Ik wilde hem Sneeuwbal geven,' zei ik, 'voordat hij de gevangenis in ging.'

'Het kan me niet schelen wat je hem wilde geven,' zei ze. 'Je woont nu bij mij en je doet wat ik zeg. Als ik zeg dat je niet met iemand mag praten, dan hoor je te luisteren.'

Het viel me op dat vanaf het moment dat ik het woord 'gevangenis' had gebruikt, de ziekenbroeder helemaal met zijn rug naar ons toe was gaan zitten in de krappe ruimte en wat papieren op een klembord begon in te vullen. Ik wilde dat ik Melina kon vertellen dat meneer Vuoso de ambulance voor haar had gebeld, maar ik was er zeker van dat ze dan zou zeggen dat iedere halvegare de telefoon op kon pakken. Dus in plaats daarvan zei ik: 'Sorry.'

'Ik ga je straf geven,' zei Melina. 'Nadat ik de baby heb gekregen ga ik je straf geven.'

'Moet ik dan terug naar papa?' vroeg ik.

'Nee!' zei ze. 'Niet zo'n straf. Je moet een paar keer extra afwassen, of zoiets.'

'Oké,' zei ik.

Toen kreeg ze weer een wee en deze keer vond ik het wel fijn dat ze zo hard in mijn hand kneep, alsof ze zich aan me vastklemde.

Bij het ziekenhuis moest papa een parkeerplaats zoeken terwijl Melina en ik bij de ingang voor de spoedeisende hulp uitstapten. Een Mexicaanse verpleegster die Rosario heette kwam ons aan de andere kant van de automatisch sluitende deuren tegemoet lopen. Ze zei tegen de ziekenbroeders dat ze haar moesten volgen en we reden de brancard langs alle mensen die in de wachtruimte zaten en voorbij een dubbele deur. Het was niet echt een kamer waar ze Melina in reden maar een door gordijntjes afgescheiden ruimte. De ziekenbroeders klapten een kant van de brancard naar beneden en tilden Melina op een ander bed, dat korter was dan de brancard. Ze maakten grapjes over haar gewicht en ze moest lachen tot er weer een nieuwe wee aankwam.

Rosario ging heel snel te werk, ze rolde Melina eerst op haar ene zij en toen op de andere, terwijl ze al haar kleren uittrok. Op dezelfde manier trok ze Melina een nachthemd aan en gaf haar toen een laken dat ze strak over haar buik legde. Ik begreep niet helemaal waarom ze dat deed tot ze naar het voeteneind van de korte tafel liep en twee voetsteunen uittrok. Nadat ze Melina's voeten had gepakt en in de steunen had gelegd, waren haar benen wijd gespreid. Zonder het laken om haar te bedekken had iedereen alles kunnen zien.

Ik had Melina's tas mee gegrist voordat we met de ambulance wegreden en nu zei ze dat ik haar portemonnee moest pakken en er wat kleingeld uit moest halen om Gil te bellen. Op het tafeltje naast haar bed lagen een notitieblokje en een pen, en ze schreef zijn nummer voor me op. 'Zeg dat hij moet opschieten,' zei ze. 'En ga je vader zoeken.' Ik knikte en pakte het papiertje. Toen ik de kamer uit liep zag ik dat de zuster een rubber handschoen aantrok en een kruk tot tussen Melina's gespreide benen rolde.

De telefooncellen stonden in de wachtruimte. Gil zat in een vergadering maar toen ik zijn secretaresse vertelde wat er aan de hand was, zei ze dat ze hem zou gaan halen. Vlak daarna kwam hij aan de telefoon en zei: 'Jasira? Is alles goed met Melina?'

'Ja, ja,' zei ik. 'Maar je moet wel opschieten. Ze wil gaan persen.'

'Nu al?' zei hij. 'Is ze al zo ver?'

Ik schaamde me te erg om tegen hem te zeggen dat het mijn schuld was dat alles nu zo snel gebeurde, zodat hij niet meer op tijd kon zijn.

'Goed,' zei hij. 'Zeg maar dat ik eraan kom.'

Ik zei dat ik dat zou doen en hing op. Op dat moment kwam papa binnenlopen. Hij keek om zich heen in de wachtruimte alsof hij niet wist wat hij moest doen. 'Papa,' riep ik.

Hij zag me en kwam naar de telefooncellen toe lopen.

'Melina ligt in een kamer,' zei ik. 'Kom maar mee.'

'Ik wacht hier wel,' zei hij.

'Maar ze wil dat je komt.'

'Waarom?'

'Omdat Gil er nog niet is.'

'Ik moet mijn werk bellen,' zei papa. 'Ze zullen zich wel afvragen waar ik zit.'

'Maar Melina moet bijna persen.'

'Nou,' zei hij, 'kom het dan maar zeggen als ze klaar is.'

'Volgens mij vindt ze dat niet leuk,' zei ik.

'Ik ga niet toekijken hoe zij een baby krijgt,' zei papa. 'Dat gaat mij niets aan.'

'Maar je had gezegd dat je zou komen.'

'Ik had gezegd dat ik naar het ziekenhuis zou komen. Niet naar haar kamer.'

'Ik denk dat ze er echt liever een volwassene bij heeft.'

Papa zuchtte. 'Ik ga alleen even gedag zeggen. Daarna moet ze maar op haar man wachten. Hij komt er toch aan?'

Ik knikte.

'Goed,' zei hij. 'Hopelijk is het niet te druk op de weg.'

'Ze ligt achter die deuren,' zei ik, en ik wees, en omdat hij geen aanstalten maakte, pakte ik zijn hand en ging hem voor.

Toen we binnenkwamen zei Melina net tegen een oudere verpleegster die ik nog niet eerder had gezien dat ze nu echt wilde persen. 'Nog even niet,' zei de zuster. 'Nog even volhouden.'

De verpleegster liep de kamer uit en ik zei: 'Gil is onderweg.'

'Mooi,' zei Melina.

'Ik blijf heel even,' zei papa. Hij keek schichtig naar Melina's voeten in de steunen en keek toen weer weg.

'Heb je Jasira niet geboren zien worden?' vroeg ze.

Papa schudde zijn hoofd.

'Waarom niet?'

'Dat waren andere tijden.'

Melina lachte. 'Dat waren geen andere tijden! Dat is nog maar dertien jaar geleden!'

'Nou en?' zei papa. 'Dertien jaar is lang.'

Melina zuchtte. Het ziekenhuis had airco maar haar gezicht was bezweet door de pijn van de weeën. 'Kun je echt niet blijven?' zei ze.

'Liever niet,' zei papa.

Melina zei niets, maar ze keek wel teleurgesteld.

'Jasira blijft wel,' zei papa. 'Dat is veel beter voor je.' Hij keek naar me en zei: 'Ze is een lieve meid.'

'Ja,' zei Melina. 'Dat is ze zeker.'

Ik wist niet wat ik moest doen terwijl die twee zo over me praatten, dus keek ik maar naar de klok op de muur achter Melina's hoofd. Een seconde later kreeg ze opnieuw een wee en ging ik weer naast haar staan zodat ze mijn hand kon vasthouden. Toen de wee voorbij was, was papa al weg. 'Wat een lafaard, zeg,' zei ze.

'Hij houdt niet van lichamen,' zei ik tegen haar.
'Nee, dat zal wel.'
Gil kwam niet op tijd om Dorrie geboren te zien worden. Maar ík zag haar wel ter wereld komen. Ik zag hoe Melina haar naar buiten perste, samen met al dat andere spul dat mee naar buiten kwam. Ze maakten haar schoon en legden haar op de weegschaal, en omdat Gil er niet was mocht ik de navelstreng doorknippen. Daarna dekten ze het stompje af met een gaasje. Als het genezen was werd dat haar navel. Dat wist ik niet. Niet tot op dat moment. Ik wist ook niet dat toen ik Dorrie voor het eerst zag ik geen jaloezie zou voelen. Helemaal niet. Zelfs niet toen Melina begon te huilen. Dorrie maakte mij ook aan het huilen. Ze was heel klein en moe, en ik wist dat het alleen maar goed was om van haar te houden.

DANKWOORD

Ik heb drie jaar nodig gehad om dit boek te schrijven. In die tijd heb ik veel steun gehad aan Holly Christiana, Nina de Gramont, Ben Greenman en Bill Kravitz. Ik wil ieder van hen bedanken voor hun liefde en vriendschap.

Verder wil ik de volgende mensen bedanken voor hun waardevolle hulp en steun: Deborah Ballard, Neizka Ebid, Stephen Elliott, Faulkner Fox, Don Georgianna, David Gessner, Carol en Georges de Gramont, Hania Jakubowska, Alison Lester, Toby Lester, Laura Maffei, Giovanna Marchant, Michael Martin, Gunther Peck, Linda Peckman, Melissa Pritchard, Martin Rapalski, Cory Reynolds, Samantha Schnee, Barbara Schock, Alissa Shipp, Jeremy Sigler, Lisa Stahl, Terry Thaxton, en John en Ann Vernon. Mijn dank gaat ook uit naar Gail Ghezzi, Daniel, en Jake, mijn plaatsvervangende familie in Brooklyn.

Marysue Rucci, mijn redacteur bij Simon & Schuster, kocht dit boek toen het nog niet eens af was en in een totaal andere vorm was gegoten. Ze deed een paar ongelofelijk rake suggesties en liet me toen los om de klus af te maken. Uiteindelijk heb ik de honderd pagina's op basis waarvan zij het boek had gekocht weggegooid en ben ik opnieuw begonnen. Ik ben haar zeer dankbaar omdat zij zoveel geduld met me heeft gehad en wil haar vooral danken voor het in mij gestelde vertrouwen.

Ik ben ook veel dank verschuldigd aan Mary-Anne Harrington, mijn redacteur bij Hodder/Headline in Groot-Brittannië, die dit boek al kocht toen het nog in zijn meest prille fase verkeerde. Niet één keer heeft ze een opmerking gemaakt over het feit dat ik het twee jaar te laat bij haar heb ingeleverd.

Mijn dank gaat ook uit naar mijn publiciteitsagenten bij Simon & Schuster: Victoria Meyer, Tracey Guest en Kristan Fletcher. Ze hebben zich voor de volle honderd procent voor dit boek ingezet en ik prijs me gelukkig met hen te mogen samenwerken.

Ik wil mijn waardering uitspreken voor de voortdurende steun die ik mocht ontvangen van Tara Parsons van Simon & Schuster, en Leah Woodburn van Hodder/Headline. Tevens wil ik Loretta Denner van Simon & Schuster bedanken voor de uitstekende manier waarop het boek is geproduceerd en Nora Reichard, mijn al even geweldige bureauredacteur.

Heel veel dank aan Jesse Holborn van Hodder/Headline, die de fantastische omslag van het boek heeft verzorgd. En ook veel dank aan Jackie Seow en Davina Mock van Simon & Schuster voor hun geduld en uiterst relevante wijzigingen.

Dank aan Tony Peake van Peake Associates, die nog steeds hulp en aanmoediging stuurt vanaf de andere kant van de grote plas.

Hoofdstuk vier van dit boek heb ik in Seaside, Florida, geschreven, waar ik mocht verblijven dankzij het Escape to Create Program van het Seaside Institute. Ik wil iedereen van het Seaside Institute bedanken, en vooral Peter Horn, Marsha Dowler, Nancy Holmes, Richard Storm en Don en Libby Cooper, die mij gedurende een maand in hun schitterende huis hebben laten wonen. Ik wil ook graag Susan Horn, Peter Jr. en Tennyson bedanken die me als een familielid in hun midden hebben opgenomen.

Ik wil mijn schoonfamilie bedanken – Margery Franklin, Mark Franklin en Diane Garner – voor hun steun om dit boek te kunnen schrijven. Als ik er niet fulltime aan had kunnen werken, had ik er veel langer over gedaan.

Dank aan Joy, die me overal doorheen heeft geholpen.

Dank aan tante Suzie en oom Conrad, die het echt menen als

ze zeggen dat hun huis altijd voor me openstaat.

Vlak nadat ik het boek af had, hebben Howie Sanders en Andrew Cannava van United Talent Agency het aan Alan Ball laten lezen, die er vervolgens een optie op heeft genomen. Ongeacht of er nu wel of niet een film van komt, wil ik hen bedanken voor hun enorme betrokkenheid. Ik wil ook mijn dank uitspreken aan Joe Regal, Bess Reed en Lauren Schott van Regal Literary omdat ze me zo hartelijk verwelkomd hebben.

Sinds ik hem in 1999 heb leren kennen, heeft mijn agent Peter Steinberg ervoor gezorgd dat ik de wind altijd in de zeilen had. Hij heeft goed voor me gezorgd, niet alleen omdat ik een van zijn schrijvers ben maar omdat hij me als een vriendin beschouwt. Het is een heerlijk gevoel onder zijn beschermende vleugels te vertoeven.

Tot slot wil ik David Franklin bedanken. Tijdens het schrijven van dit boek zijn wij uit elkaar gegaan, maar dat heeft hem er geen moment van weerhouden datgene te doen wat hij jarenlang zo genereus heeft gedaan: de rekeningen betalen en ieder woord dat ik opschrijf lezen en redigeren.